CÉLINE

A paraître
au Mercure de France :

CÉLINE
Deuxième partie :
Délires et persécutions

FRANÇOIS GIBAULT

CÉLINE

PREMIÈRE PARTIE
Le Temps des espérances
(1894-1932)

MERCURE DE FRANCE
MCMLXXVII

Pour Lucette Destouches
Elle sans qui les choses...

INTRODUCTION

« *Nul génie ne semble plus spontané que le sien. Il invente à la fois ses rêves et ses réalités, son style, et jusqu'à cette brisure de la coulée du pinceau à quoi, aujourd'hui encore, son écriture se reconnaît du premier coup d'œil [1].* »

« *Il est le premier grand metteur en scène de l'absurde [2].* »

« *Ce ricanement devant la condition humaine, notre temps s'est chargé de nous en rendre le sens : c'est celui des condamnés. On a de l'esprit dans les préaux qui s'ouvrent sur l'exécution : une ironie qui ressemble à celle de Goya [3].* »

André Malraux, lorsqu'il écrivait ces lignes, ne pensait qu'à Goya, peintre solitaire et désespéré. Il aurait pu les écrire aussi bien à propos de Louis-Ferdinand Céline, écrivain maudit qu'il admira et protégea, malgré les coups de griffe dont il avait fait l'objet.

En peinture, Céline aimait Jérôme Bosch, Goya et Daumier. Il fut comme eux, à sa manière, le peintre d'un monde fantastique, plus vrai que nature.

Voici la première partie de sa vie. C'est l'histoire d'un homme

---

1. André Malraux, *le Triangle noir*, Paris, Gallimard, 1970, p. 55.
2. *Id., ibid.*, p. 68.
3. *Id., ibid.*, p. 75.

seul, la marche d'un voyageur solitaire. Elle débute à Courbevoie le 27 mai 1894 et s'achève à Paris en octobre 1932 par l'éclatement d'une bombe : Voyage au bout de la nuit.

C'est l'histoire d'un gamin du passage de Choiseul, écolier à Diepholz et à Karlsruhe, étudiant à Broadstairs, apprenti chez Lacloche, soldat, aventurier, médecin. Il fut le témoin de la Belle Époque et du naufrage de la vieille Europe, celle des Hohenzollern, des Habsbourg et des Romanof, celle des pantalons garance et des images d'Épinal, celle d'Édouard VII et de Valentin-le-Désossé.

Né dans un petit monde égoïste où la misère était reine, Louis Destouches a grandi comme un chien fou, rapidement monté en graine et dans la solitude.

Son père et sa mère — deux attardés d'un XIXe siècle qui n'en finissait pas — l'ont couvé de ces soins frileux dont on entoure parfois les enfants uniques, mais c'est de tendresse que Louis se languissait, non pas de celle qui se dit avec des mots et dont il détestait les effusions, mais de celle qui s'exprime par des gestes et qui se lit dans les regards.

Louis souffrait de sensibilité. Toujours à fleur de peau, il a fait le plein des images de son enfance et de sa jeunesse à l'affût des malheurs au-devant desquels il se précipitait pour mieux s'étonner après de les avoir reçus comme des paquets de mer, en pleine figure.

Il se plut ensuite à les raconter, et comme il avait le génie de l'expression verbale, il écrivit comme on parle, au prix d'un labeur formidable, toujours en musique et sans jamais tempérer ce besoin qu'il portait en lui comme un torrent, de voir, de comprendre, d'enlaidir et de délirer, mais aussi de rire au plus fort de ses détresses et du plus profond des trous dans lesquels il était tombé, tant le monde était, à ses yeux, encore plus grotesque et ridicule qu'injuste et méchant.

Louis Destouches ne supportait pas mieux que M. Perrichon l'idée de devoir quelque chose à quelqu'un. Débiteur, il se sentait humilié, mal à l'aise, condamné à la reconnaissance et

entravé dans sa liberté. Aussi préférait-il souvent ceux qui le cri-
tiquaient à ceux qui le louangeaient et ceux qui le maltraitaient à
ceux qui le portaient aux nues, déconcertant les mieux intentionnés
qui n'y voyaient que de l'ingratitude.

En revanche, il aimait secourir, soulager, rendre service, et tous
les sans-défense étaient ses amis : les enfants, les malades, les
vieux, les prisonniers, les animaux. Avec eux il se sentait bien, il
savait leur apporter réconfort et chaleur. Pour eux, pour tous les
souffre-douleur de l'univers, sa tendresse était sans limite.

Louis Destouches avait l'âme d'un grand médecin.

Cet homme portait aussi en lui un fonds de tradition en perpétuel
conflit avec d'autres courants intérieurs qui le poussaient à la
remise en cause de toutes les conventions et à la guerre ouverte
contre un ordre social dont il abhorrait les injustices et les hypo-
crisies. Venu du peuple, c'était un aristocrate. C'était en même
temps un classique et un révolutionnaire, un patriote et un paci-
fiste, un anarchiste et un homme d'ordre.

Incapable de s'intégrer à un clan, à un parti, à une chapelle,
il ne pouvait que caracoler seul, comme un seigneur, à la poursuite
de ses chimères.

Jaloux de cette liberté qu'il avait acquise à la force des poignets
et à laquelle il tenait par-dessus tout, Louis Destouches vécut dans
la hantise de la contrainte. Pour ne jamais risquer de tomber pri-
sonnier des gens, des situations ou de ses propres affections, il prit
l'habitude de fuir. Aussi sa vie fut-elle toute hachée en tranches
dissemblables, avec des volte-face et des changements de décor
immédiats, parfois inexplicables. Mais Louis Destouches ne cessa
de renaître de ses métamorphoses et de ses désillusions, toujours
plus solitaire et plus aventureux.

Comme s'il fallait ajouter à ses contradictions, Louis-Ferdinand
Céline a fait de son mieux pour égarer ceux qui pourraient être
tentés d'écrire la vie de Louis Destouches, affabulant à plaisir et
donnant dans son œuvre une dimension épique aux événements les
plus ordinaires de son existence.

C'est la guerre qui fut la grande aventure de cette vie. Engagé volontaire en 1912, il a devancé l'appel des hommes de sa classe et, toujours cavalier seul, il a connu le désespoir à Rambouillet avant de tomber sous la mitraille, en solitaire, dans la boue des Flandres en octobre 1914.

Revenu de la Grande Guerre mutilé dans sa chair et littéralement halluciné par l'horreur, Louis Destouches eut encore à découvrir la vanité de la souffrance et de la mort qui avaient été les compagnes de ses vingt ans. Lorsqu'il eut compris que les peuples allaient à nouveau se massacrer, tout son passé lui remonta comme un vomissement et il se prit à hurler comme un écorché pour tenter de les arrêter.

AVERTISSEMENT BIBLIOGRAPHIQUE

On trouvera à la fin du dernier volume de cette biographie une bibliographie détaillée des sources manuscrites et imprimées, des références critiques à Céline et à son œuvre, et un index des noms cités.

Nous nous sommes donc limité, ci-dessous, à donner sous une forme brève et aisément identifiable les renseignements dont le lecteur pourrait avoir besoin au fil du texte. Étant donné le grand nombre d'ouvrages et d'éditions épuisés ou en rupture de stock, nous avons pris le parti de renvoyer à la dernière édition disponible, en choisissant toujours celle qui, par l'établissement de son texte ou la présence d'un appareil critique, faisait autorité. Dans le cas d'œuvres non réimprimées depuis longtemps, comme les pamphlets, la référence est faite à l'édition originale.

Bagatelles pour un massacre. Paris, Denoël, 1937.

Les Beaux Draps. Paris, Nouvelles Éditions françaises, 1941.

« Carnet du cuirassier Destouches ». Voir *Casse-pipe.*

Casse-pipe suivi du Carnet du cuirassier Destouches. Paris, Gallimard, 1970 (Collection « blanche »).

D'un château l'autre. Dans *Romans* II, Paris, Gallimard, 1974 (Collection « Bibliothèque de la Pléiade »).

L'École des cadavres. Paris, Denoël, 1938.

L'Église. Paris, Gallimard, 1952 (Collection « blanche »).

Entretiens avec le Professeur Y. Paris, Gallimard, 1976 (Collection « blanche »).

Féerie pour une autre fois I. Paris, Gallimard, 1952 (Collection « blanche »).

Féerie pour une autre fois II. *Normance.* Paris, Gallimard, 1954 (Collection « blanche »).

Guignol's Band I. Paris, Gallimard, 1952 (Collection « blanche »).

Guignol's Band II. *Le Pont de Londres.* Paris, Gallimard, 1964 (Collection « blanche »).

Mea culpa. Paris, Denoël et Steele, 1936.

Mort à crédit. Dans *Romans* I, Paris, Gallimard, 1962 (Collection « Bibliothèque de la Pléiade »).

Nord. Dans *Romans* II, Paris, Gallimard, 1974 (Collection « Bibliothèque de la Pléiade »).

Normance. Voir *Féerie pour une autre fois* II.

Le Pont de Londres. Voir *Guignol's Band* II.

Rigodon. Dans *Romans* II, Paris, Gallimard, 1974 (Collection « Bibliothèque de la Pléiade »).

Semmelweis. Dans *Cahiers Céline* 3, Paris, Gallimard, 1977 (Collection « Cahiers Céline »).

Voyage au bout de la nuit. Dans *Romans* I, Paris, Gallimard, 1962 (Collection « Bibliothèque de la Pléiade »).

Enfin l'ensemble des petits textes de Céline (articles, interviews, lettres, ...) ou des témoignages qui lui ont été consacrés sont cités, chaque fois qu'ils ont été réédités, d'après :

Cahiers Céline 1. Paris, Gallimard, 1976 (Collection « Cahiers Céline »).

Cahiers Céline 2. Paris, Gallimard, 1976 (Collection « Cahiers Céline »).

Cahiers Céline 3. Paris, Gallimard, 1977 (Collection « Cahiers Céline »).

Les Cahiers de l'Herne. Rééd. en un volume des *Cahiers* 3 (1963) et 5 (1965), Paris, Éditions de l'Herne, 1972.

*

Toutes les citations extraites de manuscrits inédits respectent, sans exception, l'orthographe, la ponctuation et les alinéas de l'original. Nous les reproduisons sans les accompagner d'un *sic*. Le point final légèrement allongé, fréquent dans les manuscrits de Céline, est ici représenté par un petit tiret. Nous avons conservé ainsi l'ambiguïté que cette graphie présente souvent entre le point et le tiret.

1. Auguste Destouches,
grand-père de Céline.

2. Amélie Destouches,
tante de Céline.

3. Les quatre frères Destouches. De gauche à droite et de haut en bas :
Georges, Fernand (père de Céline), Charles et René.

4. Céline vers 1896.

5. Céline le jour de sa première communion (18 mai 1905).
6. Entre ses parents.

7. La classe de l'école Saint-Joseph des Tuileries en 1905. Céline est au deuxième rang, en partant du haut, et le deuxième en partant de la droite.
8. Détail.

9. Céline au bord de la mer
(probablement à Dieppe).
10. A une kermesse à Diepholz
en septembre 1907.
11. (Page ci-contre :)
Photographie vraisemblablement
prise durant le séjour
en Angleterre.

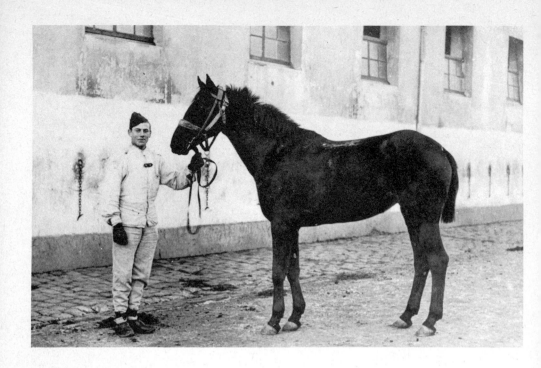

12-13. Céline à Rambouillet (en bas : troisième à partir de la gauche).

14. Céline en grande tenue
de maréchal des logis en
mai 1914.

15. Céline au Val-de-Grâce (au centre). Fin 1914.

16. Photo d'identité de Céline en 1915.

17. Céline à Vitré (premier à partir de la droite).

18. Raoul Marquis, sa femme et leurs pensionnaires à Septeuil.

19. Page ci-contre
Céline et son père
20. Céline à Renn
vers 1930.

21. La consultation du professeur Follet à Rennes
(Céline ne figure pas sur cette photographie.)

22. Edith Follet et Céline
le jour de leur mariage
(Quintin, 19 août 1917).

23. Colette Destouches.

24. Céline,
Elizabeth Craig
et Jean Ajalbert,
membre du jury
du prix Goncourt,
fin 1932-début 1933,
à Beauvais.

25. Ci-contre à g. :
Ludwig Rajchman.

26. Ci-contre à d. :
Grégoire Ichok,
médecin-chef
du dispensaire
de Clichy.

CHAPITRE PREMIER

Bretagne et Normandie

> « On ne fait rien sans quelque race. Il faut que le gros travail ait été déjà fait par les parents et grands-parents. Il ne reste plus avec un peu d'effort qu'à recueillir les fruits du passé et des morts. Ce que nous sommes déjà. Ainsi soit-il. »
>
> Céline à Évelyne Pollet,
> lettre du 10 mai 1941.
> *Les Cahiers de l'Herne*, p. 92.

Le 15 octobre 1894, le capitaine Dreyfus, du 14ᵉ régiment d'artillerie, alors stagiaire à l'école d'État-Major, était écroué à la prison du Cherche-Midi, prévenu du crime de haute trahison.

Son nom ne fut cité que le 1ᵉʳ novembre dans *le Matin*, mais aussitôt la presse s'empara de « l'affaire » qui allait empoisonner la France pendant quinze ans.

Il faut convenir que l'arrestation d'Alfred Dreyfus provoqua immédiatement un tumulte jamais vu. En quelques jours l'affaire déferla sur la France, colportée par une presse déchaînée qui dressa les Français avec une violence inouïe contre Dreyfus et contre les Juifs, tous devenus sur l'heure des traîtres et des suppôts de l'Allemagne.

Dans Paris comme en province, on s'arrachait les feuilles, les esprits s'enflammaient et avec la vitesse et la violence de la poudre les Français se découvraient patriotes, c'est-à-dire revanchards et antisémites.

Poussés par une telle houle, les événements allèrent bon train. Dreyfus, qui était « évidemment » l'auteur du « bordereau », comparut du 19 au 22 décembre 1894 devant le conseil de guerre de Paris. Malgré les efforts de son avocat, maître Demange, il fut condamné à la déportation perpétuelle dans une enceinte fortifiée, à la destitution de son grade et à la dégradation publique.

Le capitaine Dreyfus fut dégradé le 5 janvier 1895 sur la place d'armes de l'École militaire en présence d'une foule immense venue assister au supplice. Un adjudant lui arracha ses insignes, ses épaulettes, les galons d'or de son képi et de ses manches, les boutons de son dolman. Il lui brisa son sabre. Dreyfus, entouré de quatre artilleurs, défila ensuite sur le front des troupes, puis il passa devant les grilles derrière lesquelles la foule s'était massée.

Tout au long de la cérémonie Dreyfus n'avait cessé de crier : « Je suis innocent! Je le jure sur la tête de ma femme et de mes enfants! Vive la France! » et la foule de lui répondre : « A mort! A mort! Judas! Sale juif! »

La scène fut décrite dans ses moindres détails par tous les journaux. On avait le sentiment que justice avait été rendue, et l'impression générale fut celle du soulagement. Nul en France ne paraissait alors se douter que venait de se commettre une effroyable erreur judiciaire.

Le père de Céline, Fernand Destouches, avait suivi toute l'affaire dans ses moindres détails, et comme il n'était pas homme à nager contre les courants, il s'était assez naturellement laissé porter par la vague.

Né au Havre en 1865 [1], sa vie jusqu'alors n'avait été qu'une

---

1. Le 13 mars 1865. Il se prénommait en réalité Ferdinand Auguste mais fut toujours appelé Fernand.

longue suite de déboires et de calamités, à commencer par la mort de son père Auguste Destouches, agrégé de l'enseignement spécial et professeur de littérature au lycée du Havre, emporté par la fièvre typhoïde à l'âge de trente-neuf ans[1].

La mère de Fernand, tête sans cervelle dont le seul souci n'avait jamais été que de briller dans la société havraise, s'était rapidement consolée de son veuvage pour reprendre ses mondanités, sans se préoccuper outre mesure de sa progéniture[2].

Les études des enfants se ressentirent bien évidemment de cette existence décousue et le père de Céline, qui bénéficia d'une bourse communale obtenue par protection, ne fut jamais qu'un écolier médiocre. Le proviseur du lycée notait à son sujet : « Parmi les 67 élèves qui sont inscrits avec la note " assez bien " tous ne la méritent pas, il est regrettable qu'il n'y ait pas une note intermédiaire entre " assez bien " et " mal ". Quatre boursiers communaux... [suivent les noms dont celui de Fernand Destouches] auraient mérité une note intermédiaire[3]. »

En 1875, soit à peu près un an après la mort de son mari, Hermance Destouches décida de « monter » à Paris, probablement avec l'idée de s'introduire dans les salons littéraires de la capitale. Elle laissa donc ses quatre fils pensionnaires au lycée du Havre et partit avec sa fille Amélie qui jouait fort bien du piano et qu'elle voyait déjà faisant une grande carrière internationale. Mais Hermance Destouches, installée à Paris, 35, rue Bayen, ne connut pas la vie dont elle avait rêvé. Sa modeste fortune fut vite engloutie et elle acheva sa vie au crochet des amants de sa fille.

Internes au lycée, les quatre Destouches s'étaient rapidement affirmés comme de solides cancres et comme de redoutables chahuteurs. Véritables piliers et caïds de l'établissement, ils ne le

1. Auguste Destouches né à Vannes le 2 février 1835, avait épousé au Havre le 20 septembre 1860 Hermance Caroline Delhaye, originaire du Nord. Il est décédé au Havre le 1er janvier 1874.
2. Ils habitaient 93, rue Thiebaut.
3. Lettre à l'inspecteur d'académie de Caen en date du 8 février 1875 (archives de Seine-Maritime).

quittaient pas, même pour les vacances, puisque leur mère, par désintérêt et par économie, ne venait pas les voir et se gardait bien de les prendre avec elle pendant les mois d'été. Les seuls autres pensionnaires du lycée étaient alors les élèves venus des Antilles qui ne pouvaient retourner chez eux en raison de l'éloignement. On pouvait voir les quatre frères Destouches et leurs camarades de couleur arpentant chaque jour la ville en rang par deux ou faisant de longues promenades sur la falaise de Sainte-Adresse de laquelle René tomba un jour, manquant de se rompre le cou.

Leur père les avait élevés dans la passion de la mer et deux d'entre eux au moins rêvaient d'être officiers de marine, mais, comme Georges, Fernand dut renoncer rapidement à ses ambitions maritimes. En 1884, il vint rejoindre sa sœur au 19, rue Saint-Denis à Courbevoie, puis au n° 8 de la rue Rouget-de-Lisle, tout près de la gare, dans un pavillon neuf entouré d'un jardinet dont le loyer était payé par un amant d'Amélie, négociant à Marseille.

Le 1er février 1884, à l'âge de dix-huit ans, Fernand Destouches entra comme demi-pensionnaire au lycée Condorcet. Les archives de cet établissement ne permettent pas de déterminer s'il avait ou non déjà réussi la première partie du baccalauréat. On sait toutefois qu'au cours de l'année scolaire 1883-1884 il a obtenu un troisième accessit de composition française et un quatrième accessit de version latine. L'année suivante il fut inscrit en classe de mathématiques élémentaires, section C, avec l'ambition, en cas de succès, d'entrer à l'École navale.

Élève inconstant et peu doué, spécialiste de l'école buissonnière, Fernand Destouches a laissé à Condorcet le souvenir d'un sujet sans grand intérêt. M. Gourraigue, son professeur d'histoire et de géographie, notait : « Pas d'appréciation, absent. » Même remarque de M. Bresard, professeur de mathématiques : « Pas d'appréciation, absences fréquentes. » M. Coppinger, qui était censé lui enseigner l'anglais, n'a trouvé à dire de lui que : « Absences fréquentes. » Mais le plus éminent de ses maîtres fut incontestablement son pro-

fesseur de littérature, Maxime Gaucher, qui signait le bulletin critique de *la Revue littéraire* et collaborait à *la Revue bleue*. C'est
lui que Marcel Proust, qui était alors en classe de seconde, appela
« un esprit infiniment libre et charmant ». Si Maxime Gaucher,
lorsqu'il eut Marcel Proust parmi ses élèves de rhétorique, ne tarda
pas à s'apercevoir de son talent exceptionnel [1], il ne semble avoir
décelé aucune aptitude particulière chez Fernand Destouches.
Lorsqu'il le prit dans sa classe il ne trouva à dire de lui que « bien
faible », mais il lui jeta tout de même à son départ, un peu comme
une aumône et sans autre commentaire : « élève intelligent ».

C'est probablement pour tourner le dos à l'échec qui l'attendait
que Fernand quitta Condorcet le 20 mars 1885 pour s'engager
dans l'armée sans avoir seulement tenté de passer l'examen de la
seconde partie du baccalauréat. Le père de Céline n'a donc jamais
été bachelier complet et encore moins licencié ès lettres. Céline a
cependant tout fait pour accréditer cette légende; ainsi, à Jacques
Darribehaude qui lui demandait en 1960 pourquoi son père n'avait
pas opté pour l'enseignement où il aurait pu trouver une situation
meilleure, il répondait maladroitement : « Mais oui, le pauvre
homme, mais voilà ce qui s'est passé, c'est qu'il fallait qu'il passe
une licence d'enseignement, alors qu'il avait une licence libre, et
il a pas pu passer, parce qu'il avait pas d'argent, le père est mort,
il a abandonné la femme avec cinq enfants [2]. »

Du passé militaire de son père, il écrivit dans *Mort à crédit* :
« En fait d'aller dans la marine, il avait tiré au sort sept années
dans l'artillerie [3]. » En réalité Fernand Destouches ne s'engagea
que pour cinq années au 27e régiment d'artillerie où, après avoir
végété comme canonnier de deuxième classe, il fut nommé maréchal des logis le 22 janvier 1887. Le 21 septembre 1889 il fut envoyé
en congé avant d'être affecté dans les réserves. Il s'installa alors à
Paris, 12, rue de l'Arc-de-Triomphe. Il avait vingt-quatre ans, il
était sans talent, sans relations, sans fortune. Aigri par tant

1. George D. Painter, *Marcel Proust,* tome I, Mercure de France, 1966, p. 94.
2. *Cahiers Céline* 2, p. 165.
3. *Mort à crédit,* p. 539.

d'échecs, c'était un calamiteux amer et suffisant qui ne rêvait plus que de respectabilité et de confort bourgeois.

Il ne lui restait plus qu'à se mésallier et à trouver un petit emploi d'où il pourrait tout à loisir vitupérer contre l'injustice de son sort et contre l'ingratitude de la société à son égard. Le 1er juillet 1890 il débuta au service de la correspondance incendie du Phénix, et c'est à peu près à la même époque qu'il rencontra Marguerite Guillou qui allait devenir sa femme.

Le mariage de Fernand et de Marguerite n'alla pas sans difficultés car ils n'appartenaient pas au même monde. Du côté Guillou, on avait un peu de biens, mais on était d'extraction fort modeste, tandis que du côté Destouches on était plutôt démuni, mais on avait quelques prétentions intellectuelles et sociales.

Fernand Destouches affirmait volontiers descendre du chevalier Des Touches, Céline s'en souvint et se fit appeler et signa « Des Touches » à l'époque de ses vingt ans. Il n'était en fait que très lointain cousin d'un demi-fou, dont Barbey d'Aurevilly fit un héros de la chouannerie en contant son évasion de la prison de Coutances grâce à l'intervention héroïque de Mlle Barbe de Percy [1].

Il était vrai, en revanche, qu'apparenté aux Des Touches de La Fresnaye, aux Nayl de La Villeaubry, et à quelques autres petits nobles normands et bretons, Fernand Destouches était le rejeton d'une très ancienne famille originaire du Cotentin, venue ensuite se fixer en Bretagne, avant de s'installer au Havre, dernière étape avant Paris.

Quand Auguste Destouches, grand-père de Céline, s'était préoccupé de son arbre généalogique, il avait découvert que l'on pouvait suivre ses ancêtres à la trace, en Bretagne et dans le Cotentin, en remontant avec plus ou moins de certitude jusqu'au xive siècle [2].

Sur la route de Saint-Aubin à Périers, près de Coutances, au détour d'un chemin creux, se dresse encore une bâtisse en ruine, ouverte à tous les vents, couverte aujourd'hui de tôles ondulées.

---

1. *Le Chevalier des Touches,* paru en 1864.
2. Voir annexes I et II.

Avant de mourir en 1878, Aimable Destouches, fermier plus que seigneur de ce lieu, avait fait graver son nom sur le linteau de la porte. C'est tout ce qui reste aujourd'hui de Lentillière. C'est là qu'au XVIIe siècle avaient vécu les Des Touches de Lentillière, apparentés à tous les nobliaux du voisinage. Leur origine se perd dans la nuit des temps, mais dans leurs veines coulait sans doute un peu de sang viking.

On ne trouve pas de commerçants chez les Destouches aux XVIIIe et XIXe siècles, tous avaient été dans l'administration, commis à cheval des contributions indirectes, vérificateur en douanes, inspecteur des contributions et professeur agrégé. Un ancêtre de Céline, Jean-Baptiste Nayl de La Villeaubry, né à Ploërmel le 29 mai 1759, avait été juge au tribunal criminel du Morbihan. Il était mort à Vannes le 18 prairial an IX.

C'est au cours du XVIIIe siècle que les Des Touches avaient déserté le bocage, les uns en direction de la Bretagne, et d'autres, dès 1715, en direction de l'Allemagne. Le dernier de cette lignée, Ernest von Destouches, inscrit le 25 janvier 1868 au matricule nobiliaire du royaume de Bavière, a toujours sa rue à Munich. Ses ancêtres avaient été pour la plupart chroniqueurs, poètes, dramaturges, et son grand-père, avocat de la Couronne, avait appartenu à l'Académie bavaroise des sciences.

Parmi ceux qui ont émigré en Bretagne se détache la figure de Thomas Destouches, écuyer, trisaïeul de Céline, qui lui ressemble par bien des côtés, au moins par son instabilité et par ses foucades. C'est lui qui, le 28 février 1787, par-devant maître de la Varde notaire à Saint-Aubin-du-Perron, avait vendu Lentillière pour 4000 livres à Nicolas Cousin, qui s'était empressé de le louer à Jacques Destouches pour 500 livres par an.

Thomas Destouches avait épousé à Fougères le 12 juillet 1775 — et alors qu'elle était enceinte — « Demoiselle Gabrielle Michelle Guerin de Lechallerie, fille de noble maître Julien François Guerin sieur de Lechallerie et de La Haye, avocat en parlement, sénéchal de la juridiction et baronnie de Bonnefontaine et de demoiselle Louise Jeanne Le Bon de la Bellangerais. » Il s'établit à Rocher-

Coyer sur la paroisse de Saint-Marc-Leblanc, entre Fougères et Dinan. On sait qu'il quitta sa famille et séjourna près de Nantes avant de se retrouver en 1794 à Vannes, comme entreposeur du Timbre et administrateur du département du Morbihan. Le 4 brumaire an III, sa femme s'était résignée à demander le divorce après que le juge de paix de Saint-Brice-en-Coglès eut constaté que Thomas était « absent depuis vingt-cinq ans, sans nouvelles et sans domicile connu ».

A Vannes, Thomas Destouches habitait rue de l'Égalité. Il s'éprit d'une voisine, Marie Guillemet, épouse de François Cattet. Après qu'elle eut divorcé il l'épousa, le 5 novembre 1794, et quelques semaines plus tard elle accoucha d'une fille qui ne vécut pas. L'année suivante, elle succomba à son tour. Devenu veuf, Thomas Destouches, qui avait aussi perdu sa particule au début de la Révolution, se jeta moins de deux ans plus tard une nouvelle fois dans le mariage. Il épousait en troisièmes noces Marie-Louise Hermant de Saint-Benoît, de treize ans sa cadette, petite-fille de Jean Hermant, huissier au Parlement de Paris, et de Hugues Lhote de Théonne, docteur en médecine.

Installé rue Basse-Saint-François à Vannes chez son nouveau beau-père — Claude Hermant, « pensionnaire de la République » —, Thomas Destouches fit à sa femme quatre enfants, dont Clément Destouches, bisaïeul de Céline. Puis, de nouveau saisi par la bougeotte, il partit s'établir dans l'Isère. Contrôleur des contributions à Vienne, il y mourut le 25 février 1837 dans les bras de sa fille et de son gendre, Esther et Toussaint Ledret.

De cette famille se détache aussi Théodore Destouches, né en 1815, à la fin du premier Empire et décédé avec le second en 1870. Sa carrière présente de curieuses analogies avec celle de Louis Destouches. Il était le fils de Pierre Destouches, pharmacien à Rennes et le neveu de Clément Destouches, arrière-grand-père de Céline. Théodore et Auguste Destouches étaient donc cousins germains. Suivant la trace de son père, dont l'officine était à Rennes, 3, rue de la Motte-Fablet, Théodore avait fait ses études de pharmacie. Nommé professeur adjoint, il fut chargé de cours de pharmacie à l'École secondaire de médecine de Rennes, où Louis Destouches fit beaucoup plus tard ses études de médecine sous la houlette de son beau-père, le professeur Follet.

Les titres de Théodore Destouches étaient innombrables : pharmacien en chef des hospices civils, président de la Société de pharmacie d'Ille-et-Vilaine, directeur de l'École municipale d'horticulture, conservateur du Musée. Il avait aussi, comme Céline, un petit penchant pour l'invention, et il déposa le 28 mars 1849, en association avec deux de ses confrères, Morio et Duval, le brevet d'un vase sans siphon à l'usage des eaux gazeuses. Puis il s'était tardivement lancé dans la médecine et, le 6 juin 1864, à l'âge de quarante-neuf ans, il vint à Paris soutenir sa thèse sur *les Préparations pharmaceutiques du quinquina*. Par une bien étrange coïncidence, à moins qu'il y ait eu de l'au-delà entre Théodore Destouches et son petit cousin on ne sait quelle communication, Louis Destouches publia en juin 1925, soit quelque soixante ans plus tard, *la Quinine en thérapeutique*.

De tous ces spectres, c'est de loin le fantôme d'Auguste Destouches qui a plané le plus fort et le plus longtemps sur cette famille. Longtemps après sa mort, Auguste Destouches demeurait en tout cas l'exemple que l'on brandissait à chaque incartade de ses enfants et petits-enfants, le modèle de l'homme de bien, l'archétype de la réussite sociale et du désintéressement. Aussi apparaissait-il chaque fois qu'il était nécessaire un peu comme la statue du Commandeur ou comme une manière d'épouvantail que l'on agitait dans toutes les grandes occasions pour chasser les idées mauvaises et les tentations.

En 1944, dans la préface de *Guignol's Band*, Céline évoqua la présence de ce grand-père avec lequel il se prétendait en communion :

« Faut que je vous avoue mon grand-père, Auguste Destouches par son nom, qu'en faisait lui de la rhétorique, qu'était même professeur pour ça au lycée du Havre et brillant vers 1855.

» C'est dire que je me méfie atroce! Si j'ai l'inclination innée!

» Je possède tous ses écrits de grand-père, ses liasses, ses brouillons, des pleins tiroirs! Ah! redoutables! Il faisait les discours du Préfet, je vous assure dans un sacré style! Si il l'avait l'adjectif sûr! S'il la piquait bien la fleurette! Jamais un faux pas! Mousse et pampre! Fils des Gracques! La Sentence et tout! En vers comme en prose! Il remportait toutes les médailles de l'Académie Française.

» Je les conserve avec émotion.

» C'est mon ancêtre! Si je la connais un peu la langue et pas d'hier comme tant et tant! Je le dis tout de suite! dans les finesses!

» J'ai débourré tous mes " effets ", mes " litotes " et mes " pertinences " dedans mes couches...

» Ah! j'en veux plus! je m'en ferais crever! Mon grand-père Auguste est d'avis. Il me le dit de là-haut, il me l'insuffle, du ciel au fond...

» — Enfant, pas de phrases [1]!... »

En d'autres occasions, plus intimes il est vrai, il fut parfois moins respectueux pour la mémoire de ce grand-père. Ainsi, le 28 octobre 1916, écrivant à Simone Saintu :

« La famille s'enorgueillit de compter parmi ses membres un agrégé de Grammaire française que l'on m'a bien souvent cité en exemple, au temps où on s'en donnait encore la peine.

» J'espère être un peu moins c... que lui, je ne crois pas que ce soit la faute de l'orthographe. » Puis, comme s'il existait toujours : « Au demeurant c'est un fort brave homme. »

Il est de fait qu'Auguste Destouches avait été un brave homme et qu'il avait fait une carrière assez remarquable. Né à Vannes le 2 février 1835, c'est en 1847 que son nom apparut pour la première fois dans le palmarès du collège du Havre, et l'année suivante il se vit décerner le prix d'excellence de la classe de cinquième. Il fit ensuite sa quatrième et sa troisième en une seule année et obtint

1. *Guignol's Band* I, pp. 9-10.

une bourse d'État. On envisageait alors pour lui une grande carrière, soit dans le barreau, soit dans le notariat, soit encore dans l'instruction publique.

Son père aurait penché pour le barreau, mais le sort en décida autrement. Maître d'études au Havre, puis maître élémentaire à Rennes, il fut nommé secrétaire particulier de M. Féart, préfet d'Ille-et-Vilaine, qu'il avait rencontré chez son cousin Théodore Destouches.

Il n'est donc pas impossible qu'il ait rédigé certains discours du préfet, d'autant qu'il avait la plume élégante et facile. *Le Journal du Havre* comme la revue *l'Hermine* mentionne ses succès dans les concours poétiques. Maxime du Camp, à qui Villiers de l'Isle-Adam avait lu certains de ses vers, se serait exclamé dans un élan d'enthousiasme : « Mais ce sont les plus beaux sonnets du siècle [1] ! »

Quelques pièces de lui subsistent, telle cette agonie de soldat qui lui fut inspirée par la guerre de Crimée :

> *Pour cette fois, j'en tiens! Heureux si j'en réchappe!*
> *Non... Je la sens, froide en plein corps*
> *La balle... Allons, mon vieux, c'est la dernière étape;*
> *La halte est au bivouac des morts...*

et encore :

> *C'est l'heure où l'oiseau noir, sur le charnier qui suinte*
> *De tant de cadavres pourris,*
> *Au travers des échos de la funèbre plainte*
> *Va jetant ses douloureux cris.*

A partir du mois de juin 1860 Auguste Destouches publia, dans *le Journal d'Ille-et-Vilaine*, « Une dette de cœur ». Ce feuilleton de haute mer, à mi-chemin entre *Moby Dick* et *Paul et Virginie*, qu'il avait écrit en collaboration avec un certain Lissilour, était signé Descordes et Saintive.

---

1. Cité par A. Orain dans un article consacré à Auguste Destouches (*l'Hermine*, revue littéraire et artistique de Bretagne, tome VI, juin 1892, pp. 180-184).

Auguste Destouches était un homme simple, un sentimental mal armé pour les grands combats et finalement sans grande ambition. De plus il s'était épris d'une jeune fille à peine plus âgée que lui, Hermance Coraline Delhaye, avec laquelle il échangeait une correspondance amoureuse et littéraire :

« [...] J'ai appris avec plaisir que vous aimiez Balzac : je le connais tout entier, et j'en ai toujours un volume sur ma table. C'est, à mes yeux, un auteur divin. Tous ses portraits sont tracés avec un naturel saisissant; pas un trait de caractère, pas un repli du cœur humain ne lui a échappé : j'ai pensé tout ce qu'il exprime, j'ai vu tous ses héros, je vous ai reconnue dans ses plus ravissants types de femmes. La terrible vérité de la vie humaine qu'il déroule m'effraie parfois; j'ai retrouvé, dans ses types de jeunes gens, toutes mes aspirations refoulées par la main de la nécessité, mes espérances déçues, mes déboires, et j'ai compris comme eux le suicide; sans pour cela l'excuser. Aussi je crois que la lecture de Balzac impressionne trop les jeunes gens quelque peu exaltés et rêvassiers; savez-vous comment il faut le lire, pour bien le savourer? C'est à deux, vous et moi — par exemple, au coin du feu, dans une petite salle bien chaude où l'on enfouit son bonheur [1] [...] »

« [...] Vous me parlez sans cesse de votre âge. Si je vous disais que je vous aime peut-être davantage, justement parce que vous êtes plus âgée que moi? Si je vous disais qu'en même temps qu'une épouse adorée, j'aimerais à voir en vous comme une sœur aînée et bienfaisante? Ce sentiment double que j'éprouve à votre égard, il m'est impossible de le bien définir, mais toujours est-il que ces deux impressions se réunissent en moi pour former une affection dont vous ne soupçonnez pas encore peut-être la force. Cette affection est plus puissante que moi : une main à laquelle je ne puis résister m'entraîne vers vous : vous êtes maîtresse de tout mon être [2] [...] »

Et plus Rubempré que Rastignac :

1. Lettre inédite du 21 décembre 1859.
2. Lettre inédite (sans date).

« [...] J'ai quelque fortune en espérance; aucune en ce moment. Cette situation me défend de viser aux places brillantes de l'Administration; mais j'en ai pris mon parti, et je ferai mon chemin dans les emplois plus modestes [1]. »

« [...] Je me suis trop violemment heurté à la réalité pour ne pas en reconnaître la puissance invincible; actuellement je calcule, je suppute, je fais des plans de ménage, de pot-au-feu, etc. »

« [...] Le Préfet m'a honoré d'un accueil si affectueux, que j'ai été tenté de m'écrier avec des larmes dans la voix : voyons, digne chef, donnez-moi une place de 5 000 francs n'importe où, et que cela finisse [2] [...]! »

Sans se soucier des avantages que n'auraient pas manqué de lui ménager à la longue les bonnes grâces de Féart, par amour pour Hermance qui ne voulait pas quitter Le Havre, il sollicita sa réintégration dans l'Université [3], ainsi qu'il l'annonça à Théodore le 12 septembre 1860 :

« J'ai à te faire savoir, en te priant d'en informer notre famille de Rennes, que je vais prochainement épouser Mlle Hermance Delhaye [4] fille d'un ancien employé supérieur à la Manufacture des Tabacs, actuellement à la tête d'une entreprise importante d'huiles d'exportation. La jeune fille m'apporte 1.600 francs de revenus annuels, qui, joints à mes bénéfices personnels, vont enfin me faire jouir d'une modeste aisance [...] »

« [...] Pour ma part, me voici plus que jamais fixé au Havre; une bonne chaire m'attend à la rentrée; nos connaissances dans la ville sont parvenues à une forme, pour les leçons particulières, une clientèle dont les avantages ne vont pas tarder à se faire

1. Lettre inédite du 17 novembre 1859.
2. Lettre inédite du 1er octobre 1859.
3. Il y occupa jusqu'à sa mort, soit pendant quatorze ans, la chaire du professeur Matinée.
4. Les Delhaye étaient originaires du Nord, d'où les allusions de Céline à son ascendance flamande : « Je n'ai aucune prévention contre l'esprit belge. Moi-même flamand par mon père et bien breughélien par l'instinct, j'aurais mal à ne pas délirer entièrement du côté du Nord... » (Lettre à Évelyne Pollet de mars 1933, Les Cahiers de l'Herne, p. 80).

sentir, je vais pouvoir avant peu m'acquitter à ton égard [...]
» Post-scriptum : Je me suis présenté à la licence à Caen, lors de
la dernière session, je n'ai pas été admis : si j'en crois les examinateurs, j'ai tout lieu d'espérer un meilleur succès pour la prochaine
session [1]. »

En pleine euphorie amoureuse, l'échec le toucha à peine et sa
répugnance pour l'enseignement s'estompa :

« [...] J'ai une seule observation à vous faire : c'est au sujet de
vos craintes relatives à mon peu de sympathie pour l'instruction
publique. N'ayant que les heures de classe, et non cette série de
surveillances intérieures qui me fatiguaient au Lycée de Rennes,
je serai fort heureux; les jeudis, les congés, les vacances nous per-
mettront d'aller faire de douces promenades dans les environs :
que de choses nous aurons à nous dire [2]! [...] »

Mais le mariage d'Auguste et d'Hermance fut sûrement suivi de
jours encore difficiles puisque, quatre ans plus tard, Auguste piéti-
nait toujours au bas de l'échelle :

« [...] Je voudrais, de mon côté, pouvoir t'annoncer mon admis-
sion à la Licence; à la dernière session, je suis arrivé à la limite :
mais la faculté de Caen a jugé à propos de m'ajourner, avec quatre
autres candidats sur six, à une session prochaine. Ce diplôme,
joint à la considération dont je jouis près de l'Administration,
m'assurerait un avenir solide au Lycée du Havre, qui va bientôt
prendre un grand accroissement; mais cet avenir eût été plus prochain, si j'avais réussi dans mon dernier examen [3] [...] »

Au mois de septembre 1867 il fut reçu à l'agrégation de l'enseignement spécial, institué de fraîche date par Victor Duruy. Il était
définitivement installé dans la vie, et devint l'un des professeurs
les plus estimés de la ville [4]. Il eut même la joie de voir un de ses

1. Lettre inédite.
2. Lettre à Hermance Delhaye (sans date).
3. Lettre inédite à Théodore Destouches du 6 août 1864.
4. Le Journal du Havre, 1er et 2 janvier 1874.

élèves emporter en 1873 le deuxième prix du concours général en histoire et morale [1]. Mais le 1ᵉʳ janvier 1874 Auguste Destouches succombait des suites d'une fièvre typhoïde compliquée de bronchite aiguë.

On comprend que la renommée de ce « grand homme » ait longtemps pesé sur les siens, tant en raison de ses mérites que de leur propre médiocrité. On comprend aussi que Fernand Destouches, dépositaire de la tradition familiale, ait hésité quelque peu avant de s'unir pour le meilleur et pour le pire avec cette Marguerite Guillou qui était de si petite naissance. Lui qui descendait de chevaliers, de seigneurs, d'écuyers et autres gentilshommes dont la devise était « plus d'honneur que d'honneurs », et qui portaient « d'azur à la rose d'or, accompagnée de trois feuilles de chêne d'argent ».

*

Originaires du Finistère, les Guillou, après une halte dans la Sarthe, s'étaient établis à Paris sous Louis-Philippe. Avant de monter à Paris, Julien Jean Guillou, arrière-grand-père maternel de Céline, avait été cultivateur à Doucelles dans la Sarthe. C'est à Doucelles qu'il avait épousé Marguerite Cattois, née le 1ᵉʳ août 1814, qui passait dans la famille pour avoir été une femme de caractère. Marguerite Guillou, qui était sa petite-fille, et qui fut la mère de Céline, s'en souvenait comme d'une femme rude, dont la physionomie était dure et très peu féminine. La tradition voulait que, une fois veuve, Marguerite Cattois ait été cantinière sous Napoléon III, pensionnée de l'armée et décorée de la médaille militaire. Ce dernier point n'est confirmé ni par la Grande Chancellerie de la Légion d'honneur ni par les archives militaires de Vincennes.

Son fils, Julien-Jacques Guillou, qui fut donc le grand-père maternel de Céline, était né à Paris dans le XIIᵉ arrondissement, le 6 avril 1867. Soudeur sur cuivre de son état, il avait effectué

1. Il s'agissait d'Eugène Ramelot. Cité par l'abbé A. Anthiaume, *le Collège du Havre*.

son service militaire dans un régiment d'infanterie à Soissons et avait épousé le 21 août 1868 à la mairie du XXᵉ arrondissement Céline Lesjean, piqueuse de bottines. Trois semaines plus tard, le 10 septembre, elle donna naissance à une fille, Marguerite-Louise, dont le destin était de devenir la mère de Louis-Ferdinand Céline. En 1870 Julien-Jacques Guillou fut enrôlé dans les mobiles. Il eut en 1874 un second enfant, Julien, que l'on appela toujours Louis, puis il mourut en 1879 [1].

Après avoir vécu à Paris 50, rue aux Ours, les Guillou étaient allés s'installer à Mesnilmontant, 83, rue des Amandiers. Devenue veuve, Céline Guillou revint à Paris, 43, rue de Provence où elle tint une boutique d'antiquités spécialisée dans la dentelle ancienne.

La famille de Céline Guillou n'était pas plus reluisante. Son père, Victor Lesjean, fils d'un bimbelotier de Verneuil-sur-Avre, avait débarqué à Paris pour s'établir comme coiffeur au 15 de la rue des Grands-Augustins. Vers 1846, il s'était intéressé de si près à une brodeuse de la rue Bouchardon, nommée Louise Aubry, qu'il lui fit coup sur coup deux enfants sans accepter pour autant de l'épouser. Il reconnut plus tard les enfants, mais abandonna progéniture et coiffure pour s'installer 60, rue Vieille-du-Temple, comme voyageur de commerce. Il séduisit ensuite, en 1856, une ouvrière chapelière qui n'obtint finalement le mariage que cinq ans après la naissance d'une fille.

Marguerite Guillou avait peu de santé et on la crut tuberculeuse. Elle était assez jolie, gentille et douce, bavarde à l'infini, au point qu'Édith Follet, qui fut sa bru, raconte qu'elle pouvait parler pendant des heures apparemment sans fatigue : « Elle parlait comme Céline écrivait. » Marguerite avait été bien élevée par une mère autoritaire qu'elle craignait, comme elle craignait son frère, Louis Guillou, qui exerça toujours sur elle une forte influence. Séquelle probable d'une sorte de poliomyélite bien guérie, elle boitait légè-

1. Céline Victoire Lesjean était née à Paris, rue de Mesnilmontant en septembre 1847. Elle est décédée à Paris le 18 décembre 1904. Marguerite Louise Céline Guillou est décédée à Paris IXᵉ, le 6 mars 1945.

rement. Dans la rue, quand elle faisait attention, c'était invisible, mais quand elle était fatiguée elle tirait nettement la jambe.

Céline et Louis Guillou étaient l'un comme l'autre farouchement opposés au projet de mariage de Marguerite. Ils se demandaient ce qu'elle allait faire avec ce lourdaud, ce bon à rien prétentieux et sans le sou, qui était, de surcroît, mythomane et ridicule avec sa casquette de marin sur l'oreille, toujours prêt à raconter ses traversées et à se vanter de périls et de tempêtes qui n'existaient que dans sa tête [1]. « Mon père, elle l'avait en haine. Elle pouvait pas le voir avec son instruction, ses grands scrupules, ses fureurs de nouille, tout son rataplan d'emmerdé. Sa fille, elle la trouvait con aussi d'avoir marié un cul pareil, à soixante-dix francs par mois, dans les Assurances [2]. »

Du côté Guillou, on considérait qu'il fallait à tout prix empêcher Marguerite d'épouser ce gros Fernand qui n'en voulait qu'à sa dot. Sa mère en effet, à force de travail, d'intelligence et d'épargne, avait amélioré petit à petit sa situation. Devenue marchande à la toilette, elle avait ensuite acquis un petit fonds de commerce au carrefour de la rue La Fayette et de la rue de Provence : « Antiquités, dentelles et porcelaines [3]. » Elle avait économisé sou par sou et avait placé son avoir dans trois pavillons neufs au 16, 16 bis et 18 rue Laure-Fiot à Asnières. Insatiable, elle avait encore jeté son dévolu le 25 février 1899, toujours à Asnières, sur une maison de huit pièces, 72, rue de Châteaudun, devenue depuis rue du R.-P. Christian-Gilbert [4]. Ce n'était certes pas la fortune, mais c'était au moins l'aisance.

---

1. Il racontait notamment une traversée à Jersey.

2. *Mort à Crédit*, pp. 549-550.

3. Marguerite Guillou affirmait que sa mère avait fait don en 1903 d'un portrait de Napoléon Ier au musée de l'Armée. C'est en fait le 18 juin 1910 (postérieurement au décès de Céline Guillou) que fut donnée une peinture sur bois attribuée à David représentant l'empereur en uniforme de chasseur de la garde (7704-92 EA Casier E Réserve Louis XIV). Ce portrait de 23 cm sur 19 est mentionné comme ayant été donné par Mme veuve Louis Guillou, 4, rue des Martyrs. Or Louis Guillou, qui demeurait à cette adresse, est mort en 1954.

4. C'est elle qui avait fait construire les pavillons sur un terrain acquis le 31 mai 1896.

Il y avait donc entre l'homme et la femme qui allaient devenir le père et la mère de Louis-Ferdinand Céline une origine bretonne commune, mais une grande dissemblance de mentalité et d'éducation. Louis en ressentit les effets pendant toute son enfance et sa jeunesse. De fait, il fut élevé par des bourgeois, au milieu du peuple, selon des principes aristocratiques et avec des moyens de prolétaires.

CHAPITRE II

Rampe du Pont

« Elle a tout fait pour que je vive,
c'est naître qu'il aurait pas fallu. »

Mort à crédit, p. 541.

L'obstination de Marguerite eut finalement raison des préjugés, les Guillou et les Destouches baissèrent pavillon et la paix fut scellée par le mariage de Fernand Destouches et de Marguerite Guillou, célébré à la mairie d'Asnières le 8 juillet 1893.

Un contrat avait été passé le 6 chez maître Paul Vian, notaire à Paris; le malheureux Destouches n'avait en tout et pour tout que ses habits, linges, hardes et bijoux, le tout d'une valeur de 500 francs; sa future épouse, dont les effets personnels n'étaient évalués que 200 francs, apportait un livret de caisse d'épargne de 2 000 francs, les droits non encore liquidés dans la succession de son père et une dot composée d'un trousseau d'une valeur de 2 000 francs et d'une somme de 4 000 francs en espèces.

A titre de comparaison, lorsque son frère Julien, dit Louis Guillou, se maria en 1904, il apporta personnellement une somme de 4 000 francs et reçut de sa mère une dot de 10 000 francs. Sa femme, Marie Jeanne Éléonore Joubert, reçut de ses parents une dot de 15 000 francs.

Le 6 août 1893, le jeune couple s'installa à Courbevoie dans un logement très modeste situé au-dessus d'une petite boutique de « modes et lingeries ». Le bail leur avait été cédé par les époux Leconte, qui n'avaient pas fait de très bonnes affaires et ne supportaient plus de vivre dans ces lieux où ils venaient de perdre leur fille.

La Rampe du Pont, aujourd'hui disparue, permettait aux véhicules venant de Courbevoie d'accéder au pont de Neuilly. Venant de Paris, quand on tournait à droite, juste après avoir franchi le pont, on passait devant chez les Destouches. Les habitations de la Rampe qui étaient pour la plupart des petites maisons à un étage ont été démolies et les rues débaptisées. La Rampe du Pont, qui se situait à la fin du siècle dernier entre la Seine, la rue Hébert, la cour de l'Ancre et la place Napoléon-Ier, se trouva prise pour un temps entre l'avenue du Général-de-Gaulle, qui mène au Rond-Point de la Défense, la rue des Anciens-Combattants et le square des F.F.I. Les travaux d'aménagement du quartier de la Défense ont à nouveau tout bouleversé. Aujourd'hui, immuable et sereine, il ne reste que la Seine à n'avoir pas encore changé de nom.

Courbevoie était alors une commune très active, car en dépit de ses vignes et de ses moulins ce n'était déjà plus un village. Sur les bords de la Seine, manufactures et entrepôts avaient éclipsé depuis longtemps les guinguettes tenues jadis par les femmes des gardes suisses.

Besombes et Peraldi, importants négociants en vins, avaient montré l'exemple et à leur suite s'étaient installés les blanchisseurs, les marchands de fourrage, les loueurs de voitures; et du côté de Puteaux champignonnières et brasseries, sans parler des casernes et du marché aux ânes.

Aussi l'animation était-elle grande sur le pont de Neuilly, passage obligé pour qui se rendait à Paris. Outre les attelages de livraison et les voitures de toutes sortes, s'y croisaient les omnibus et le tramway à vapeur de Saint-Germain qui transportait le jour les voyageurs, et la nuit les légumes d'Achères et de Sartrouville.

C'est dans ce cadre encore un peu champêtre, face à la gueule menaçante de la ville, loin de la mer certes, mais à quelques pas de la halte fluviale où relâchaient les bateaux-mouches que, le 27 mai 1894, à quatre heures du soir, naquit Louis-Ferdinand Destouches.

Une cinquantaine d'années plus tard, le 4 octobre 1947, dans une lettre à Albert Paraz, Céline commenta cet événement de la façon suivante : « Je suis né à Courbevoie, 12, Rampe du Pont, en 1894, la Seine a gelé, ma mère crachait le sang, comme toi, de misère il faut le dire, elle a vécu 74 ans. Elle était ouvrière dentellière. Elle est morte aveugle. On a toujours été bien travailleur dans ma famille. Et bien cons. Arletty, ma pote, est aussi ma payse, elle est née à Courbevoie, un peu plus bas, Rampe du Pont. Quand tu sortiras tu iras voir la caserne, elle est célèbre par son architecture militaire Restauration. Vigny y a tenu garnison.

» Henri IV a failli se noyer, Rampe du Pont, au gué d'autrefois, en allant rendre visite à je ne sais quelle putain. Plus exactement passage de l'Ancre, une petite impasse en revers de la rampe, ah, on en connaît un bout sur la banlieue! Mon cœur y est toujours [1]. »

Dans une carte postale à Albert Milon, Louis en avait proposé une version nettement plus romanesque : « C'est à l'ombre des remparts de Saint-Malo que le jour me contempla pour la première fois- Un immense frisson agita les eaux profondes et Dieu, par zéphir, avertit les nautonniers du large que la terre en gésine accouchait d'un Génie. Et ma mère, mêlant ses larmes aux miennes, n'osait plus m'embrasser... (A la manière de René) [2]. »

Louis-Ferdinand Destouches fut baptisé dès le lendemain de sa naissance par l'abbé Piquemal en l'église Saint-Pierre et Saint-Paul de Courbevoie et il fut porté sur les fonts baptismaux par Céline Guillou, sa grand-mère, et par son oncle Louis Guillou. On avait donc complètement éliminé pour la circonstance la branche

---

1. Albert Paraz, *le Gala des vaches*. Rééd. Balland, 1974, p. 165.
2. Saint-Malo, mai 1921.

Destouches, considérée sans doute comme quantité négligeable.

C'est avec la même précipitation que l'on sépara l'enfant d'une mère que l'on croyait tuberculeuse. On évitait ainsi tout risque de contagion en l'envoyant vivre à la campagne où l'air serait meilleur que celui de Courbevoie. Louis fut donc immédiatement placé à Voisines, petite commune de 548 habitants, située dans l'Yonne à onze kilomètres de Sens, chez un sieur Justin Bouland, dont la femme venait d'avoir un fils prénommé Auguste. C'est une dame Jubin, vaguement cousine de la famille Destouches et qui habitait elle-même Voisines, qui avait déniché cette nourrice. Elle s'était proposée pour veiller à ce que l'enfant fût bien traité et ne manquât de rien.

Bouland avait reçu des instructions précises et devait écrire régulièrement aux parents pour leur donner des nouvelles du petit. Sa première lettre est du 31 mai 1894 : « Je vous écris ces quelques mots pour vous dire que le voyage de votre bébé a bien été car il n'a pas dit un seul mot dans le chemin de fer quand a cela il boit bien c'est déjà l'essentiel, car il a bonne mine » et le 15 juin : « [...] ses boutons se guérissent ce n'est rien, quand à la rougole elle ne court pas à Voisines ne craignez rien Il n'a pas de boutons au long de la figure jusqu'à présent Il n'a pas beaucoup de coliques Il profite très bien Chère Dame il prend toujours bien le sein seulement qu'il aura un peu d'enflamations mais sela ne sera rien vu qu'il tette bien ».

Au cours du mois d'août, Louis eut un abcès ganglionnaire que vint soigner le docteur Courtois, médecin du bourg de Thorigny à quelque six kilomètres de Voisines. Il dut vider l'abcès par incision et appliquer des cataplasmes. Ce praticien écrivit lui-même le 17 août à M. et Mme Destouches pour les rassurer : « Aujourd'hui il ne reste plus qu'une cicatrice linéaire imperceptible. Toutefois il est bon de parer à de nouvelles atteintes de son symptôme lymphathique qui est peut-être un peu sensible. Les bonnes gens de la campagne ont si peu l'idée de ce qu'il faut entendre par le mot précautions! Ce matin j'ai rencontré la nourrice ayant sur le bras son propre enfant nu-tête par un temps extra frais. Si demain son enfant tousse elle ne saura guère à quoi attribuer ce petit accident. Il est bon d'aguerrir les enfants, mais pas trop. [...] Les promenades au grand air ensoleillé et les bains salés voilà pour le moment ce qu'il y a de mieux et de possible : c'est en petit le régime de la plage. Aussi bien le bébé est gai, radieux et avec de la prudence il doit arriver à bien, car il a du bon lait à discrétion, ce qui est énorme. »

Le 30 août, un nouveau bulletin de santé du docteur Courtois apportait d'excellentes nouvelles. « Tout dépend de l'état de santé de la nourrice. Or votre nourrice jouit d'une bonne santé et prend un exercice suffisant sans surmenage. De plus elle est très calme, ce qui est éminemment favorable au développement cérébral de l'enfant. »

Une lettre de Bouland le confirmait le 1er septembre : «[...] vous avez un belle enfant si vous le voyez il est bien beau nous croirions qu'il germe déjà des dents ». Le 29 septembre : « Chère dame faudrait que vous le voyez pour son âge car il rit bien il est bien gai et bien vif. » Le 21 novembre : «[...] je vous dirai qu'il est bien vif il remue bien les jambes je vous dirai plus il vieillie plus il ressemble à son papa ». Le 15 décembre : « [...] il est en train de percer deux dents dans le haut quand à ses petits cheveux, ils commencent à pousser. Il est très rude si vous le voyez danser sur ses petits pieds car il est vif et très grand, il est aussi grand que le nôtre, il a une petite figure mignonne, [...] ». Le 29 décembre : « [...] Je vous dirai qu'il commence déjà à manger de tout » et plus loin : « Votre petit Louis a quatre dents et il est entrains de percer la cinquième je vous dirai qu'il commence déjà à parler mais on ne comprend ce qu'il dit c'est de l'allemand - mais il danse très bien sur ses petits pieds. »

Mme Jubin, de son côté, donnait de bonnes nouvelles de l'enfant dans une lettre du 19 janvier 1895 : « [...] il avale de grands biberons de lait sans reprendre haleine, cette nourriture à son âge ne peut que le fortifier, car sa nourrice n'est plus jeune, son enfant a 13 ou 14 mois, son lait ne devait plus être fameux. Quand à reprendre votre enfant, cela ne pourrait lui être que fatal, attendu qu'à son âge il a trop de connaissance pour téter une autre femme, que le lait et l'air qu'il a ici vous le trouveriez difficilement aux environs de Paris, Mme Bouland est une fort bonne femme, elle y est très attachée, malgré sa pauvreté elle est d'un caractère très large et ne regarde à rien pour la nourriture de l'enfant, tapioca, œufs frais, enfin tout ce qu'elle peut ». Mme Jubin y ajoutait son appréciation sur l'enfant qu'elle trouvait « fort gentil, vif comme un petit écureuil, avec ses beaux yeux bleus, son petit nez un peu fort il est à mon avis le portrait de sa mère [...] ».

Mais Voisines était trop loin de Courbevoie. Les communications pour s'y rendre étaient si difficiles qu'elles interdisaient à M. et à Mme Destouches de voir régulièrement celui que la famille appelait déjà « Petit-Louis » pour éviter toute confusion avec son oncle Louis Guillou.

Aussi décida-t-on au printemps 1895 de confier Petit-Louis à la femme Jouault [1] qui demeurait à Puteaux, 67, rue des Valettes. L'air y serait peut-être moins pur et moins vif que dans l'Yonne, mais au moins l'enfant pourrait voir un peu plus souvent ses parents, séjour confirmé par Céline dans une lettre à Albert Paraz du 4 octobre 1947 : « J'ai été élevé à Puteaux. Sentier des Bergères! En nourrice. Ma mère trop malade. On y dominait tout Paris. Ce sont mes premiers souvenirs de morveux [2]. »

En fait Petit-Louis passa l'été 1895 à Ballu, dans la Mayenne, où la femme Jouault avait dû se rendre au chevet de son père gravement malade et où il eut pour compagnon de jeux le jeune Auguste, fils de sa nourrice. Le 23 juillet, Mme Jouault écrivit aux parents pour annoncer que Petit-Louis marchait complètement seul depuis huit jours et qu'il allait très bien, mais ajoutait-elle : « [...] il me fait des peur à tout cassé, il tombe souvent sur son gros derrière [...] » Et elle terminait sa lettre par ces mots : « Je vais lui faire mettre un petit mot sur ma lettre pour sa mama et aussi pour

---

1. « Je suis l'enfant du passage Choiseul pour l'école et l'éducation! de Puteaux par Madame Jouhaux, ma nourrice [...] » *Féerie pour une autre fois* I, p. 84.
2. Albert Paraz, *ibid.*, pp. 165-166.

son papa qu'il aime tant. » Puis suivent ces quelques lignes qui constituent certainement le premier « manuscrit » de Louis Destouches : « Ma petite mama je t'embrasse bien fort pour te souhaiter une bonne fête et embrasse petit papa pour moi tout fort. Petit-Louis Detouche. » Il va sans dire que l'enfant, âgé de seize mois, n'a pas écrit lui-même. L'écriture, très tremblée, est celle d'une main que l'on guide.

En septembre 1895, Mᵐᵉ Jouault écrivit encore pour dire qu'il buvait et dormait bien, « [...] comme un enfant qui n'a jamais était malade, ce n'est que ces dents qui le taquine, cest les deux du bas ». Mais il était tout de même question d'une petite gourme qu'il avait derrière l'oreille, pour laquelle le pharmacien avait prescrit un vésicatoire. Le recours à une petite intervention avait même été envisagé. Le 14 mai 1897, Petit-Louis, qui avait trois ans, devait quitter sa nourrice de Puteaux « dans un mois ou dans six semaines » pour aller vivre enfin avec ses parents.

Pendant ce temps, à Courbevoie, les affaires ne marchaient pas fort. L'ancien fonds de commerce de Marie Leconte ne cessait de décliner malgré les efforts de Marguerite Destouches. Ce fonds, apporté en dot par Marie Leconte vers 1883, avait alors été évalué 1 500 francs. Dix ans plus tard il fut cédé aux époux Destouches pour 500 francs, et après trois ans de mauvaises affaires, au bord de la déconfiture, ils le vendirent à un sieur Voiron qui en fit un bazar qui périclita rapidement.

Pour Fernand et Marguerite Destouches c'était l'échec, l'humiliant retour à Paris et le triomphe de Céline Guillou chez laquelle Marguerite dut reprendre du service comme demoiselle de magasin avant d'aller se placer comme vendeuse chez Pestour, chapelier rue de Rivoli.

Le 10 avril 1897, ils s'installèrent dans un appartement, 19, rue de Babylone. C'est là que Petit-Louis vint les rejoindre, quittant la campagne pour laquelle Céline n'a jamais senti d'attrait véritable. Il la détesta au moins autant qu'il aima la mer, comme en témoigne *Voyage au bout de la nuit*. « Moi d'abord la campagne, faut que je le dise tout de suite, j'ai jamais pu la sentir, je l'ai toujours trouvée triste, avec ses bourbiers qui n'en finissent pas, ses maisons où les gens n'y sont jamais et ses chemins qui ne vont nulle part [1]. » Idée qu'il reprit en d'autres occasions et notamment dans une lettre à Milton Hindus : « Je ne vous dis rien de la campagne- Je l'ai toujours trouvée trop tragique pour mes nerfs [2]- »

Mais le sort était bien ironique et cruel car c'est à cent mètres à peine des grands magasins Au Bon Marché que sont venus habiter ces deux petits commerçants déconfits. La Maison Aristide Boucicaut était alors au plus fort de sa gloire. Dix ans après la mort de Mme Boucicaut, sa légende était plus vivante que jamais et elle était restée l'idole du petit peuple de Paris. Chacun connaissait ses origines, son ascension, son immense fortune et son testament, qui demeure un modèle du genre. Elle avait légué seize millions de francs à ses employés, et des sommes considérables tant à l'Assistance publique qu'aux représentants de tous les cultes, à M. Pasteur, bienfaiteur de l'humanité, sans oublier les jeunes ouvriers, les artistes, les inventeurs et les filles mères. Aussi, M. Jules Plassard, gérant du Bon Marché, avait-il pu s'écrier à ses obsèques : « A la mort de Mme Boucicaut un cri de douleur s'est échappé de toutes les poitrines. »

Pour l'heure, la famille Destouches, qui n'avait sans doute pas encore réalisé que les grands magasins étaient en train de ruiner le petit commerce, était modestement installée rue de Babylone. Petit-Louis pouvait respirer le bon air des jardins et des parcs du quartier, ceux de l'Hôtel Matignon, de l'actuelle ambassade d'Italie ou des Missions étrangères. « Notre logement, rue de Babylone, il donnait sur " les Missions ". Ils chantaient souvent les curés, même la nuit ils se relevaient pour recommencer leurs cantiques. Nous on pouvait pas les voir à cause du mur qui bouchait juste notre fenêtre. Ça faisait un peu d'obscurité [3] », écrivit-il dans

1. *Voyage au bout de la nuit*, pp. 16-17.
2. Lettre du 30 juin 1948, *les Cahiers de l'Herne*, p. 135.
3. *Mort à crédit*, pp. 538 et 539.

Mort à crédit. « Je couchais dans la salle à manger. Le cantique des missionnaires passait par-dessus les murs [1]... »

Mme Destouches n'avait cependant pas renoncé à l'idée de reprendre un commerce et qui sait, de faire fortune. Aussi cherchait-elle une boutique dans le quartier de l'Opéra qui lui paraissait alors le plus actif et le plus à la mode. « On a quitté la rue de Babylone, pour se remettre en boutique, tenter encore la fortune, Passage des Bérésinas, entre la Bourse et les Boulevards [2]. »

Ils quittèrent donc la rue de Babylone en novembre 1898 pour aller habiter provisoirement à Montmartre, 9, rue Ganneron, jusqu'à leur installation passage de Choiseul en juillet 1899. Marguerite y reprit le fonds d'un « marchand d'objets de curiosité en boutique » situé au numéro 67. Malgré un loyer raisonnable, il lui fallut tout de même emprunter à son frère de quoi régler le prix du fonds, soit 1 100 francs payés comptant à son prédécesseur, M. Fort. Il fallut aussi qu'elle emprunte à sa mère un peu de marchandise pour garnir sa vitrine [3].

Au printemps 1904, ils déménagèrent pour s'installer définitivement de l'autre côté du Passage au numéro 64, dans un fonds qui valait 1 400 francs. Dans cette nouvelle boutique Marguerite se spécialisa dans la vente de dentelles, lingerie de luxe et objets anciens. Sur le *Bottin du commerce* la boutique figura jusqu'en 1910 sous la rubrique « Curiosités », puis de 1910 à 1914 sous celle de « Dentelle véritable ». A partir de 1915, Marguerite exerça en appartement avec une nouvelle raison sociale, « Marchand de dentelle et guipure à la main. » Beaucoup plus tard, le 6 juillet 1926, les époux Destouches constituèrent, avec une dame Penigaud, dentellière, une société dont le siège était 27, rue des Petits-Champs, au premier étage, et qui fut dissoute en 1931. Mme Destouches continua pour sa part à travailler jusqu'à sa mort en 1945,

1. *Mort à crédit*, p. 540.
2. *Ibid.*, p. 548.
3. Le 67, passage de Choiseul est aujourd'hui occupé par l'administration du théâtre des Bouffes-Parisiens.

en sous-traitant une partie de son ouvrage avec des femmes du monde ayant besoin d'argent.

C'est donc passage de Choiseul que Louis Destouches fit son apprentissage de la vie, c'est là qu'il vécut de cinq à treize ans avant de partir en 1907 pour l'Allemagne, puis pour l'Angleterre, pour l'armée, pour la guerre, pour ailleurs, pour un interminable voyage en solitaire qu'il acheva quelque cinquante ans plus tard à Meudon, le 1er juillet 1961.

CHAPITRE III

Passage de Choiseul

> « Il faut avouer que le Passage, c'est pas croyable comme croupissure. C'est fait pour qu'on crève, lentement mais à coup sûr, entre l'urine des petits clebs, la crotte, les glaviots, le gaz qui fuit. C'est plus infect qu'un dedans de prison. Sous le vitrail, en bas, le soleil arrive si moche qu'on l'éclipse avec une bougie. »
>
> *Mort à crédit*, p. 557.

Construit au début du règne de Charles X, le passage de Choiseul était, et demeure de nos jours, une vaste galerie marchande débouchant sur la rue des Petits Champs et sur la rue Saint-Augustin. Les boutiques, toutes conçues sur le même modèle, présentaient en façade deux petites vitrines à gauche et à droite d'une porte vitrée. L'ensemble du passage était recouvert par une verrière située au-dessus du deuxième étage, masquant ainsi un troisième étage mansardé. « On vivait sous verre », devait plus tard raconter Céline à Claude Bonnefoy. « On était éclairé au gaz. Le passage, c'était une véritable cloche à gaz[1]... » Image du reste reprise par lui en bien d'autres occasions.

1. Conversation rapportée par Claude Bonnefoy, *Cahiers Céline* 2, p. 208.

Le Passage était alors très actif, à proximité de l'avenue de l'Opéra et du boulevard des Italiens, au cœur d'un quartier épargné par Haussmann et devenu très à la mode aux dépens du Palais-Royal en pleine décadence.

Le quartier Saint-Roch, dont le passage de Choiseul faisait partie, était fait d'un enchevêtrement de rues étroites et très fréquentées. C'était le paradis des petits métiers, surtout des commerçants et artisans du tissu. On y trouvait tout un monde d'ateliers et de boutiques particulièrement animé, manufacturiers, tailleurs, modistes, bijoutiers, passementiers, brodeurs et merciers; une cour des miracles de colporteurs, travailleurs à la tâche, truqueurs de toutes sortes, marchands de pacotille, morveux et bons à rien; formidable bouillon de culture pour un gosse comme Louis Destouches qui était toujours le nez au vent.

En 1882, dans *Pot-Bouille*, dont l'action se situe rue de Choiseul, Émile Zola donna une saisissante image de cette fourmilière où se mêlaient les riches et les pauvres, les grands et les petits bourgeois, les rentiers, les travailleurs et les oisifs, et, bien sûr, les petits commerçants qui tiraient le diable par la queue, et cet Octave Mouret, dont l'opulence éclaboussait. C'était aussi le quartier de la *poudre aux yeux*, celui de l'envie, de la misère et de la haine.

Dans *Mort à crédit* Céline donne du passage de Choiseul une description très exacte : « [...] Passage des Bérésinas entre la Bourse et les Boulevards. On avait un logement au-dessus de tout, en étages, trois pièces qui se reliaient par un tire-bouchon [1] » et plus loin : « En haut, notre dernière piaule, celle qui donnait sur le vitrage, à l'air c'est-à-dire, elle fermait par des barreaux, à cause des voleurs et des chats. C'était ma chambre... »

Hormis la disposition des vitrines, le 64 passage de Choiseul est resté de nos jours à peu de chose près ce qu'il était au début du siècle : au sous-sol une cave, au rez-de-chaussée la boutique, d'où part un escalier qui conduit à un premier étage ouvrant sur le Passage par une grande baie en demi-cercle allant du plancher au

---

1. *Mort à crédit*, pp. 548-549.

plafond. Cette pièce servait à la fois de salon, de salle à manger et de cuisine. Du deuxième étage où couchaient les parents, un petit escalier à rampe de fer conduit enfin à une chambre qui était celle de Louis. Sa fenêtre, ouverte au-dessus de la verrière, donne sur le ciel. C'est la seule pièce de l'habitation jouissant de ce privilège.

Le logement ne comporte aujourd'hui aucun moyen de chauffage apparent, ni cheminée ni cuisine, et dispose d'un seul cabinet d'aisance au troisième étage, juste à côté de la chambre de Louis. Cette maison verticale, mi-boutique, mi-logement, sorte de tuyau de poêle à trois étages, formait une habitation bien précaire et inconfortable pour des bourgeois.

Fernand et Marguerite Destouches n'ignoraient pas que cette situation ternissait leur image. Fernand en souffrait le plus, car il avait le souci des formes et des apparences et craignait par-dessus tout les ragots et les « qu'en-dira-t-on ». Il en souffrait d'autant plus que le Passage était un village où tout se voyait et se savait. Les maisons étaient transparentes et ne disposaient que d'une seule entrée, chacun pouvait donc surveiller son vis-à-vis et tendre l'oreille à chaque éclat de voix pour tout rapporter ensuite en détail aux autres commerçants du Passage [1] :

Émile Weil, l'armurier du 35, dont la fille disait de Louis : « Un bambin très vif, avec les plus beaux yeux du monde, que sa maman envoyait faire la monnaie, le billet dans une enveloppe attachée à son poignet par un fil de laine. » Préfiguration d'un Céline portant ses manuscrits chez Denoël dans une serviette fixée à son poignet par une épaisse chaîne à cadenas [2].

Alphonse Lemerre au 23, qui après avoir repris la librairie religieuse Percepied avait tout misé sur le Parnasse, tandis qu'un peu plus loin, au 71, se tenait la librairie Rouquette qui, de mars 1892 à mars 1893, avait servi de lieu de réunion aux collaborateurs de la

1. C'est seulement à la fin de l'année 1907 que M. et Mme Destouches cessèrent d'habiter le Passage. Ils s'installèrent alors à une centaine de mètres de là dans un petit immeuble bourgeois, 11, rue Marsolier, au troisième étage.

2. Lucien Rebatet, « D'un Céline l'autre », les Cahiers de l'Herne, p. 229.

revue *le Banquet,* où écrivaient Marcel Proust, Henri Barbusse et Léon Blum[1].

Charvin, le pâtissier du 11, qui apparaît dans *Mort à crédit* tantôt sous le nom de Dorival tantôt sous celui de Largenteuil.

Mme Forjonel, dont les galanteries défrayaient la chronique du Passage. On dit qu'elle se reconnut dans Madame Hérote de *Voyage au bout de la nuit,* et n'apprécia guère la plaisanterie.

Les Dones, qui tenaient au numéro 8 une boutique « d'articles de caoutchouc pour hygiène, médecine, instruments de chirurgie », ont servi de modèle aux Cortilène qui « faisaient commerce de caoutchouc[2] », et la veuve Lejeune, au numéro 32, à Mademoiselle Hermance, dont la spécialité était « l'article de caoutchouc avouable ou non[3] ».

Aux Dorange il n'emprunta que le nom puisque l'on pouvait lire sur la devanture du 51 : « Dorange (J. Divry successeur) Tapisseries et meubles ». Quant à Visios, « le marchand de pipes qu'avait servi dans la marine pendant sept ans[4] », il n'avait pas gardé rancune à Céline des affabulations assassines de *Mort à crédit.*

Le passage de Choiseul était donc bien un village : « tout le monde se connaissait de boutique en boutique, comme dans une véritable petite province, depuis des années coincée entre deux rues de Paris, c'est-à-dire qu'on s'y épiait et s'y calomniait humainement jusqu'au délire[5] ».

Les réminiscences du passage de Choiseul abondent dans toute l'œuvre de Céline, montrant combien ces images étaient ancrées en lui. Elles resurgissaient en toutes occasions. Ainsi, dans *Féerie pour une autre fois,* le rappel du système d'éclairage au gaz et cette évocation de la mi-carême : « [...] ça me rappelait le Passage Choiseul, on était aux " manchons " aussi Passage Choiseul, aux becs,

---

1. *Le Banquet* publia aussi : Jacques Bizet, Robert de Flers et Gaston de Caillavet, Louis de La Salle, Gabriel Trarieux et Henri Rabaud.
2. *Mort à crédit,* pp. 562 et 563.
3. *Voyage au bout de la nuit,* pp. 75-76.
4. *Mort à crédit,* p. 564.
5. *Voyage au bout de la nuit,* p. 75.

des milliers de manchons... à la mi-carême tous les barbouillés des Boulevards venaient s'enfourner dans le Passage, poussant des cris, pierrots, clowns, arlequins, marquis... cette sarabande! Et les mémères, et les petits vieux, et la jeunesse! Si ça piaillait! C'est plus que la Lune le gaz, c'est du blafard vert qui atterre [1] [...]

Si pour les adultes c'était un peu « l'enfer », cette rue couverte et sans circulation était pour les enfants un terrain de jeu idéal, un forum sans pareil où Louis fut assez rapidement libre de ses mouvements puisque ses parents n'avaient pas le temps de l'avoir continuellement à l'œil. Son père était employé au Phénix où il était entré en 1890, et où il fit une très médiocre carrière, ne parvenant à être nommé sous-chef qu'en 1922. Il quitta cette compagnie d'assurances à l'âge de cinquante-huit ans, en juillet 1923, époque à laquelle il ne gagnait pas plus de 625 francs par mois malgré sa récente promotion. Son salaire au début du siècle était donc sûrement des plus modestes.

Quant à Mme Destouches, c'était une inlassable fourmi qui s'occupait seule de sa boutique et de son ménage, réparant la marchandise, recevant clients et fournisseurs. Chaque fois qu'elle avait à faire une course dans le quartier elle apposait sur sa porte un petit écriteau sur lequel elle avait écrit : « Prière d'attendre je reviens de suite » et cet autre : « Je reviens de suite prière d'attendre et de s'adresser en face magasin de cartes postales. »

Louis a été profondément marqué par cette débauche de labeur dont il a donné dans *Mort à crédit* une relation plus que romancée. Il était en revanche tout à fait dans le vrai quand il écrivait en 1936 à Lucienne Delforge : « Ma mère travaille encore. Je me souviens au Passage quand elle était plus jeune, de l'énorme tas de dentelles à réparer, le fabuleux monticule qui surplombait toujours sa table - une montagne de boulot pour quelques francs. Ce n'était jamais terminé. C'était pour bouffer. J'en avais des cauchemars la nuit, elle aussi. Cela m'est toujours resté. » Et se comparant à sa mère il ajoutait : « J'ai comme elle toujours sur ma table un énorme

---

1. *Féerie pour une autre fois* I, p. 239.

tas d'horreurs en souffrance que je voudrais rafistoler avant d'en finir [1]. »

Pour éviter que Petit-Louis ne soit trop souvent abandonné à lui-même, il fut maintes fois confié à Céline Guillou, sa grand-mère et il n'était pas rare qu'il passât la nuit chez elle 52, rue Saint-Georges. Il s'était du reste vite établi entre eux une sorte de complicité, l'aïeule adorant cet enfant. Lui était de son côté rapidement tombé sous le charme de cette grand-mère autoritaire et affectueuse, désabusée et sarcastique, qui critiquait si fort et si juste, n'épargnant ni sa fille, ni surtout son gendre. « Grand'mère elle se rendait bien compte que j'avais besoin de m'amuser, que c'était pas sain de rester toujours dans la boutique. D'entendre mon père l'énergumène beugler ses sottises, ça lui donnait mal au cœur [2]. »

Céline et Petit-Louis ont ainsi pris l'habitude de sortir ensemble pour visiter Paris et l'Exposition de 1900 qui resta parmi ses premiers souvenirs, comme une féerie à la fois réelle et imaginaire. Dans une allocution prononcée à Médan en 1933, connue sous le nom d' « Hommage à Zola », Céline évoqua cette exposition qui préfigurait à ses yeux la société industrielle monstrueuse pour laquelle il n'était vraiment pas fait et dans laquelle il se débattait : « [...] nous étions encore bien jeune, mais nous avons gardé le souvenir quand même bien vivace, que c'était une énorme brutalité. Des pieds surtout, des pieds partout et des poussières en nuages si épais qu'on pouvait les toucher. Des gens interminables défilant, pilonnant, écrasant l'Exposition, et puis ce trottoir roulant qui grinçait jusqu'à la galerie des machines, pleine, pour la première fois de métaux en torture, de menaces colossales, de catastrophes en suspens. La vie moderne commençait [3] ».

Avec sa grand-mère, Louis s'échappait parfois jusqu'à Asnières pour de mémorables expéditions. Le jeudi, en matinée, ils allaient au spectacle, au Robert Houdin : « Grand-mère me payait ça aussi. On restait trois séances de suite. C'était le même prix, un franc

1. Lettre inédite (sans date).
2. *Mort à crédit*, p. 554.
3. *Marianne*, 4 octobre 1933. Rééd. *Cahiers Céline* 1, p. 77.

toutes les places, du silencieux cent pour cent, sans phrases, sans musique, sans lettres, juste le ronron du moulin [1]. » Là aussi se mêlaient le rêve et la réalité. C'est au Robert Houdin qu'il a vu tous les Méliès, *le Royaume des fées*, *Barbe-Bleue* et *le Petit Chaperon rouge*, et encore *l'Homme à la tête de caoutchouc*, *le Voyage dans la lune*, *le Couronnement d'Édouard VII*, et peut-être aussi *l'Affaire Dreyfus* avant que le film ne soit interdit par la préfecture. Louis affirma également qu'au Robert Houdin devenu depuis le musée Grévin il montait avec sa grand-mère dans un obus pour un voyage simulé sur la lune [2]. C'est probablement aussi avec sa grand-mère qu'il est allé voir Harry Houdini, émule de Robert Houdin, à l'Olympia en 1901 [3]. En revanche elle était morte depuis un an quand il est allé voir le spectacle de Buffalo Bill en 1905 [4].

« [...] elle m'achetait encore à la marchande sur sa chaufferette " les Belles Aventures illustrées ". Elle me les cachait même dans son froc, sous ses trois épais jupons. Papa voulait pas que je lise des futilités pareilles. Il prétendait que ça dévoye, que ça prépare pas à la vie, que je devrais plutôt apprendre l'alphabet dans des choses sérieuses [5] ».

Céline Guillou, au soir d'une vie qui avait été rude, se plut à faire l'école buissonnière avec cet enfant curieux de tout et à le laisser filer un peu la bride sur le cou. Pour Louis c'était l'aventure, la porte ouverte sur le monde; en gros le contraire de l'éducation qu'il recevait à la maison, à coup de principes, de réprimandes et de gifles, d'un père qui savait tout. Aussi a-t-il ressenti un immense chagrin quand elle mourut le 18 décembre 1904. Plus tard, évadé de sa famille et de son milieu où il suffoquait, il a choisi de s'appeler comme elle, pour vagabonder avec elle et avec tant d'autres fantômes et guignols dans un monde qui n'était imaginaire qu'en apparence.

1. *Mort à crédit*, p. 554.
2. *Cahiers Céline 2*, p. 109.
3. *D'un château l'autre*, p. 182.
4. *Ibid.*, p. 43.
5. *Mort à crédit*, p. 554.

Céline Guillou laissa à son fils Louis l'immeuble du 72, rue de Châteaudun qu'il revendit pour 10 000 francs comptant à son beau-frère le 16 juin 1919; et à Marguerite Destouches 17 750 francs et les trois pavillons d'Asnières qu'elle vendit plus tard : le numéro 16 et le numéro 18, en 1921 pour 17 000 et 20 000 francs et le numéro 16 bis pour 36 000 francs en 1923. Petit-Louis héritait de sa grand-mère le goût de l'aventure, celui du rêve et beaucoup de rire. De Bobs aussi, petit fox-terrier qu'elle avait acheté pour lui et qui devint son meilleur compagnon, bien qu'il se soit complaisamment vanté dans *Mort à crédit* de l'avoir martyrisé. « J'ai voulu lui faire comme mon père. Je lui foutais des vaches coups de pompes quand on était seuls. Il partait gémir sous un meuble. Il se couchait pour demander pardon. Il faisait comme moi exactement [1]. »

Le décès de sa grand-mère eut pour effet de rétrécir l'univers de Petit-Louis et il fut dès lors un peu prisonnier de ses parents. Seul Louis Guillou, qui était son parrain, lui permit encore quelques belles échappées. C'était un personnage moderne qui tranchait sur sa sœur, restée très vieux jeu, et dont Céline fit l'Oncle Édouard de *Mort à crédit*. Il n'était pas très intelligent, mais il avait une inépuisable gentillesse et le sens des affaires comme sa mère. Solidement établi à Paris, il tenait, 24, rue La Fayette, une boutique de vêtements de pluie à l'enseigne « Imperbel » [2]. Il exerça sur son neveu une influence importante, tant par une situation de fortune bien supérieure à celle des parents du gamin, que par ses qualités propres. Sportif et entreprenant, toujours prêt à partir en balade, il prenait la vie du bon côté.

Il possédait une automobile et une maison de campagne à Ablon, et le dimanche, comme il n'avait pas d'enfants, il emmenait souvent Petit-Louis qu'il aimait bien, pour de grandes parties de canotage sur la Seine. « ...quand j'étais môme, tout môme, nous allions

1. *Mort à crédit*, p. 554.
2. Il habita jusqu'à sa mort, le 10 décembre 1954, 4, rue des Martyrs, où il recueillit sa sœur à la fin de la seconde guerre. Elle y est décédée le 6 mars 1945. Céline était alors à Sigmaringen et il n'apprit sa mort qu'en arrivant à Copenhague.

beaucoup à Ablon, hiver comme été... là que j'en ai appris un bout, je peux dire... tous les petits secrets du fleuve, des berges et des sablières... là que j'ai appris, je craignais personne, les vraies finesses de la godille[1]... » C'est à Ablon aussi qu'il fut le témoin des inondations de 1910 : « [...] un chouïa de travers? hop!... vous vous retrouviez à Choisy, embarqué toupie dans les remous... quille en l'air!... votre fin[2]... ».

*

Le vent de l'aventure soufflait plus dur du côté Destouches, car tous n'avaient pas opté comme Fernand pour une vie rangée.

Amélie Destouches, sœur du père de Céline, qui devint Tante Hélène dans *Mort à crédit*, était une authentique aventurière; grande et belle, elle jouait vraiment très bien du piano et tournait la tête aux hommes. Demi-mondaine, elle courut toute l'Europe à la recherche de la fortune. Préceptrice dans une grande famille en Roumanie, elle rencontra Zénon Zawirski, diplomate roumain de trente ans son aîné qui lui fit un enfant et l'épousa. Il était propriétaire de forêts en Transylvanie et disposait d'une grande fortune, aussi Amélie Destouches devint-elle l'une des femmes en vue de Bucarest, où elle ouvrit une école de musique.

Pour Fernand et Marguerite Destouches, tante Amélie symbolisait le péché. « C'était tout viande, désir, musique. Il rendait papa, rien que d'y penser[3]. » Mais pour Louis, tante Amélie c'était l'aventure, *le Journal des voyages*, la porte ouverte sur le monde : « Elle a pris tout le vent dans les voiles. Elle a bourlingué en Russie. A Saint-Pétersbourg elle est devenue grue. A un moment elle a eu tout, carrosse, trois traîneaux, un village rien que pour elle, avec son nom dessus. Elle est venue nous voir au Passage, deux fois de suite, frusquée, superbe, comme une princesse et heureuse et tout[4]. »

1. *Rigodon*, p. 727.
2. *Ibid.*, p. 907.
3. *Mort à crédit*, p. 546.
4. *Ibid.*, p. 546.

En réalité, Amélie ne fut probablement pas heureuse, car sitôt Zawirski disparu, sa situation périclita et elle perdit sa fille Zénone, dite Zizi.

Cette enfant qu'elle avait eue de lui ne rêvait que d'extravagance et de vadrouille. Devenue dame de compagnie du shah de Perse, elle mourut à vingt ans dans des circonstances tragiques. Malade de la peste, elle voulut regagner Bucarest, mais dans le train qui l'y ramenait, comme elle noircissait à vue d'œil, des voyageurs terrifiés l'auraient précipitée en pleine nuit par la portière, quelque part du côté d'Odessa. Cette fin grand-guignolesque, dont Céline ne s'est curieusement jamais inspiré, est confirmée par plusieurs survivants de la famille Destouches.

Quant à tante Amélie, elle acheva son existence tumultueuse, non pas « très tragiquement sous les balles d'un officier [1] », mais moins glorieusement dans un hospice peu après la fin de la seconde guerre mondiale. Céline, qui se trouvait alors au Danemark, avait demandé à son ami le médecin-colonel Camus et à Arletty de lui rendre visite. Arletty se souvient de leur entretien dans le jardin d'une maison de retraite à Paris, probablement dans le quartier des Invalides. Elle conserve le souvenir d'une « grande dame » avec une « jolie tête d'homme » ressemblant un peu à Max Ernst qu'Arletty a bien connu, avec un crâne solide, sympathique et autoritaire « comme Céline ».

*

Georges Destouches, l'oncle Antoine de *Mort à crédit*, « c'était autre chose, [...] il était né lui aussi tout près du grand sémaphore... » et, comme Fernand, il avait rêvé d'être officier de marine. La mort de son père l'ayant obligé à y renoncer, il ne se précipita pas pour autant dans « les Poids et Mesures [2] » et n'épousa pas « une demoiselle des Statistiques » mais une institutrice du petit lycée Henri-IV, Blanche Gendron, méticuleuse et un peu sèche,

1. *Mort à crédit*, p. 546.
2. *Ibid.*, p. 546.

dont le nom affleure dans *Normance* et que Céline fera mourir d'abstinence dans *Mort à crédit* [1].

Grâce aux anciennes relations de son père, l'oncle Georges fut nommé sous-chef de bureau au ministère de l'Instruction publique et des cultes, puis le 12 mars 1906, secrétaire général de la Faculté de médecine de Paris avec un traitement annuel de 7 000 francs. Fernand, qui le jalousait, cria aussitôt que ce n'était pas bien malin d'obtenir de l'avancement quand on appartenait à la franc-maçonnerie, ce qui n'était évidemment pas fait pour resserrer les liens entre les deux familles qui déjà, très ouvertement, se battaient froid.

Céline n'était sans doute pas loin de la vérité lorsqu'il écrivait à Albert Paraz le 19 juin 1957 : « Mon oncle Georges était en effet secrétaire de la Faculté, et me haïssait, son fils Jacques terminant ses études au même moment. Il m'aurait fait pendre s'il avait pu [2]... ». Le second fils de l'oncle Georges, pratiqua comme Louis la médecine de dispensaire avant d'ouvrir un cabinet rue Danrémont, ce qui lui valut de figurer dans *Mort à crédit* sous le nom du cousin Gustave Sabayot, médecin à la « Chapelle-Jonction [3] ». Leurs relations ne furent jamais très cordiales et se détériorèrent pour de bon à la publication de *Voyage au bout de la nuit*, quand Jacques Destouches fit savoir par voie de presse qu'il n'était pas l'auteur de ce livre et n'avait rien à voir avec lui.

*

Charles Destouches, qui apparaît dans *Mort à crédit* sous le visage de l'oncle Arthur, était un gentil garçon qui n'avait pas eu de chance. Il avait été placé très jeune en apprentissage chez de vagues cousins, les Terrier, qui tenaient à Courbevoie le café la

1. Voir Gaston Picard, « Le Renaudot. Comment je n'ai pas interviewé L.-F. Céline », *Lectures du soir*, 2e année, nouvelle série, n° 51, 10 décembre 1932. Repris dans les *Cahiers Céline* 1, p. 27.
2. *Les Cahiers de l'Herne*, p. 178.
3. *Mort à crédit*, pp. 502 et suiv.

Glaneuse. C'étaient des gens hargneux qui le faisaient coucher dans une soupente infâme avec un autre pauvre petit, un phtisique qui crachait le sang.

Un beau matin il avait décidé de filer, pour courir sa chance dans Paris où il fut ballotté de l'un vers l'autre, incapable de se fixer. Vendeur au Printemps et au Bon Marché, il fut renvoyé d'un peu partout. Il avait pourtant un excellent coup de crayon grâce auquel il finit par décrocher un emploi comme dessinateur de catalogues chez un confectionneur de la rue du Sentier. Il profita de cette pause pour se marier.

Mais c'était trop beau. La maison supprima cet emploi et il perdit sa femme, morte à l'âge de vingt-huit ans. Il entra comme ponceur de broderies chez Saussais, rue Montmartre. La broderie passa de mode. Alors il alla tirer des plans chez un architecte et donna libre cours au penchant qu'il avait pour l'absinthe, s'enlisant irrésistiblement dans une bohème incurable. Tout le monde l'aimait bien l'oncle Charles, mais en avait quand même un peu honte.

*

« Mais le plus cloche de la famille, c'était sûrement l'oncle Rodolphe, il était tout à fait sonné. Il se marrait doucement quand on lui parlait. Il se répondait à lui-même. Ça durait des heures [1]. » C'est lui, René Destouches, qui était tombé du haut de la falaise de Sainte-Adresse et qui ne s'en était jamais très bien remis. Il lui arrivait même parfois de battre carrément la campagne, comme le jour de l'enterrement de sa mère, quand il se mit à siffloter dans le cortège.

Quelques jours secrétaire au Crédit lyonnais, mais par protection, puis pour un temps barnum à l'Exposition universelle de 1900, il végéta le reste de ses jours comme employé subalterne à la Compagnie des téléphones. Les uns et les autres fournissaient à Fernand Destouches un inépuisable réservoir d'exemples et d'ensei-

---

1. *Mort à crédit*, p. 547.

gnements qui alimentaient à longueur d'année les conversations autour de la table familiale.

Les repas y étaient assez sinistres, non seulement parce que l'on y mangeait mal; beaucoup de « panades aux œufs », de « macaronis » et toutes les formes de nouilles, viandes et poissons bouillis, car Mme Destouches ne savait, et ne voulait que cuire à l'eau. Elle prétendait que, le Passage étant sans aération, les odeurs de cuisine auraient eu vite fait d'imprégner la dentelle. Édith Follet raconte que sa belle-mère n'avait vraiment rien d'un cordon bleu. La première fois qu'elle vint dîner chez elle rue Marsollier, Marguerite Destouches lui fit du faisan bouilli; précisant aussitôt : « J'ai pris le plus frais que j'ai pu trouver. » Mais les repas étaient surtout pour Fernand l'occasion de se lamenter sur la dureté de la vie, la vertu si mal récompensée, le sort cruel des petits commerçants qui n'étaient plus de taille à lutter contre les gros, et contre cette juiverie qui progressait comme une hydre, bien épaulée par la maçonnerie.

Il rabâchait qu'il était grand temps que les Français se ressaisissent en reprenant en main leurs propres affaires, qu'ils cessent de se laisser enjuiver et mener par l'argent de ces gens-là qui tenaient le commerce, la finance et la politique et s'infiltraient dans tous les milieux, même dans l'armée.

« C'était un gros blond, mon père », écrivit Céline dans *Mort à crédit*, « furieux pour des riens, avec un nez comme un bébé tout rond, au-dessus de moustaches énormes. Il roulait des yeux féroces quand la colère lui montait [1]. »

Tous les soirs en rentrant du Phénix, Fernand Destouches lisait *la Patrie*. Il lisait aussi régulièrement Drumont qu'il commentait ensuite à table avec des accents qui terrifiaient Marguerite et laissaient Petit-Louis pantois.

C'était un homme courageux, le père de Louis, un peu mythomane aussi! Il était pour la revanche et leur décrivait la mobilisation, l'enthousiasme de la population et des troupes, le départ des

---

1. *Mort à crédit*, p. 539.

soldats pour le Front, les drapeaux, les musiques, les fanfares, mais aussi l'excellence de l'armement français, la supériorité de notre état-major, l'écrasement de Guillaume, la prise de Strasbourg, les drapeaux lavés dans le Rhin. Il soufflait alors dans la salle à manger-cuisine du 64, passage de Choiseul, un fort vent de terre qui venait de l'Est et qui sentait la poudre. Marguerite et Petit-Louis écoutaient aussi quand il leur parlait de l'affaire Dreyfus; Petit-Louis n'y comprenait rien, mais il écoutait. Il n'avait pas le choix.

Son éducation civique et morale lui fut ainsi dispensée à domicile et quotidiennement. La mémoire vénérée de son grand-père fut invoquée chaque fois qu'il était nécessaire, comme furent agités les guignols de la famille pour que Louis comprenne bien où conduisent le vice et la paresse et puisse opter de lui-même pour la vertu.

C'est le 1er octobre 1900, c'est-à-dire à l'âge de six ans, que Louis fut inscrit à l'école communale de la rue de Louvois, au cours élémentaire de première année. C'était une bâtisse assez lugubre, toute proche de la Bibliothèque nationale, sans autre verdure que celle du square Louvois. Pas la moindre ouverture dans ce décor à l'image de l'enseignement qui y était prodigué; « la grande mutilante de la jeunesse [1] » y faisait son œuvre, à base de bourrage de crâne et de vérités premières, inexorable rouleau compresseur avec ses tabous, ses vertus intangibles et ses dogmes. « [...] grâce à l'instruction frigidante, rationnelle et papyracée... Voici l'adolescent d'élite au point pour les cent mille profits, bien défendu contre sa jeunesse, contre les emballements de son âge... ayant bien retenu la morale de papa-maman... l'horreur des spontanéités... le déshonneur du sacrifice [2]... ».

Louis n'a jamais aimé cette école et ses résultats scolaires y ont été médiocres : « Enfant intelligent, observe le directeur, mais d'une paresse excessive entretenue par la faiblesse de ses parents.

1. *Les Beaux Draps*, p. 160.
2. *Ibid.*, p. 51.

Était capable de très bien faire sous une direction ferme. Bonne instruction. Éducation très relâchée. Mis en pension à la sortie de l'école. »

En réalité, Louis n'alla pas en pension, mais ses parents l'ont sans doute fait croire au directeur pour expliquer le départ de Louis le 27 février 1905.

Mme Destouches n'avait jamais apprécié cet établissement où Louis recevait un enseignement purement laïc dont le seul mérite était la gratuité. Or justement en décembre 1904, la mort de Céline Guillou apportait à sa fille et à son gendre une petite aisance. Elle allait leur permettre d'inscrire Louis à l'école Saint-Joseph des Tuileries pour cinquante francs par mois, auxquels s'ajoutaient les fournitures scolaires, les goûters, les classiques et la papeterie.

Mme Destouches avait été l'instigatrice de ce changement. Louis était en âge de préparer sa première communion et elle souhaitait qu'il reçoive une bonne éducation religieuse. Son mari, sans être complètement athée, s'en moquait ouvertement.

Saint-Joseph était alors située 6, rue du 29-Juillet, à dix minutes à pied du passage de Choiseul. C'était une école catholique dont la devise était « Vive Labeur », exclamation sans doute à rapprocher des « Hardi petit » dont Céline fait état dans *Rigodon* et par lesquels sa famille aurait pris l'habitude de lutter contre sa nonchalance naturelle et son incurable fantaisie : « [...] ce dut être vers 96 que j'entendis stimuler la première fois, cet " hardi petit "! c'était mon oncle, nous traversions le Carrousel, il venait dans l'autre sens, il allait ouvrir sa boutique, rue des Saints-Pères... ». Et un peu plus loin : « [...] pas besoin de ses " hardi petit "!... je me les faisais très bien tout seul... mon con d'oncle devait trouver qu'il fallait que je prenne l'habitude de me précipiter au boulot [1]... »

Cette nouvelle école était en tout cas bien connue pour sa discipline et son bon esprit. Louis y fut inscrit en qualité d'externe,

1. *Rigodon*, p. 847.

et pour des raisons inconnues il fut dispensé de promenades, de gymnastique et d'escrime. En revanche il prenait des leçons de piano en dehors de l'école. C'est à l'occasion d'une audition dans la salle du Vieux-Colombier, au cours de laquelle il joua « Une toute petite soirée », qu'il fit la connaissance d'une gamine de deux ans son aînée, Simone Saintu, avec laquelle il correspondit très régulièrement pendant son premier séjour en Afrique, en 1916 et 1917.

Les parents de Louis ont conservé certains de ses bulletins scolaires entre mars 1905 et janvier 1906. On y apprend qu'il suivit les cours de sixième B jusqu'en juillet 1905 et l'année suivante ceux de cinquième B. Ces bulletins établis tous les quinze jours étaient signés par l'abbé L. Richard, directeur de l'école et, à partir de septembre 1905, par l'un des professeurs, M. Gadouleau.

La classe de Louis comportait dix-huit élèves et tous les quinze jours il y avait un classement « en honneur » et en compositions. Louis n'a jamais été mieux placé que cinquième et jamais moins bien que treizième en honneur. Il fut onzième en histoire, douzième en récitation, huitième en géographie, septième en orthographe, quinzième en arithmétique, douzième en analyse, treizième en anglais. Cinquième en géométrie avec, il est vrai, une « fraude dans la composition », deuxième en composition de dessin et géométrie, mais il n'y avait ce jour-là que six concurrents. Il obtint sa meilleure place le 14 octobre 1905 en se classant second en composition de narration.

D'une façon plus générale, il était meilleur en leçon qu'en devoir, et il fit dans toutes les matières des progrès réels au cours de l'année scolaire. Ses notes d'étude montrent qu'il était un élève studieux; celles de conduite attestent qu'il était plus discipliné que chahuteur et turbulent.

Il était également délivré un carnet journalier sur lequel étaient inscrits les devoirs à faire chaque matin et chaque soir, les leçons à apprendre et quelques citations écrites de la main de l'élève. Elles en disent long sur l'excellent esprit qui soufflait à Saint-Joseph.

Non daté : « Synonime de grandeur, Louis IX que l'Église a

élevé sur les autels brillent d'une auréole de gloire qui éclipse selle de tout leur contemporains. »

20 mars 1905 : « Le papier qui se fait le plus souvent avec de vieux chiffons que l'on réduit en bouillie peut également se préparer avec l'écorce de certains végétaux du nombre desquels sont le mûrier le bambou et le papyrus. »

28 mars 1905 : « Grands de Babylone ne cessent de conjurer la perte ont figuré Jésus-Christ persécuté par des ennemis. »

Puis Louis semble être passé par une période difficile. M. Destouches, qui contrôlait les notes de son fils, flaira sans doute un mensonge car il écrivit sur le carnet : « Il n'y a pas eu de notes hier 30 mars — est-ce vrai? » La réponse fut également notée sur le carnet : « Bien que je n'ai pas eu cet enfant sous ma direction hier, je crois savoir que l'enfant a dû tout simplement oublier d'inscrire ses notes. » L'incident était clos mais il atteste la vigilance de M. Destouches.

A la même date on peut lire : « Devoir français remis trop tard. » Louis, s'il obtint ce jour-là 3 sur 5 en conduite, se vit adjuger deux zéros en leçon. Il reçut un nouveau zéro en leçon le 1er avril avec l'observation : « Inappliqué à l'étude le matin. »

Le 2 avril 1905 (matin) les citations reprenaient : « Une colonne de feu dont sommet touche à la nue descend sur l'arbre et le consume avec le malheureux qui s'y était réfugié. »

Et le 2 avril au soir, la dernière page de ce cahier porte les mots : « Le Bosphore serpente comme un beau fleuve entre 2 chaînes de montagnes dont les sommets sont ornés de groupes d'arbres et dont le pied est couvert d'agréables villages qui se succèdent sans interruption depuis Constantinople jusqu'à l'entrée de la mer Noire. »

Louis fut donc un assez bon élève et, sauf exceptions, ses notes ont toujours été supérieures à la moyenne. Quant à sa conduite, elle ne fut pas conforme à la légende qu'il s'est lui-même forgée puisqu'elle ne fit pratiquement l'objet d'aucune remarque particulière. Cependant, au cours du troisième trimestre de l'année scolaire 1904-1905, M. Destouches s'est vu réclamer une somme de quatre francs au titre des dégradations générales. Une somme de trois francs lui avait été demandée au même titre pour le semestre précédent; quelques carreaux cassés sans doute.

A Saint-Joseph, Louis reçut également une éducation religieuse et il fit sa première communion en l'église Saint-Roch, tout proche de son école, le 18 mai 1905. Il était en compagnie de treize autres camarades : André Goulet, Jean Hote, Georges Farret, Max de La Terrie, Maurice Armingeat, Michel Brossard, Pierre Cornuau, Marcel Loup, Pierre Magdelaine, Jean Megret-Regiera, André Roger, Robert Rouleau et André Saulnier. Tous figurent avec leurs professeurs sur la traditionnelle photographie prise au cours de l'année scolaire. Louis a l'air d'y faire un peu bande à part, il se mord les lèvres, paraît absent et donne l'impression d'un enfant solitaire, ce qui tient peut-être au fait qu'il n'est pas habillé comme les autres. Ses camarades portent presque tous l'uniforme, culotte courte et large col marin. Lui est vêtu avec recherche, de façon un peu romantique et prétentieuse, complet sombre et gilet, avec un grand col blanc et une cravate lavallière.

Avait-il des amis de son âge? A-t-il souvent dépassé avec eux le stade de la camaraderie? Hormis Simone Saintu, et Simone Forjonel qui habitait dans le passage, Louis n'a conservé aucun ami d'enfance, ce qui donne à penser qu'il n'en eut peut-être pas. Enfant unique, très timide, il fut douillettement élevé par des parents jaloux de leur rang social. Un peu en dehors de sa génération, comme un aristocrate, vivant au milieu d'adultes, il se sentait sûrement plus proche d'eux que des enfants de son âge.

M. et Mme Destouches ont-ils connu de nouveaux soucis d'argent? Ont-ils pensé que l'année précédant le certificat d'études il était préférable de réinscrire Louis dans une école communale? Il faut se souvenir que la France était alors en pleine guerre de religion. Les anticléricaux venaient de marquer deux points essentiels : les congrégations avaient été interdites en 1904 et la séparation de l'Église et de l'État venait d'être consommée. M. Destouches a dû penser que Louis avait fait son plein de dévotion et qu'il devait recevoir une éducation « républicaine ». Marguerite Destouches, sans être bigote, n'aurait vu que des avantages à ce qu'il reste à Saint-Joseph.

Toujours est-il que c'est à l'école communale du 11, rue d'Argenteuil, qu'il effectua sa dernière année de scolarité de septembre 1906 à juillet 1907. Nous savons que sa conduite y fut sans reproche puisqu'il obtint le certificat d'études et le prix de bonne conduite Marie-Amélie Debat qui lui fut décerné le 30 juillet 1930 par la caisse des écoles du 1er arrondissement de Paris avec attribution d'un livret de Caisse d'épargne de 20 francs. Il en avait déjà un sur lequel figuraient de petites sommes obtenues dans les mêmes circonstances lorsqu'il était à l'école de la rue de Louvois.

Si M. Destouches ne partageait pas les convictions religieuses de sa femme, ils se sont l'un et l'autre toujours montrés beaucoup plus soucieux du sort de Louis dans ce monde que de son avenir dans l'au-delà. La santé de ce fils unique fut en tout cas pour eux un constant objet de préoccupation.

Fernand Destouches était en apparence l'image même de la santé, alors que sa femme avait eu beaucoup de petits ennuis dont elle ne se plaignait cependant jamais. On avait même craint qu'elle ne soit phtisique. Il faut se rappeler qu'à cette époque où la tuberculose faisait encore des ravages, les travaux de Pasteur avaient été suivis avec passion par l'opinion publique. On avait découvert, grâce à lui, les vertus de l'hygiène et l'excellence de la prophylaxie. Aussi Louis fut-il élevé dans la hantise du microbe et de l'air vicié; sa mère surtout détestait les microbes au moins aussi fort que son père détestait les Juifs, elle en voyait partout et les pourchassait à longueur d'année, obligeant son fils en toutes occasions à se laver les mains.

Comme beaucoup d'enfants, Louis n'avait pas un don inné pour la propreté. Il rentrait toujours un peu barbouillé après avoir traîné à l'école et dans le quartier; il avait les mains sales, et, sans avoir seulement l'idée de se les laver, il mangeait avec ses doigts qu'il se mettait aussi bien dans le nez que dans la bouche. Marguerite piquait alors des crises horribles comme si le diable était entré dans la maison.

64   LE TEMPS DES ESPÉRANCES

Le culte du bon air qui avait conduit M. et Mme Destouches à éloigner Louis de Paris pendant les premières années de sa vie les incita à l'envoyer à la campagne et à la mer aussi souvent que possible. A la campagne c'était assez facile puisque Louis pouvait aller à Ablon dans la maison de son oncle, Louis Guillou, puis dans celle qu'ils y louèrent. Quoique ce fût moins commode, Louis alla cependant à plusieurs reprises au bord de la mer pendant les vacances d'été, notamment à Dieppe [1] et à Veulette près d'Yvetôt, où il passa une partie de l'été 1905.

On conserve de cette époque une lettre de Louis à ses parents non datée : « Je prends régulièrement mes bains tous les jours Depuis mardi que je t'ai écrit rien ne s'est passé de bien extraordinaire Mardi Soir je suis allé au bain puis après nous nous couchés Hier matin je suis allé à la poste chercher des lettres il n'y en avait pas pour moi, en compensation j'en ai eu 2 ce matin Après déjeuner j'ai fini mes devoirs de vacances A 4 heures je suis allé prendre mon bain. Ce matin nous avons chassé des abeilles j'ai été piqué un petit peu au bout du doigt par un dard d'abeille morte Ce n'est rien et et ça ne me fait déjà plus mal Nous venons de déjeuner. Il vient d'éclore à l'instant des petits poussins. Tantôt je vais prendre mon bain [...] » Puis il demandait des nouvelles de son père et de son chien Bobs, qui n'était donc pas du voyage et paraissait au premier plan de ses préoccupations.

Cette lettre est bien celle d'un enfant affectueux, soucieux de rassurer ses parents et de prendre de leurs nouvelles. Il n'y a pas de fautes d'orthographe, elle ne comporte aucune formule finale et se termine simplement par les mots : « [...] j'ai très bonne mine. Bobs est-il pâle un bon bain de mer lui fera retrouver ses couleurs. PS = *Envoie moi mon* SOLFÈGE POUR COPIER MES NOTES ».
Louis qui était infiniment perméable et sensible fut marqué par

1. M. et Mme Destouches aimaient beaucoup Dieppe où ils avaient acheté en 1922 deux petites maisons situées l'une 19 et 21, rue Gambetta et l'autre, qui lui était mitoyenne, 9 et 11, rue de la République. Ils avaient envisagé de s'y retirer mais la mort de Fernand en 1932 bouleversa ce projet. A la mort de Marguerite Destouches, en 1945, ces maisons — qui existent toujours — lui rapportaient environ 10 000 francs par an.

cette phobie de la maladie et de la contagion et par ce constant souci de l'hygiène et de la qualité de l'air dont on lui avait tant rebattu les oreilles; Pasteur, qui fut un dieu pour ses parents, resta pour lui le génie bienfaisant qui avait si fortement illuminé son enfance [1]. De lui, plus tard, quand il raconta *la Vie et l'œuvre de Philippe Ignace Semmelweis*, il dit : « Pasteur, avec une lumière plus puissante, devait éclairer, cinquante ans plus tard, la vérité microbienne, de façon irréfutable et totale [2]. » Et en 1933, dans l' « Hommage à Zola » qu'il prononça à Médan à la demande de Lucien Descaves, il saisit l'occasion pourtant peu évidente d'associer Pasteur à Zola, affirmant que l'œuvre du père de Gervaise et de Nana ressemblait à ses yeux à celle de Pasteur, « si solide, si vivante encore », trouvant chez les deux hommes « la même technique méticuleuse de création, le même souci de probité expérimentale et surtout le même formidable pouvoir de démonstrations [...] [3] ».

Pasteur n'est pas absent non plus de *Voyage au bout de la nuit*, dans lequel il apparaît sous le nom de Bioduret Joseph : « C'est à cause de ce Bioduret que nombre de jeunes gens optèrent depuis un demi-siècle pour la carrière scientifique [4]. Il en advint autant de ratés qu'à la sortie du Conservatoire. » L' « Institut Bioduret Joseph » était fortement égratigné, mais Bardamu laissait intacte l'image du grand savant. Parapine en revanche n'hésitait pas à le railler : « Avec sa manie de rincer parfaitement les bouteilles et de surveiller d'incroyablement près l'éclosion des mites, il m'a toujours semblé monstrueusement vulgaire à moi cet immense génie expérimental. [...] figure hostile de concierge chicaneur et malveillant [5]. »

Certains verront peut-être dans les « bons principes » inculqués

1. Voir toutefois *infra*, p. 306.
2. *Mea culpa suivi de la Vie et l'œuvre de Semmelweis*, Denoël et Steele, 1936. Rééd. *Cahiers Céline* 3, pp. 15-79.
3. Art. cité. *Cahiers Céline* 1, p. 83.
4. *Voyage au bout de la nuit*, p. 276.
5. *Ibid.*, p. 281.

à Louis par ses parents l'origine de sa carrière d'hygiéniste qui tint en fait beaucoup plus du hasard que d'une vocation profonde. Mais il n'est pas interdit de penser qu'en 1923, lorsqu'il fit le choix de son sujet de thèse, décidant d'évoquer la vie ardente de Philippe-Ignace Semmelweis, apôtre et martyr de l'antisepsie, Louis Destouches, qui achevait ses études de médecine, se soit souvenu du passage de Choiseul, des taloches et des bons conseils, des « tu t'en repentiras » et des « je te l'avais bien dit »; souvenirs chaleureux sur lesquels planait l'ombre du grand Pasteur, ange gardien de tous les enfants du monde.

CHAPITRE IV

Diepholz et Karlsruhe

« Voyager, c'est bien utile, ça fait travailler l'imagination. Tout le reste n'est que déceptions et fatigues. »

Voyage au bout de la nuit, épigraphe.

Louis fêta ses treize ans le 27 mai 1907 et le 15 juin suivant il réussit du premier coup son certificat d'études. Il n'était plus alors tout à fait un enfant et entrait doucement dans l'adolescence. Blagueur, espiègle, fouineur et curieux, il regardait la vie comme on assiste à un spectacle, attiré surtout par le côté paradoxal, ridicule ou burlesque des choses qu'il rapportait ensuite avec une verve et un humour désarmants.

Physiquement c'était un bel enfant dont on voyait surtout les grands yeux bleus rieurs, il avait le nez un peu fort de sa mère, les oreilles décollées en « feuilles de choux », un irrésistible sourire dont il savait user, un rire facile qui partait comme un coup de fusil, et le cheveu toujours un peu en bataille. Il faut ajouter à cela qu'il était plutôt grand pour son âge, bien planté sur des jambes solides. Il pesait alors quarante-trois kilos et comme tous ceux qui ont poussé trop vite, il était encore efflanqué, maladroit et timide. Turbulent et impulsif, il ressemblait bien à ces enfants uniques qui éclatent soudain pour échapper à l'asphyxie d'une cellule familiale trop étroite.

Son père et sa mère avaient fait objectivement tout ce qui pouvait être fait pour lui. L'enfant n'avait vraiment manqué de rien et l'on peut dire qu'en apparence il avait eu une enfance heureuse. Mais, si l'on en croit *Mort à crédit*, Marguerite et Fernand Destouches étaient raides et secs dans leurs effusions et s'ils avaient du cœur ils se gardaient bien de le montrer : « " Oui mon petit!... Oui mon petit!... " qu'il se répétait comme ça à lui-même... fixe devant lui... Il avait du cœur au fond. Moi aussi j'avais du cœur. La vie c'est pas une question de cœur [1]. »

Beaucoup plus tard, bien après la seconde guerre mondiale, parlant de sa mère, Céline dit à Jean Guénot et à Jacques Darribehaude : « Elle était d'une dureté, elle était impossible, cette femme... il faut dire qu'elle était d'un tempérament... elle jouissait pas de la vie, quoi. Pas du tout. Toujours inquiète et toujours en transe [2]. » Et de son père il dira qu'il était jaloux et « abominablement hargneux », constatant que « la hargne c'est la maladie du petit bourgeois français [3] ». Dans *Mort à crédit* il l'avait décrit comme un personnage pessimiste et anxieux qui ne « se souvenait que des contrariétés » ajoutant qu'il en avait eu des centaines [4].

La première contrariété de Fernand Destouches avait été de n'avoir pas assez d'argent pour tenir son rang. Si les Destouches avaient accepté de vivre comme des ouvriers, ils auraient connu l'aisance et ils auraient été sans doute heureux. Mais ils voulaient paraître et « avoir l'air » : « C'était la misère... plus dur que la misère parce que la misère, on peut se laisser aller vautrer, se saouler, mais là c'était la misère qui se tient, la misère digne, ça, c'est affreux [5]. »

---

1. *Mort à crédit*, p. 545.
2. *Cahiers Céline* 2, p. 165.
3. Évelyne Pollet, *Escaliers*, Bruxelles, La Renaissance du livre, 1956 : roman à clef où le peintre Charbier [Céline] parle de son père.
4. *Mort à crédit*, p. 539.
5. *Cahiers Céline* 2, p. 162.

Louis Montourcy qui avait été précédemment au guichet des titres de la succursale A de la Société générale entra au Phénix. Il se lia d'amitié avec Fernand Destouches et devint son conseiller financier. Fernand avait une totale confiance en lui, au point de lui remettre des ordres signés en blanc pour qu'il effectue les opérations de bourse à sa place. Louis Montourcy était donc bien placé pour apprécier la situation financière exacte de son collègue. En 1908 il évaluait la fortune des Destouches à cent cinquante mille francs de titres, dont le revenu leur aurait permis de mener un train modeste à la campagne.

M. et Mme Destouches étaient donc loin de connaître la pénurie complaisamment étalée par Céline dans *Mort à crédit* et si souvent rappelée ensuite qu'elle faisait désormais partie de sa légende. Mais à aucun moment ils ne purent se défaire ni de la peur du lendemain ni du plaisir qu'ils éprouvaient l'un et l'autre à jeter un peu de poudre aux yeux. En bref, c'étaient des personnages de Zola mis en scène par Labiche. « [...] c'est la vanité qui nous tue », écrivait Céline à Albert Paraz, « on se serait fait épicier, on serait heureux, on n'a qu'une vie, ta mère aussi serait heureuse, la mienne ne serait pas morte de chagrin, abandonnée seule, (et de faim) à 77 ans! Moralité du monde! Épicerie[1]... » Et le père de Louis crevait bien de respectabilité, comme il crevait de la fortune et de la réussite des autres « [...] on les connaissait, les riches, il y en avait deux ou trois... On les révérait! Mes parents m'indiquaient que ces gens-là avaient de la fortune... les marchands de drap du quartier... Prudhomme. Ils s'étaient fourvoyés là, mais on les connaissait avec révérence. A cette époque-là on révérait l'homme riche! Pour sa richesse! On le trouvait d'abord intelligent, en même temps[2]. »

L'univers des parents de Louis est donc bien celui de « l'acceptation frénétique » et sa mère exprimait sans doute le fond de sa pensée quand il lui fait dire : « Petit malheureux, si tu n'avais pas

1. Albert Paraz, *le Gala des vaches*. Rééd. Balland, 1974, p. 170.
2. *Cahiers Céline* 2, p. 163.

les gens riches (parce que j'avais déjà des petites idées, comme ça),
s'il n'y avait pas les gens riches, nous n'aurions pas [à] manger.
Ben, les gens riches ont des responsabilités... » Et Céline ajoutait :
« Ma mère révérait les gens riches, n'est-ce pas. Alors moi, bé,
dame, j'en prenais de la graine, quoi. Je n'étais pas très convaincu.
Non. Mais je n'osais pas avoir une opinion, non, non [1]... »

C'est dans ce petit monde où l'argent primait tout que Louis fut
élevé — peut-être pas dans « l'angoisse de la croûte [2] », mais au
moins dans l'obsession de la gêne. C'est là qu'il apprit que l'économie était une vertu, et si plus tard nombre de ceux qui l'ont
connu ont dit qu'il était avare, c'est parce que son père et sa mère
lui avaient enseigné dès sa petite enfance qu'un sou était un sou
et qu'il les avait toujours vus vénérer l'argent; comme d'autres
vénèrent la beauté, le courage ou le soleil.

S'il n'y avait que peu de place dans ce décor pour les élans du
cœur, il n'y en avait pas du tout pour les jeux de l'imagination, du
moins pour son père. Louis, comme tous les enfants, s'évadait
facilement, chevauchant des chimères, voyageant au loin au
hasard de ses rêves éveillés, et s'il arrivait aussi à son père de
rêver, il se gardait bien de le montrer : « Mon père, il se méfiait
des jeux de l'imagination. Il se parlait tout seul dans les coins. Il
ne voulait pas se laisser entraîner... A l'intérieur, ça devait bouillir [3]... » Cela devait « bouillir » en effet parce qu'il ruminait de
prendre sa revanche sur la vie, mais en 1907, il savait déjà que pour
lui c'était trop tard. Aussi pensait-il que cette revanche à laquelle il
avait aspiré de tout son être, ce serait à Louis de la jouer et de la
gagner.

A ceux qui, beaucoup plus tard, questionnèrent Céline sur les
origines de sa vocation médicale, il a toujours répondu que depuis
son plus jeune âge il avait aspiré à devenir médecin. Ainsi, à
Claude Bonnefoy qui l'interrogeait sur ce point, il répondit

1. *Cahiers Céline* 2, p. 163.
2. *Mort à crédit*, p. 639.
3. *Ibid.*, p. 545.

comme à beaucoup d'autres : « Si... Je vous l'ai dit... J'étais fou... Je voulais devenir médecin! C'était une façon de changer de milieu. Un médecin, pour moi, c'était un seigneur... Ma mère, elle, voulait que je devienne acheteur dans un grand magasin : une situation magnifique [1]! »

De la publication de *Voyage au bout de la nuit* jusqu'à sa mort en 1961, Louis Destouches devenu Louis-Ferdinand Céline fut souvent sollicité par les journalistes, interviewers et autres questionneurs. Quand il ne leur refusait pas sa porte, il donnait alors libre cours à son imagination. Pour brouiller les pistes ou pour accréditer son propre mythe, il leur racontait, fabulant et vagabondant comme dans toute son œuvre écrite, les péripéties de son existence chaotique sous cet éclairage picaresque dont il avait le secret. *Entretiens avec le professeur Y* en est une éclatante illustration.

Fut-il dès l'enfance tenté par la médecine? Rien dans sa correspondance de l'époque ne permet de déceler cette attirance innée qu'il aurait eue pour l'art de soulager ceux qui souffrent et à laquelle il a consacré une large partie de sa vie. En revanche ses lettres de jeunesse témoignent d'un réel et constant intérêt pour les sciences appliquées. Il se passionnait tout particulièrement pour les moteurs électriques et pour les premiers appareils utilisant cette nouvelle source d'énergie. Il était aussi un fanatique de la photographie et utilisa souvent l'appareil que son père avait acheté.

Fernand Destouches, qui avait beaucoup songé à l'avenir de son fils, ne paraît pas avoir envisagé sérieusement de l'orienter vers les sciences ou la médecine. Il voulait surtout qu'il prenne le « droit chemin », et qu'il puisse gagner sa vie dignement et honnêtement : « C'était le conformisme absolu... Dans le prolétariat, il y avait deux catégories, des voyous, des pelés, des galeux, des fortes têtes qui finiraient sur l'échafaud, heureusement!... et les autres, les travailleurs qui crevaient dignement, sans rien dire... Puis il y avait

1. *Cahiers Céline* 2, p. 209.

---

une autre race, qu'on respectait, celle des gens riches qui partent en vacances [1]... »

Il y a dans cette affirmation de Céline, comme dans toute son œuvre, à la fois beaucoup de vérité et une grande part d'exagération. Ce qui est vrai en tout cas, c'est que M. Destouches voulait éviter à son fils les déboires qu'il avait lui-même connus dans sa jeunesse. Il croyait en effet avoir compris les raisons de ses propres échecs dont il avait tiré quelques enseignements élémentaires.

Il pensait tout d'abord qu'il était bien inutile que Louis poursuivît ses études bien que ses résultats scolaires aient été plutôt encourageants. Fernand Destouches avait sur ce point des idées bien arrêtées. Il se souvenait que l'agrégation n'avait pas empêché son père de mourir sans argent et qu'il n'avait tiré lui-même aucun profit de ses études secondaires. Il pensait qu'en ce début du XXe siècle, il était bien suffisant de savoir lire, écrire et compter et prenait à témoin Laffitte, Aristide Boucicaut et quelques autres qui venaient apporter de l'eau à son moulin. Et s'il pestait contre les grands magasins, il avait tout de même bien compris qu'il n'y avait aucun avenir pour Louis dans le petit commerce. En revanche, le développement prodigieux des voies et des moyens de communication, les progrès de l'industrie et les conquêtes coloniales ne pouvaient à ses yeux que favoriser le commerce entre les nations.

Comme Louis avait du charme, beaucoup de gentillesse et de bagout, il ferait sans aucun doute facilement carrière dans le commerce, au contact de la clientèle. C'était aussi l'idée de Mme Destouches : « L'ambition de ma mère était de faire de moi un acheteur de grand magasin. Il n'y avait pas plus haut dans son esprit [2]. » Il fallait donc qu'il commence comme vendeur dans une grande et solide maison de commerce, et puis ensuite... s'il en avait les capacités... une fois qu'il aurait mis le pied à l'étrier, il n'aurait plus qu'à gravir les échelons.

Avant de lancer Louis dans le grand commerce, il fallait évi-

---

1. *Cahiers Céline* 2, p. 209.
2. Interview de Louis Pauwels. Rééd. *Cahiers Céline* 2, p. 123.

demment qu'il apprenne les langues étrangères. M. Destouches décida que son fils apprendrait l'allemand et l'anglais et que, pour ce faire, il se rendrait successivement en Allemagne et en Angleterre.

A la fin du mois d'août 1907, Louis fut donc envoyé dans le Hanovre, à Diepholz, petite bourgade maussade située sur les bords de la Hunte, qui ne comptait pas plus de trois mille âmes et s'était taillé à l'époque une modeste réputation dans la fabrication du cigare. Il n'y avait pas plus lugubre et morne que cette grande plaine du Nord, immense étendue de terres basses, sablonneuses et humides coupées de tourbières, presque sans végétation, seulement plantée d'herbages sans limites, de sapins et de bouleaux tristes. « [...] c'est de la plaine de terre pauvre et sables, entre de ces forêts!... terres à patates, cochons, et reîtres [1]... »

Tout de même un peu inquiets à l'idée que leur fils allait se retrouver seul dans ce monde inconnu dont il ne parlait même pas la langue, ses parents prirent le soin de l'accompagner jusqu'à Diepholz. Le voyage avait du reste été préparé comme une expédition polaire. On avait prévu le moindre détail, dressé des listes, empilé les vêtements d'hiver dans une cantine, veillé à ce que Louis soit équipé aussi bien que possible. On avait enregistré à la gare du Nord la cantine et la bicyclette et la famille, au grand complet, s'était lancée dans ce voyage harassant, quarante-huit heures de chemin de fer avec des changements à Verviers, Aix-la-Chapelle, Düsseldorf et Hambourg.

Mme Destouches retourna seule voir Louis pour la Toussaint, puis son père alla passer quelques jours avec lui pour Noël. Le 26 décembre 1907 M. Destouches, qui était descendu à l'hôtel Zum Grafen, écrivait à sa femme pour lui raconter son voyage, pour lui dire combien il était épuisé par ces deux jours sans sommeil et lui donner de bonnes nouvelles de leurs fils :

« Il est en excellente santé, le moral est bien meilleur. Je crois que Mme Schmidt s'est un peu amendée. Quant à M. Schmidt c'est

---

1. *D'un château l'autre*, p. 196.

toujours le même baromètre immuable de l'ingénieur Chevalier [1]. Dans l'ensemble, je crois que c'est mieux que quand tu es venue- Je n'ai pas encore entendu le petit au piano je vais voir cela tout à l'heure- M. Schmidt m'a déclaré en confidence qu'il était très satisfait du petit : j'ai insisté un peu pour connaître diplomatiquement le motif de la tension des rapports entre le petit et Mme Schmidt il m'a déclaré que tout cela n'était que des petites histoires de « madame » et de « ménage » sans importance - qu'il avait veillé à ce que Louis apprenne son piano, qu'il faisait de grands progrès en allemand et que c'était l'essentiel puisqu'il était en Allemagne *pour cela seulement*. En effet il parle tout à fait couramment à table avec eux tous, il converse complètement et il me sert d'interprète auprès de Mme Schmidt qui persiste à me causer bien que je ne comprenne pas un mot de ce qu'elle me raconte- Elle en est restée encore à son seul répertoire qui se réduit à « mille grâces Monsieur » et c'est tout- Elle n'a fait aucun progrès.

» Il n'est plus question de déplacement pour M. Schmidt- En tous cas, il est entendu que s'il survenait quelque chose, ils garderaient le petit.

» La neige tombe en ce moment je te quitte nous allons faire une promenade. Je t'embrasse affectueusement. »

Destouches.

« Je vais passer l'inspection de ses effets et de sa chambre après déjeuner pendant la sieste. »

Pendant toute la durée de son séjour à Diepholz, Louis fut donc pensionnaire chez un sieur Hugo Schmidt, moyennant une rétribution de cent vingt marks par mois. Il fallait y ajouter par mois deux marks pour la bonne, six à huit marks pour les menues dépenses et les promenades et deux marks environ pour les leçons de piano. Chaque jour, coiffé de la casquette de l'école,

---

1. « Bourgeois, ingénieur Chevalier », opticien et fabricant d'appareils de mesure, dont la boutique était 27, rue des Pyramides, à deux pas du passage de Choiseul et de la rue Marsollier.

Louis allait à la « Mittelschule » en « Klasse 3 », ce qui équivalait à une classe de quatrième dans un cours complémentaire français. Il y retrouvait Hugo Schmidt qui en était le directeur et qui y professait également.

Louis ne quitta qu'une fois Diepholz pour venir passer à Paris les vacances de Pâques 1908; il retourna ensuite en Basse-Saxe pour finir son année scolaire et ne revint définitivement à Paris que le 4 juillet 1908. Il avait été question un moment que M. et Mme Destouches viennent passer le mois d'août à Diepholz, mais ce projet resta sans suite.

Aujourd'hui encore, à Diepholz, quelques vieilles dames se souviennent de ce petit Français de leur âge qui les appelait les « vraies Germaines ». Dans un village voisin, à Barnstorf, le vieux prêtre Walter Klose raconte :

« Nous étions dans la même classe, et lors de la première leçon chez mon père qui enseignait à cette école, il fut salué : " Ah! vous êtes français! " Mais bien qu'il se donnât beaucoup de mal, il ne lui était pas facile de suivre les cours. Il butait sur les noms et appelait les filles Frieda 1, Frieda 2, etc. sauf Margaret Menke, la fille du pasteur, dont il semblait amoureux. Tous les jours il jouait avec nous dans la cour de l'intendant et autour de l'église; un bon camarade, je vous assure, et qui ne se fâchait jamais à nos taquineries. Il prenait pension dans la Luisenstrasse, chez notre directeur, le " Rektor " Schmidt. »

Hugo Schmidt quant à lui fut frappé par la facilité avec laquelle Louis apprit l'allemand qu'il parlait assez couramment après seulement quelques semaines passées à Diepholz. Il le considérait comme un excellent garçon, louait sa gaieté, sa bonne santé et son ardeur au travail.

Louis ne s'ennuya pas à Diepholz où il suivit des cours de piano et d'anglais et pratiqua beaucoup de sports : la bicyclette, la marche, le patin à glace et la gymnastique. Il racontait tout cela dans de longues lettres qu'il écrivait régulièrement à ses parents et aux autres membres de sa famille.

Certaines de ces lettres sont déjà presque céliniennes tant il y manifeste l'art de raconter les catastrophes avec humour et fantaisie : « C'était avant-hier des Polonais s'embarquaient pour l'Amérique Un petit gosse de 6 ans est allé sur le quai pendant que ses parents sont dans le bateau. Le bateau est parti avec les parents dedans et le gosse est resté à Brême Les parents vont donc chercher pendant 1 mois leur enfant dans le bateau [1]!!- »

Dans une autre lettre il se montre soucieux de la santé de sa cousine Christiane, fille de son oncle René, qui vient en effet d'avoir le croup : « Il s'en fallait peu que la pauvre petite paye de sa vie le tribu que semble payer notre entourage depuis quelques années à l'hiver pourri de Paris, [...] Mais où a-t-elle bien attraper cette maladie-là. Cela doit faire du joli dans la maison. La mère Sagot avec sa ribambelle tout cela avec une propreté douteuse vont, attraper cela avec ensemble et de suite toute la maison [1], [...] »

Et cet autre encore qui montre son penchant pour l'affabulation et le goût qu'il avait déjà pour le fantastique : « [...] nous lui racontèrent l'histoire de brigand suivante que j'avais inventé (car je n'en ai pas perdu le goût) Histoire : Nous voulions te rejoindre mon ami nous nous sommes assis sur les tampons du dernier vagons d'un train- Nous étions presque à Osnabruk quand une décharge d'électricité nous jeta à 10 mètres en l'air Je retombai ainsi que Kurte sur les pieds mais mes mains en furent écorchés et mon œil s'enfuit vers Paris. Je dois l'envoyer chercher demain [2] [...] »

Certaines de ces lettres ne devaient pas toujours être du goût de M. Destouches : « Papa pour Werner doit acheter des soldats au Bazar de l'Hôtel de Ville. Il recevra probablement de ses parents un jeu de soldats allemands. Papa pourra apporter un jeu de soldats français en plomb qui sont naturellement coupés en deux, qui tombent, qui fuient, etc., etc. » Il n'apprécia peut-être pas non

---

1. Sans date.
2. « Journal du 15 novembre 1907 au 20 novembre 1907. Rédacteur L. Destouches Directeur L. Destouches Journal allemand écrit en français. Aucune opinion vu la jeunesse de son personnel. Ce journal est HEBDOMADAIRE Prix 15 pfenig. L'imprimerie n'est pas payée. »

plus cette anecdote : « Enfin le plus embêtant fut qu'après le discours patriotique du préfet tous le monde cria " is lebe kaiser! "
en agitant leur chapeau pour ne pas paraître ridicule j'ai fait comme
eux et j'ai crié " vive le kaiser " [1][...] »

La correspondance de Louis dénote aussi chez lui un constant
souci d'argent. Faire des économies, éviter à ses parents telle ou
telle dépense demeureront toute sa vie l'un de ses traits de caractère. « [...] à l'école rien d'anormal, si ce n'est que l'on allume
maintenant des énormes poëles dans les classes, on dirait des véritables locomotives, après l'école j'ai été me faire couper les cheveux et j'ai bu mon huile de foie de morue. Chez le merlan on paie
d'habitude six sous, il m'a demandé combien je payais à Paris, j'ai
répondu quatre sous de cette façon j'ai économisé deux sous [2] ».
Dans le même ordre d'idées, lorsqu'il fut question de lui acheter
un violon ou un bateau, il invita ses parents à se montrer raison-
nables et à ne pas gaspiller leur argent.

Louis, pour se faire un peu d'argent de poche, donnait du reste
des leçons de français à l'un de ses maîtres et rendait contre rétribution de menus services aux habitants de Diepholz, effectuant des
petits travaux d'électricité pour les uns et les autres. Avec l'argent
ainsi gagné il s'acheta une dynamo grâce à laquelle il se lança dans
la recharge des accumulateurs. Il organisa aussi des séances
publiques au cours desquelles il fit marcher une locomotive en
réduction et projeta des films avec un cinématographe offert par
l'un de ses oncles.

Mais il demeure qu'il était bien conscient de l'effort pécuniaire
consenti par ses parents et ne manquait jamais de leur exprimer
sa reconnaissance : « Chers Parents Voilà le jour de l'an c'est une
fête qui quoique je ne sois pas avec vous doit vous réjouir c'est avec
cette fête que viennent mes souhaits de bonne année mais pas aussi
banals que les autres je vous souhaite une bonne santé pour toujours je vous remercie de tout mon cœur des sacrifices que vous vous
imposez pour mon avenir mais croyez bien que je ne serais pas un

---

1 et 2. Sans date.

ingrat et que plus tard vous aurez tout lieu de vous contenter du grand sacrifice que vous faites pour moi. Papa et Maman vous avez encore pris la charge du voyage pour aller me voir afin de me rendre mon séjour plus agréable papa dernièrement m'a donné dans son passage des satisfactions et des plaisirs dont le souvenir me tiendra jusqu'à Pâques où j'irai vous voir [1]. »

Ces vacances de Pâques 1908 permirent à Louis de retrouver la vie du passage de Choiseul qu'il évoquait dans de nombreuses lettres et qui était si différente de la vie au grand air qu'il menait à Diepholz : « Comme il faisait un peu de vent, chaque bouffée amenait un parfum de résine inconnu Passage Choiseul. » Nostalgie qui se retrouve dans cette lettre à ses parents du 4 janvier 1908 : « Je prends mon courage à deux mains jusqu'à Pâques où enfin après sept mois d'absence nous nous retrouverons indems tous les trois à table et je t'assure que ce ne sera pas trop tôt, mais enfin pour apprendre une langue on doit faire des sacrifices. » Ou à propos de son futur emploi du temps à Paris : « [...] enfin à Pâques vacances bénies pendant lesquelles j'irai prendre un peu de poussière du boulevards faire le petit trajet bien connu (Ablon Paris) voir le vieux Bob's aller Voir les copins, Aller sur le Tom [2] et en un mot me retremper dans mon Élément [3] ».

Dans toutes les lettres que Louis adressait à ses parents l'affection est présente, mais contenue et maîtrisée, comme si la manifestation des sentiments était une sorte d'incongruité contraire à la bonne éducation et toute proche de la débauche. Il est vrai que l'on n'aimait pas le « laisser-aller » chez les Destouches et que l'on avait pour principe de ne jamais donner libre cours aux sentiments intimes. Louis, qui débordait littéralement de sensibilité et d'affection, prit très jeune l'habitude de ne manifester en aucune circonstance ses « regrettables » penchants. Il s'est du reste plus tard très rapidement rendu compte par lui-même que son père avait un peu raison quand il lui rabâchait que la vie était dure et qu'il n'y avait

1. Sans date.
2. Nom du petit bateau que possédait son père à Ablon.
3. Diepholz, 14 octobre 1907.

pas de place dans la société moderne pour les romantiques et les sentimentaux. Louis, réalisant qu'il risquait de devenir l'esclave de sa propre fragilité, a volontairement refoulé ses sentiments. Parfois maladroitement, il en a supprimé les marques extérieures et les effusions qu'il détestait, comme toutes les manifestations de romantisme, les belles paroles, les beaux sentiments, les jolies phrases et les propos aimables. Un peu plus tard, en 1916, il s'en ouvrit à Simone Saintu, lui confessant : « J'ai de longue date l'habitude d'une sage contention de sentiments. »

Les cartes postales qu'il prit l'habitude d'écrire plus tard d'Afrique à ses parents au départ de chaque bateau pour qu'ils sachent qu'il allait bien en offrent le meilleur exemple. Sans seulement prendre le soin de mettre la date, pensant peut-être que le cachet de la poste suffirait, il apposait seulement son prénom au milieu de la partie réservée à la correspondance. Ce seul mot de « Louis » constituait une manifestation d'affection réduite au minimum. Ce refoulement volontaire des sentiments, qui relève d'une sorte de pudeur, apparaît aussi à la lecture d'une carte adressée à ses parents en 1920 à l'occasion du baptême de sa fille. Elle montre que son absence de marques affectives procédait bien d'une démarche volontaire [1].

Louis Destouches devenu Louis-Ferdinand Céline finit par donner de lui, à ceux qui le connaissaient mal, une image de grande sécheresse apparente, un peu comme les grands timides qui cachent parfois leurs émois dans des propos et dans des actions d'une audace insensée. A force de se vouloir dur et maître de lui, il s'est forgé une sorte de carapace. Elle cachait en fait assez mal sa tendresse et son extrême sensibilité, ajoutant encore à l'ambiguïté de son personnage. Puis il a réussi à se prendre à son propre jeu, et à force de filtrer soigneusement ses sentiments et de n'extérioriser pour l'essentiel que ce qui était de nature à le desservir, il a donné de lui une image de haine.

Dans ce contexte général d'« enlaidissement » qui lui devint cher,

1. Voir *infra*, p. 236.

il se mit à dire de plus en plus d'horreurs. Ne faisant pas les choses à moitié, il prit assez systématiquement le contrepied de tout le monde, refusant en tout cas d'entrer dans un quelconque système. Rejeté par tous et de partout et après avoir si fortement crié qu'il était persécuté, il finit par l'être pour de bon, entrant ainsi debout et vivant dans sa propre légende.

Pour l'heure, à Diepholz, il y avait un autre jeune Français plus âgé que Louis, « le fils Copin » qui avait déjà séjourné en Angleterre et parlait un peu de russe, d'italien et d'espagnol. C'était tout de même Louis qui tenait la vedette dans les conversations du bourg, ce qui n'était pas pour lui déplaire, ainsi qu'en témoigne une lettre de 1907 :
« C'est Lundi qu'il y eu la fête du Kaiser. c'était épatant M. Schmidt est allé le soir à un banquet La mère Schmidt a fait des visite toute la journée - Tout Diepholz ou plutôt le haut Diepholz où " madame rector " fait ses visites sait ce que je fais ce que je mange etc car je sais par des voies indirectes que toutes les conversations tombent sur moi, naturellement sur le mauvais mais cela ne fait rien j'en suis fier tout de même [1]. »

Dans chacune de ses lettres, Louis racontait à ses parents les faits saillants de cette vie sans histoire :
« Hier soir il y avait de quoi se tordre figure-toi que c'est Vendredi la kermesse! Chic!!!! et à cette occasion de nombreux saltimbanques passent dans la rue pour aller à la place au marché hier soir probablement une machine à vapeur très lourde passa vers 10 heures du soir au moment où le fils Copin et M. Schmidt fumaient leur pipe. Mme Schmidt recousait un fond de pantalon à ce propos elle est devenue très gentille parce que je commence à lui parler un peu. Et enfin moi je dessinais mon concours très réussi car je l'ai coppié dans un journal sur l'ameublement russe. Tout cela se faisait quand tout à coup un immense bruit vint nous tirer de nos occupations car cela faisait trembler les maisons et secouait

1. Jeudi 30 [?] 1907.

nos chaises comme un prunier. Immédiatement tout le monde a maudit les saltimbanques. A bientôt chers parents Votre Fils qui vous embrasse [1]. »

« Chers Parents. Un grand événement vient de bouleverser Diepholz Le fils des gens qui tiennent le café de la gare est mort ce soir entre 4 et 5. il a 25 ans il est malade de la poitrine depuis 1 an Je crois qu'il n'était pas très sérieux il vivait à Hanovre et n'était pas le meilleur des fils il a coûté depuis 1 an 30.000 marks à ses parents c'est une grande consternation dans tout ce côté de Diepholz Donc voilà le moment de récapituler car Maman vient dans dix jours : Pour les cadeaux chrisanthème et ce que tu voudras ou rien du tout autre chose. Gosses - Salopries quelconques de chez Potin qu'il y en ait pas mal dans une belle Boîte et pour pas cher enfin tu sais le style allemand. Pour moi pas de col. rien!!!! si ce n'est qu'une boîte de punaise et une ligne pour la pêche [2] - »

Sans être malheureux à Diepholz, Louis n'en eut pas moins souvent le mal du pays. La première lettre qu'il écrivit à ses parents le 30 août 1907 contient ces mots : « Nous nous sommes couchés à 9 h 1/2 et après avoir passé ma première nuit d'exil, j'ai reçu ce matin même une carte postale de mon Oncle Charles [...] » Il dit aussi avoir reçu *Qui-lit-rit* [3], envoyé par son oncle Louis Guillou, et comme dans presque toute cette correspondance, après avoir décrit le temps, il comptait le nombre de jours ou de semaines le séparant de son retour en France ou de leur venue à Diepholz, comme les soldats comptent le nombre de jours qui les séparent de leur libération. Au vu de cette même lettre, l'accueil des enfants de Diepholz avait été pour le moins réservé :

« J'ai pris mon sirop, j'ai été au cabinet, et j'ai découvert une serrure à ma porte que je n'avais pas remarqué jusqu'alors Ensuite je suis allé à l'école j'ai été conduit dans ma classe où je me suis

1. 18 septembre 1907.
2. 22 octobre 1907.
3. Il était également abonné à *Lecture pour tous* et à *Saint-Nicolas*.

trouvé avec un maître épatant mais des écoliers beaucoup moins tu le verras par la suite, - la classe allait tirer à sa fin et les écoliers étaient déjà sortis (à 10 1/2 car il n'y avait que 2 leçons) quand Mr Schmidt me dit de partir avec Hilde et Anna, il m'accompagna jusqu'à la petite rue mais aussitôt qu'il m'eut quitté les petits bochs me suivirent en disant : " du, es français " cela était plutôt drôle mais ils criaient trop forts aussi en ai-je parlé à Mr Schmidt qui m'a dit que dorédavant je ne sortirais de l'école qu'avec lui... »

Il fut en revanche très bien accueilli par les adultes qui semblent avoir fait beaucoup pour faciliter le séjour de ce gamin de treize ans. Dans ses lettres Louis disait à ses parents tout le bien qu'il pensait de ses maîtres et il s'entendit rapidement bien avec M. Schmidt et pas trop mal avec Mme Schmidt puisqu'il écrivait à leur sujet dès le 30 août 1907 : « Je commence à connaître le caractère de chacun. Mr Schmidt est très gentil et toujours d'humeur égale Mme Schmidt, très changeante des jours gaie et avenante d'autres jours calme et renfermée -

» Enfin pour terminer ma lettre je vous recommande de ne pas vous faire de bile sur mon sort je suis aussi heureux qu'on peut l'être; néanmoins je serais très heureux de voir maman si elle peut au mois de novembre et papa à Noël - » Il termine par cette sorte d'appel à peine voilé : « Écris moi le plus que tu peux. »

Mais si Louis a traversé des périodes de cafard, elles ont été vite surmontées : « Je me fais très bien à ma nouvelle existence, je trouve que l'on se trompe profondément en disant que les débuts sont durs, et m'aperçois que le Passage Choiseul ne m'est pas indispensable. Si ce n'est vous qui me manquez. » Peut-être écrivait-il cela à ses parents pour les rassurer, mais on a bien l'impression en le lisant que la vie reprenait toujours le dessus. Louis avait déjà le goût de l'anecdote : « [...] Il ne faudra pas vous étonner si la lettre n'arrive pas régulièrement car j'attends toujours un événement pour vous écrire [1]. »

« Chers Parents, qui se douterait que nous avons vu à Brême le

---

1. Diepholz, septembre 1907.

dénouement d'un des drames les plus épouvantables qu'il y ait existé dans les villes hanséatiques. Tu sais que, à proximité du Square de Brême dans la grand'rue se trouvait un Mrd de fleur dont la porte était scellée c'est là que s'est déroulé l'assassinat. Ce dit marchand de fleur était voisin d'un concurrent (marchand de fleur également) Le 1er attira la 2e dans sa boutique et lui déchargea dans la tête les 6 balles d'un révolver, une fois tué celui-ci pris le cadavre et à l'instar du crime de Monte-Carlo coupa les jambes et la tête du cadavre fit du tout un paquet et à la faveur de la nuit le jeta dans la Vezer. Celui-ci fut retrouvé et l'enquête découvrit le coupable qui est traduit en justice. Du coup, La région agricole est ému - Les rédacteurs du " Diepholzer Zeitung " jaunissent sur le papier afin de produire des détails complets sur le crime les vieilles dames se trouvent mal etc., etc... on renforce les verrous des portes Les hôtels de Brême regorgent de monde, enfin rien de plus rigolo [1] [...] »

La verve n'est jamais absente de ses propos, ainsi lorsqu'il raconte : « J'apprends toujours mon piano, je joue ou plutôt je racle mon violon avec lequel je fais fuir les raseurs quand j'en joue car ça fait comme dit la bonne l'effet d'une brosse à chien dent qu'on lui passe sur la colonne vertébrale. Comme résultat c'est pas mal mais les grands musiciens ont eu de la patience aussi j'en ai et mes voisins aussi [2]!! » Certains de ses portraits sont féroces : « Mme mère Schmidt est une bien brave femme mais laide, laide,........ comme dix fois la mère Gadoulot [3]. Figure-toi une petite vieille laide comme les 7 péchés capitaux à la peaux ridée comme une peau de tambour. Mais cela m'est égal car c'est une très brave femme et bavarde comme une vieille pie borgne [4]. »

Certaines lettres montrent aussi que son père lui avait certaine-ment donné comme consigne de le renseigner sur le moral des Allemands. Louis ne manquait pas de lui faire part de ses observa-

---

1. 5 septembre 1907.
2 et 4. Sans date.
3. Mme Gadouleau, femme de l'un de ses anciens professeurs à l'école Saint-Joseph.

tions qui en disent long sur l'éducation qu'il avait reçue passage de Choiseul; ainsi lorsqu'il écrivait à son père : « Je n'ai pas été à l'école car c'était la fête de Sedan par *" respect patriotique "* je n'y ai pas été, mais je regrette car on y a distribué des gâteaux [1]. » On imagine la joie de Fernand Destouches recevant cette lettre comme on imagine sa fureur en lisant : « Je commence à faire des remarques et voilà ce que je déduis. C'est que la nouvelle génération allemande est beaucoup plus patriotique que l'ancienne qui a vu la guerre et ses malheurs. Aussi ne m'épargnent t'ils aucune petite méchanceté, mais pour faire leurs petits coups ils sont excessivement capons et s'y prennent qu'à plusieurs mais malheureusement ils sont toujours surpris désagréablement par ce mot fatal et supérieur " Rector [2]! "... »

En revanche Fernand Destouches dut être satisfait quand il reçut une lettre du 20 février 1908 lourde comme un rapport des services secrets ou comme un télégramme d'ambassadeur :

« Pour l'espionnage de Toulon les journaux disent que les français voient de l'espionnage partout ou ce qui appellent - la fièvre de l'espionnage. Quant au Maroc c'est très disputé en ce moment dans la haute politique allemande - Et on annonce tous les jours des revers du Maroc - Enfin dans les journeaux on prévoit un grand événement de la restauration de l'armée française surtout du côté des ballons dirigeables dont on vient de voter la construction et qui dégotte celui des allemands Tous les jours il y a des discours dans les grandes villes et dirigés par les hautes Sphères militaires pour relever le sentiment patriotique qui comme ils disent a l'air de s'abaisser en Allemagne au profit de la France qui a l'air de monter - Les soi disantes défaites des Français à Casablanca sont affichés en grosses lettres dans les grandes villes - tout cela est fait par les grands de la puissance militaire afin de réparer l'effet déplorable que produisit l'affaire Harden Molkte dans l'armée et encore bien d'autre qui tous les jours se produisent et qu'on tache d'étouffer mais s'ébruitent tout de même Peut-être pourrais je voir

1 et 2. Sans date.

à Pâques le nouveau ballon dirigeable Si vous voyez un journal qui parle du ballon dirigeable envoyez le moi- »

Le capitaine Dreyfus avait été déclaré innocent le 12 juillet 1906 par un arrêt solennel de la Cour de cassation, mais le père de Louis n'avait été qu'à moitié convaincu, et dans son for intérieur il n'en démordait pas. Aussi cette lettre du 20 février 1908 fut-elle de celles qui effacèrent un peu de ses humiliations.

*

M. Destouches profita du séjour que Louis fit à Paris pendant les vacances de Pâques 1908 pour lui faire subir un examen oral et écrit devant un petit jury présidé par M. D. Hasselot, traducteur juré près la cour d'appel, 9, place de la Bourse. L'opinion du jury fut unanime : « Il a fait de très grands progrès, il comprend bien en allemand tout ce qu'on lui dit et répond bien en allemand aux questions qui lui sont posées. » Mais M. Hasselot notait une faiblesse en grammaire et en rédaction qui justifiait à ses yeux un nouveau séjour outre-Rhin d'au moins six ou sept mois.

Après avoir passé les vacances d'été de nouveau avec ses parents, Louis repartit en Allemagne au début du mois de septembre 1908, mais cette fois à Karlsruhe, Rialschule Risenlohrstrasse n° 4, chez Rudolf Bittrolff « professor » que M. Destouches avait pris le soin de visiter et qui avait promis une chambre particulière pour Louis, une vie de famille et de bons soins. Comme ils l'avaient fait pour son premier départ à Diepholz, M. et Mme Destouches ont tenu à l'accompagner jusqu'à Karlsruhe où se trouvait également à l'époque une petite camarade de Louis, Simone Saintu [1].

La vie chez les Bittrolff était réglée de façon tout à fait militaire :

De 8 h à 13 h : école.

A 14 h 30 : exercices de piano.

A 15 h 30 : leçon d'allemand.

1. Voir *supra*, p. 60.

De 16 h 30 à 18 h 30 : temps libre.

De 18 h 30 à 19 h 30 : étude et devoirs.

Louis profita souvent de son temps libre pour faire de grandes randonnnées à bicyclette avec le fils de M. Bittrolff qui était âgé de seize ans, avec deux autres pensionnaires de langue allemande et avec un petit Italien. Mais la vie à Karlsruhe fut pour lui plus dure que l'existence qu'il avait menée à Diepholz : « La mère Bittrolff n'aime pas les français car tous ceux qu'elle a eu jusqu'ici ont fait toujours la noce. » Quant à M. Bittrolff, il était sévère ainsi qu'en témoignent les lettres qu'il adressait à M. Destouches :

« Je trouve Louis un garçon très intelligent, mais paresseux, comme vous m'aviez dit. Il n'aime pas les études et il ne travaille pas quand il n'est pas surveillé. Donc, je suis forcé de le stimuler sans cesse et je ne manque pas de l'encourager au travail tous les jours [...] En ce qui concerne son allemand, je trouve que sa prononciation n'a pas été cultivée soigneusement. Il prononce trop indistinctement et trop superficiellement. Il cause beaucoup, mais il fait beaucoup de fautes de grammaire, surtout pour les terminaisons de déclinaison et de conjugaison. Je ne manque pas de le corriger sans cesse et de le faire écrire en allemand chaque jour. » Et il ajoutait : « Il me semble qu'il a perdu du temps à Diepholz [1]. »

Au début de son séjour, Louis avait droit à un mark et demi d'argent de poche par semaine, mais les affaires à Paris ne devaient pas être brillantes car M. Bittrolff reçut des instructions de M. Destouches pour réduire cette allocation : « Suivant votre ordre, je ne lui accorderai qu'un mark par semaine d'argent de poche... » Dans une lettre du 3 septembre 1908 Louis questionnait du reste ses parents : « Les clients rappliquent-ils? » et dans une lettre écrite fin décembre il leur disait : « Mr Bittrolff a en vue de nous emmené faire une excursion avec le petit Italien dans la forêt noire car il y a justement une course de ski il attend l'autorisation de papa. Si papa le permet ça sera mon cadeau du jour de l'an car je

1. Karlsruhe, le 27 septembre 1908.

me rend bien compte que comme les affaires de ne marchent pas et qu'en faisant les sacrifices que vous faites pour moi vous ne puissiez rien me donner pour Noël.... et le Jour de l'An »

Tout au cours du séjour de Louis, M. Bittrolff renseigna son père sur les progrès du gamin et sur sa tenue qui laissait parfois à désirer : « Je ne manque pas de faire attention à sa tenue; il le faut bien parce qu'il semble un peu négligent et désordonné; j'essayerai de l'habituer mieux à l'ordre [1]. »

« Louis fait de bons progrès dans notre langue; il prononce mieux qu'à son arrivée et il fait déjà moins de fautes; mais pour écrire l'allemand, je ne suis pas encore satisfait de ses progrès. Cela marche lentement, parce qu'il est trop léger et trop superficiel; j'ai toujours à le réprimander et à lui faire copier plusieurs fois ce qu'il écrit. Il n'est pas soigneux malgré tout mon encouragement. Il faut qu'on le surveille sans cesse, autrement il ne fait rien [2]. »

« Ce que j'ai encore à lui réprimander, c'est sa tenue de costumes et de toilette; à ce point de vue il n'est pas assez soigneux malgré nos admonestations.

» Pour le piano il fait tous les jours ses exercices de doigt et apprend à jouer quelques airs populaires d'Allemagne, comme vous l'avez désiré [3]. »

Louis ayant fait des progrès jugés suffisants, il fut décidé qu'il rentrerait à Paris à la fin du mois de décembre 1908. Le séjour, comme prévu, couvrait les sept mois d'études supplémentaires demandées par le « jury » au mois d'avril précédent. Mais on ne fit grâce à l'enfant d'aucun délai, pas même pour les quelques jours qui lui auraient permis de passer Noël en famille. La pension était payée jusqu'à la fin du mois de décembre et chez les Destouches les questions d'argent passaient bien souvent avant les questions de

---

1. 2 octobre 1908.
2. 28 octobre 1908.
3. 20 novembre 1908.

cœur. Louis n'apprécia guère mais il se résigna : « Chers parents, C'est ce soir qu'a eu lieu la grande fête de Noël J'ai bien pensé à vous mais il faut que nous soyons loin les uns des autres heureusement pas pour longtemps. La journée a beaucoup ressemblé à celles passées au passage [1]... » Ce texte tout empreint d'amertume et de gentillesse montre que Louis n'était en rien le petit voyou sous le visage duquel il s'est lui-même dépeint dans *Mort à crédit*.

Le 28 décembre 1908, accompagné de M. Bittrolff, Louis gagna Strasbourg, ville toute proche de Karlsruhe, où il passa la nuit. Le lendemain, il traversa en chemin de fer les provinces conquises dont il avait tant entendu parler par son père et par ses maîtres et pour la reconquête desquelles, six ans plus tard, il allait frôler la mort.

Louis rapportait quelques souvenirs de Karlsruhe : une vue du Stadtgarten, un carton pour le Thalia Theater et un ticket d'entrée pour un match de football. Pour ses parents il ramenait une bouteille de kirsch « Saint Bonifacius », « un petit baril de choucroute et des saucisses ». A la descente du train, Louis eut la joie de retrouver les siens qui l'attendaient sur le quai de la gare de l'Est. Il avait spécialement écrit à ses parents pour leur demander d'amener Bobs qui fut ainsi témoin de l'événement et de l'allégresse qu'il suscita. Louis fut en tout cas profondément heureux de se retrouver à Paris au milieu de sa famille.

---

1. Karlsruhe, sans date.

CHAPITRE V

Rochester et Broadstairs

« Il y a aussi en nous un besoin indélébile d'idéal, d'extravagant, de chimérique, de travesti. Nous préférons envisager même une souffrance que nous aurons imaginée — qu'une réalité morne que nous avons *vue*. »

Lettre à Simone Saintu
du 15 octobre 1916.

Lorsque dans *Mort à crédit* Céline raconta son premier séjour en Angleterre au Meanwell College, il se livra à un exercice de transposition comme on en trouve dans toute son œuvre romanesque. Il s'agit d'un véritable jaillissement d'histoires fantastiques à partir d'événements effectivement vécus, additionnés d'observations recueillies ici et là, le tout fondu avec un constant mépris pour la chronologie. Dans *Féerie pour une autre fois*, écrit au Danemark et publié en 1952, il exprima sans ambiguïté son « horreur des réalités », ajoutant : « Confusion des lieux, des temps! Merde! C'est la féerie vous comprenez [1]... »

Ainsi, dans *Mort à crédit*, le départ pour Rochester et les

---

1. *Féerie pour une autre fois* I, p. 30.

adieux sur le quai, lorsque la carapace de Fernand et de Marguerite cède sous l'émotion, se rapportent probablement au retour de Louis à Karlsruhe après les vacances de Pâques 1908 : « Le chagrin est venu quand même, d'une façon pire que j'aurais cru, au moment de partir. C'est difficile de s'empêcher. Quand on s'est trouvés tous les trois sur le quai de la gare du Nord, on n'en menait pas large... On se retenait par les vêtements, on essayait de rester ensemble [1]... » Cet épisode ne peut en effet correspondre au départ en Angleterre puisque M. Destouches y accompagna son fils pour le confier en mains propres à M. et Mme Toukin qui régnaient sur l'University School, 5 et 6 New Road à Rochester. Le voyage eut lieu le 22 février 1909, en seconde classe [2], de Calais à Douvres sur le *Turbine Steamer Invicta* de la South Eastern and Chatam Railway. Ils gagnèrent ensuite Folkestone, puis Rochester où Louis et son père passèrent deux nuits au King's Head Hotel, « Family and Commercial ». Rochester avait alors 70 000 habitants. C'était une ville industrielle sans attrait, située dans le Kent, à une cinquantaine de kilomètres de Londres, sur la rive droite et à l'embouchure de la rivière Medway, qui, comme la Tamise toute proche, n'en finit pas de se jeter dans la mer.

Située sur les hauts de Rochester, l'University School était installée dans deux maisons mitoyennes identiques qui existent toujours. La façade principale donnait directement sur la rue. De l'autre côté se trouvait un méchant petit jardin en pente, humide et sombre, entouré d'un mur en briques. Tristesse et ennui transpirent de l'ensemble dont l'aspect général est des plus lugubres. De l'autre côté de la rue, toutefois, une vaste pelouse publique conduisait — et conduit encore — au sommet de la colline d'où l'on découvre la ville de Rochester, le port et l'embouchure de la Medway. C'était un terrain de sport idéal pour les élèves de cette pension que Céline immortalisa sous le nom de « Meanwell College », mais qui aurait pu tout aussi bien servir de modèle à Dickens pour l'un des sinistres établissements qu'il a si bien décrits.

1. *Mort à Crédit*, p. 688.
2. Il y avait alors trois classes sur les chemins de fer et les bateaux.

La première lettre de Louis, écrite sur papier du King's Head Hotel, juste après le départ de son père, tomba comme la foudre sur le passage de Choiseul :

« Voilà une première journée de passer à vous d'en juger aussitôt arrivé : Classe jusqu'à midi : Arithmétique de midi à midi 1/2 : Golf après : manger : pâté de viande genre boulettes (pas merveilleux) et purée de pomme de terre (idem) ensuite pudding (assez bon) c'est tout, lever et on s'habille en foot ball et on joue au golf dans la prairie d'en face je n'aime pas beaucoup ce jeu-là, mais ca ne fait rien - à cinq heures on revient pour le five o'clock- C'est composé de thé de pain de confiture et de gâteaux anglais (c'est tout pour la journée) après cela c'est l'étude pendant 1 heure et demie en suite récréation (lecture) et à 8 heures coucher probablement. Le père Toukin ne me plaît pas énormément, la mère Toukin encore moins. Quant aux gosses ils sont très gentils les maitres aussi qui ont la figure de pauvres pions au cachet un s'occupe de moi particulièrement Je ne vous raconte pas des histoires et il ne faut pas croire que c'est parce que je veux m'en aller C'est peut-être le changement de vie- En tout cas si ce n'était pas bien il ne faudrait pas songer aux suppléments car je vois déjà que le vin ne plaît pas extraordinairement au pèrc et la mère Toukin qui est une 2e Mme Schmidt Donc que Papa ne songe pas aux suppléments il me rendrait plutôt malheureux si ce n'est pas bien on verra à changer à Pâques mais toujours pas chez Parker, 2e il y a un autre inconvénient c'est que personne ne parle un mot de français.

» Pour les premiers temps c'est une lacune Toutefois ne vous inquiétez pas Je n'en écris rien à PERSONNE Il sera toujours temps de changer Si il faut changer Papa a le temps d'ici Pâques de chercher une pension sur le bord de la mer surtout pas de presse afin de ne pas changer un cheval borgne pour un aveugle[1]. »

Les lettres suivantes étaient dans le même style et tout donne à penser que l'ordinaire ne devait pas être fameux à l'University

---

1. Sans date.

School : « 11 h 1/2 tranches de bœuf, veau ou gigot sans sauces et deux pommes de terre rôties 5 h 1/2 la même chose que le matin [1]. » Et cet autre menu : « tranches de bœuf comme du jambon purée et choux de Bruxelles après une tarte genre flanc d'un mauvais [2]!! » De plus les repas étaient pris au sous-sol, dans une petite salle sombre qui donnait sur la cour. C'est là, autour d'une grande table, que les pensionnaires se retrouvaient devant cette pitance, et Louis avouait à ses parents que cette salle à manger ne le mettait guère en appétit.

M. et Mme Destouches furent horrifiés à l'idée que leur enfant qui était en pleine croissance fût aussi mal nourri. A cela s'ajoutait le climat épouvantable de Rochester, ciel toujours couvert, pas un instant de soleil, la pluie pratiquement tous les jours et un très grand froid : un de ces méchants froids humides à faire de vous un pulmonaire en quelques semaines. Aussi M. Destouches s'était-il tout de suite déclaré prêt à payer tous les suppléments possibles, mais Louis s'y était refusé. Il ne voulait pas manger de suppléments devant ses camarades et devant ceux de ses maîtres qui prenaient pension au collège, tous condamnés à l'ordinaire.

Les recommandations de toute nature pleuvaient sur Louis : il fallait qu'il pense à se couvrir, qu'il prenne chaque jour son huile de foie de morue et sa magnésie, dont on connaît les vertus purgatives, conseils qui ne sont pas sans rappeler ceux de *Mort à crédit* : « Brosse-toi chaque matin les dents... Lave-toi les pieds tous les samedis... Demande à prendre des bains de siège... Tu as douze paires de chaussettes. Trois chemises de nuit... Torche-toi bien aux cabinets... Mange et mâche surtout lentement... Tu te détruiras l'estomac... Prends ton sirop contre les vers... Perds l'habitude de te toucher [3]... »

La médiocrité de la nourriture n'était malheureusement pas le seul défaut de l'University School, la discipline y était relâchée.

---

1. Rochester. Dimanche après-midi.
2. Rochester, le jeudi après-midi.
3. *Mort à crédit*, pp. 688-689.

Le soir avant de dormir les pensionnaires se livraient à des chahuts monstres qui n'étaient pas du goût de Louis. Quant aux études proprement dites, si l'anglais lui semblait « excessivement facile », les mathématiques l'ennuyaient : « Je m'envoie des additions de shillings à perpet. » Le reste de l'enseignement lui paraissait d'un niveau très moyen : « Ils ne se tuent pas à l'école si tu voyais ce que les enfants anglais sont fainéants ils passent leur peu de temps de classe à se lancer des balles en caoutchouc[1]. »

M. Destouches décida donc que son fils quitterait Rochester au plus vite et sans même attendre Pâques, mais comment annoncer la nouvelle aux époux Toukin? Il imagina de leur écrire que sa femme était bien malade du ventre, que son médecin lui conseillait de céder son fonds de commerce et d'aller vivre pour un temps dans le Midi où la douceur du climat favoriserait son rétablissement. Comme elle ne pouvait y aller seule, la compagnie de son fils lui serait indispensable.

En réalité M. Destouches avait trouvé sur la Manche, à Broadstairs, une pension qui paraissait convenable. Louis acheta un billet pour Paris, mais une fois à Douvres, il prit le train pour Ramsgate, de telle façon que M. Toukin ne sut jamais la vérité. Le voyage eut lieu dans les derniers jours du mois de mars. Louis n'avait donc pas passé plus d'un mois à Rochester.

Si Mr Pickwick avait été friand de bains de mer, c'est à coup sûr à Broadstairs qu'il serait allé les prendre, car on ne peut rêver village plus typiquement anglais, avec ses petites rues et ses cottages alignés au coude à coude sur une falaise au pied de laquelle vient battre la mer. C'est là, au milieu de la petite esplanade qui domine la plage, que Miss Mary Pearson-Strong possédait l'une des plus belles maisons de Broadstairs, avec un jardinet de quelques pieds carrés où elle aimait à s'installer quand il n'était pas trop battu par le vent et d'où elle pouvait vraiment très bien voir tout ce qui se passait dans le voisinage. Elle aurait été « aux anges » s'il n'y

---

1. Rochester. Dimanche.

avait pas eu un va-et-vient d'ânes et de poneys qui, sous prétexte de promener des enfants, ne cessaient de passer devant chez elle. C'est là que Charles Dickens, en villégiature à Broadstairs, s'amusa de ses mouvements d'humeur au point de donner chaque jour quelques pennies au gardien des animaux pour qu'il les promène sous les fenêtres de l'acariâtre Miss Mary Pearson-Strong.

Les habitants de Broadstairs ont fait un musée de cette maison et ils évoquent avec fierté le souvenir de celle dont Charles Dickens s'est inspiré lorsqu'il imagina le personnage de Miss Betsy Trotwood, propre tante de David Copperfield; mais ils ignorent encore à ce jour qu'en 1909 un jeune Français avait observé lui aussi une habitante de leur village dont il s'est ensuite assez largement inspiré pour camper le personnage de Nora Merrywin, tragique héroïne de *Mort à crédit*.

L'administration communale est aujourd'hui propriétaire de Pierremont Hall où se trouvait la nouvelle école de Louis. C'est une belle demeure avec un pavillon de musique attenant, située tout en haut de la ville, entourée d'un grand parc devenu de nos jours jardin public, qui descendait au début du siècle presque jusqu'à la mer. Mais Céline ne fut pas, et de loin, l'hôte le plus illustre de Pierremont Hall. Vers 1829, la maison fut louée pendant les mois d'été par la duchesse de Kent, mère de la princesse Victoria qui n'avait alors que dix ans et devint ensuite reine d'Angleterre et impératrice des Indes. Pierremont Hall avait ensuite changé de mains plusieurs fois avant d'être cédé en 1907 pour vingt et un ans aux trois frères Farnfield. Ils y installèrent un collège, confortable et luxueux, qui n'avait vraiment rien de commun avec l'University School de Rochester.

Louis fut tout naturellement enchanté par Pierremont Hall School et trouva tout parfait, temps superbe, nourriture excellente, chambre particulière. Gilbert et Elizabeth Farnfield qui s'occupaient plus particulièrement de lui se révélaient être des gens charmants. Aussi pouvait-il écrire à ses parents : « Je vous remercie bien de m'avoir changé et ferai mon possible pour vous rembourser cela quand j'aurai " ma situation " l'année prochaine[1]. » La pension, il est vrai, était assez coûteuse, six livres par mois plus deux livres par trimestre pour les leçons de piano. La vie à Pierremont Hall était ainsi organisée : lever à 7 heures; s'il faisait beau, football sur la plage, sinon lecture; à 8 h 30, breakfeast composé de semoule, marmelade d'orange, pain à discrétion; de 9 heures à 10 heures, piano avec Mme Farnfield, sans doute dans le salon de musique de Victoria; à 11 heures, récréation, puis de 12 heures à 13 heures, école. Après le déjeuner, qui se prenait à 13 heures (viande, pommes de terre, pudding, eau), de 13 heures à 13 h 45, football sur la falaise; à 14 heures, école; à 15 heures, un petit lunch, du pain avec du beurre et un peu de confiture; de 15 heures à 16 heures, de nouveau football et, de 16 heures à 17 h 30, étude, puis sieste et récréation.

Louis ne regrettait pas « le père Toukin avec ses yeux en tunnel de chemin de fer ct son air de contrition[2] », surtout qu'après son départ de Rochester, Toukin avait écrit à son père pour l'accuser d'avoir fumé des cigarettes : « Si c'est Mr Toukin qui t'a dit que j'ai fumé ou que j'ai emporté des cigarettes c'est un rude MENTEUR car je peux te jurer que je n'ai jamais fumé à Rochester si j'avais eu de l'argent c'aurait plutôt été pour m'achcter à manger- Du reste si il t'a dit ça écris-le-moi et jc lui écrirai une lettre et puis envoie-moi la note du père Toukin je crois bien qu'il y a des queues au bout des zéros[3]. »

M. Farnfield, de son côté, était enchanté de son pensionnaire et il adressait à M. Destouches des lettres très élogicuses dans lesquelles il vantait la gentillesse de Louis qu'il considérait comme un excellent garçon. Il faisait, disait-il, de grands progrès en anglais et dans les autres matières, et de même pour le piano et pour les sports. Notamment la natation, pratiquée dès que la saison le permit sur la petite plage privée du collège (jamais plus de quatorze minutes dans l'eau), mais aussi le hockey, le cricket, le tennis et la course à pied. Louis gagna du reste une course sur 2 000 mètres et reçut comme prix une montre plate en acier qui ne lui fit aucun

1. Broadstairs, sans date.
2 et 3. *Ibid.*

plaisir. Il en possédait déjà une et guignait une raquette de tennis qui fut attribuée à un autre concurrent. Mais il se consola vite, car la montre valait « au moins vingt-cinq shillings », et de conclure : « c'est toujours ça ».

Il était toujours question d'argent dans la correspondance échangée entre Louis et ses parents, son père le tenait au courant de la marche de la boutique. Il se lamentait habituellement sur les affaires qui ne marchaient pas comme il voulait, au point qu'il envisageait de céder le fonds de commerce. Louis, toujours très attentif, le questionnait à ce sujet : « Et le fonds finit-il par se vendre? Ce doit être maintenant le moment pour vous de chercher un logement [1]. » Dans une autre lettre : « Vois-tu un jour à la liquidation de notre sale taupinière [2]? » Taupinière si médiocre pour les affaires et si néfaste pour la santé que Céline fit dire au médecin de famille dans *Mort à crédit* : « Votre Passage, qu'il a dit en plus, c'est une véritable cloche infecte... On n'y ferait pas venir des radis! C'est une pissotière sans issue... Allez-vous-en [3]!... »

Ils auraient bien voulu le quitter, ce Passage, mais l'argent rentrait mal et Louis, à Broadstairs, en subissait les conséquences. Sa mère, qui devait venir le voir, y renonça finalement et lui-même manquait d'argent de poche. Ainsi, lorsque Mme Farnfield tomba malade après son accouchement (elle perdit l'usage de la parole et il fallut faire venir un grand médecin de Londres), Louis, très dépité, écrivit à ses parents : « Elle ne reçoit que bouquet sur bouquet de tous les élèves mais ma situation pécuniaire étant plutôt pauvre je n'ai pas plus en donner. J'aurais bien demandé 6 ou 7 pense à Mr Farnfield mais il ne voudrait pas. Attendu qu'ils ont été très gentils avec moi pendant les vacances je voudrais faire comme les autre. Aussi ne pourriez-vous pas m'envoyer un mandat d'un schlling avec une de vos cartes de visite [4]. »

Durant son séjour à Broadstairs, Louis écrivit régulièrement une

1. Sans date.
2. *Ibid.*
3. *Mort à crédit*, p. 603.
4. Broadstairs. Dimanche.

fois par semaine à ses parents et parfois en anglais que son père comprenait et parlait assez bien. Il leur racontait à cette occasion les grands et petits événements de la vie à Pierremont Hall et notamment l'excursion qu'il fit à Ramsgate pour voir le *Dreadnought*, qui avait été construit en 1906 et était alors le plus grand cuirassé du monde. Il correspondit également avec ses oncles Louis et Charles, écrivit à sa tante Amélie en Roumanie et, pour entretenir son allemand, donna régulièrement de ses nouvelles à M. Schmidt et à M. Bitrolff.

Pendant l'année qu'il passa en Angleterre, Louis vint au moins deux fois à Paris, la première fois à la fin du mois de mai 1909 et la seconde fois au mois d'août pour quelques jours seulement. Les voyages de retour furent fertiles en incidents que Louis raconta ensuite à ses parents dans deux lettres qui ne manquent pas d'humour et qui méritent d'être rapprochées d'un des textes les plus drôles de *Mort à crédit* : « Chers Parents. Pour un voyage malheureux j'étais bien servi. D'abord dans le train il m'en est arrivé une belle. J'ai renversé tout mon carton par terre. Donc rien à manger. En arrivant à Calais une mer démonté donc comme le bateau de midi était en vue j'ai préféré attendre celui de quatre heure, qui a turbine mais hélas ç'a n'a servi à rien et en pleine mer j'ai rendu mes comptes comme si rien n'était le vent a tout emporté sur la robe d'un clergyman [1]. »

La lettre relatant la seconde traversée est ainsi rédigée :

« Chers parents. C'est une vraie veine que je sois encore entier à l'heure actuelle. Figure-toi que le voyage a été bien jusqu'à Boulogne. Mais là les malheurs ont commencés d'abord une mer effrayante - on nous a tous enfermée dans la cale avec défense de monter dessus et puis un brouillard horrible en sortant des jetées ça montait ça descendait et puis quelque chose tu entendais toutes les minutes les paquets de mer qui faisaient : flac! c'était en chanteur nous étions tous empilés voilà que au beau moment une jeune fille qui était à côté de moi se retourne et me lâche une vraie sauce

1. Broadstairs (sans date).

sur mes bottines jaunes que j'ai eu tout le mal du monde à laver.
enfin pour compléter le tout le bateau stoppe tout d'un coup, je
saute sur le pont et qu'est-ce que je vois un grand paquebot italien
à l'ancre. Le capitaine avait dû croire qu'il marchait et ils se sont
arrêtés à à peine vingt mètres d'eux, Aussitôt si tu avait vu tous
les gens courir de droite et de gauche même ceux qui rendaient leur
compte heureusement encore que je n'ai pas été malade. et puis ça
n'est pas tout en arrivant à Folkestone je traversais juste le passage
à niveau quand je laisse tomber ma malle Le train a passé dessus
sans seulement l'égratigner [1]. »

Quelque vingt-cinq ans plus tard, Céline brossa dans *Mort à crédit,* à partir de cette réalité, une fresque d'un comique irrésistible,
racontant une traversée qu'il aurait faite avec ses parents pour se
rendre en Angleterre par une mer démontée. Trois pages démentes
d'un réalisme à la limite du supportable :

« [...] Ma mère alors s'est résorbée dans l'abri pour les ceintures...
C'est elle la première qu'a vomi à travers le pont et dans les troisièmes... Ça a fait le vide un instant...

» " Occupe-toi de l'enfant, Auguste! " qu'elle a eu le temps juste
de glapir... Y avait pas mieux pour l'excéder...

» D'autres personnes alors s'y sont mises à faire des efforts
inouïs... par-dessus bord et bastingages... Dans le balancier, contre
le mouvement, on dégueulait sans manière, au petit bonheur... Y
avait qu'un seul cabinet au coin de la cursive... Il était déjà rempli
par quatre vomitiques affalés, coincés à bras le corps... La mer
gonflait à mesure... A chaque houle, à la remontée, un bon rendu...
A la descente au moins douze bien plus opulents, plus compacts...
Ma mère sa voilette, la rafale la lui arrache, trempée... elle va
plaquer sur la bouche d'une dame à l'autre extrémité... mourante
de renvois... Plus de résistance! Sur l'horizon des confitures... la
salade... le marengo... le café-crème... tout le ragoût... tout
dégorge!... »

---

1. Vendredi (sans date).

Et plus loin : « [...] Un passager implore pardon... Il hurle au ciel qu'il est vide!... Il s'évertue!... Il lui revient quand même une framboise!... Il la reluque avec épouvante... Il en louche... Il a vraiment plus rien du tout!... Il voudrait vomir ses deux yeux... Il fait des efforts pour ça... Il s'arc-boute à la mâture... Il essaye qu'ils lui sortent des trous... Maman elle, va s'écrouler sur la rampe... Elle se revomit complètement... Il lui est remonté une carotte... un morceau de gras... et la queue entière d'un rouget [1]... »

L'œuvre de Céline fourmille de débordements de cette nature quand il se laisse emporter par des torrents de mots, construisant à partir de gestes simples de formidables épopées truculentes, comme dans les peintures de Jérôme Bosch, peintre qu'il affectionnait tout particulièrement et qu'il préférait à Bruegel parce qu'il « osait davantage [2] ». Mais rares sont les documents de l'époque, comme ces lettres de Broadstairs, qui permettent de comparer la narration simple de faits précis de son enfance et la vision fantastique qu'il en donna quand il eut quarante ans.

Il en va de même pour le récit des avances dont il affirme avoir fait l'objet de la part de Nora Merrywin, laquelle peut correspondre à Mme Toukin de Rochester ou à Mme Farnfield de Broadstairs. Il a plus probablement réalisé une synthèse des deux femmes, car le portrait qu'il en donne est à la fois celui d'une femme exquise et d'une garce. Nous savons qu'il détesta Mme Toukin, qu'il considérait comme une seconde Mme Schmidt, et s'entendit à merveille avec Mme Farnfield.

Le portrait qu'il fit de Nora Merrywin est parfois d'une grande poésie : « Ses mains, c'étaient des merveilles, effilées, roses, claires, tendres, la même douceur que le visage, c'était une petite féerie rien que de les regarder [3]. » D'elle aussi il dira qu'il « l'entendait comme une chanson... Sa voix, c'était comme le reste, un sortilège

1. *Mort à crédit*, pp. 610-611.
2. Céline à Milton Hindus dans *L.-F. Céline tel que je l'ai vu*. Édition de l'Herne, 1969, p. 147.
3. *Mort à crédit*, p. 712.

de douceur... Ce qui m'occupait dans son anglais c'était la musique, comme ça venait danser autour, au milieu des flammes[1] ».

Rien ne permet de penser qu'il ait été guetté, poursuivi, puis littéralement violé par elle, comme il l'affirme dans *Mort à crédit;* ni qu'elle se soit ensuite suicidée en se jetant dans les flots, et ceci d'autant moins que Mme Farnfield fut enceinte pendant une partie du séjour de Louis à Broadstairs et souvent malade « de surmenage » après la naissance de l'enfant[2]. Céline fut sans doute plus proche de la vérité lorsqu'il écrivit : « Je me branlais en pensant à elle, le soir au dortoir, très tard, encore après tous les autres, et le matin j'avais encore des " revenez-y "[3]... »

Selon toute vraisemblance, Louis a dû vivre les scènes d'onanisme individuelles ou collectives qu'il a abondamment rapportées, et qui sont de pratique courante dans tous les collèges du monde : « [...] on se pieutait dare-dare, on avait hâte de branlages. Ça remonte la température[4] ». Il a bien dû aussi rencontrer au cours de son existence de collégien un petit vicieux comme il en traîne dans les pensionnats : « [...] Il suçait encore deux petits mecs... Il faisait le chien... Wouf! Wouf! qu'il aboyait, il cavalait comme un clebs, on le sifflait, il arrivait, il aimait ça qu'on le commande[5]... »

Louis avait alors quinze ans et en paraissait dix-huit. Il était en âge de tomber sous le charme de Mme Farnfield et de connaître l'extase en pensant à elle le soir après l'extinction des feux... pratique à laquelle il n'a jamais renoncé, même lorsqu'il eut de nombreuses aventures et liaisons avec de très belles femmes.

Si Nora Merrywin permit à Céline de célébrer le charme des femmes et leurs facultés d'ensorcellement, elle lui fournit aussi l'occasion de propos plus acides sur la gent féminine tout entière :

1. *Mort à crédit,* p. 715.
2. Aucun membre de la famille Farnfield n'est décédé à Broadstairs pendant le séjour de Louis.
3. *Mort à crédit,* p. 712.
4. *Ibid.,* p. 717.
5. *Ibid.,* p. 717.

« C'est fumier les femmes. Elle était vicelarde comme les autres [1] », écrivit Céline de Nora Merrywin, à propos de laquelle il dit aussi : « [...] les femmes c'est toujours pressé. Ça pousse sur n'importe quoi... N'importe quelle ordure leur est bonne... C'est tout à fait comme les fleurs... Aux plus belles le plus puant fumier!... La saison dure pas si longtemps! Gi! Et puis comment ça ment toujours! J'en avais des exemples terribles! Ça n'arrête jamais! C'est leur parfum! C'est la vie [2]!... ».

Mais ce n'est pas à Broadstairs que Louis acquit de telles idées sur les femmes. Il y fut heureux et s'y plut beaucoup plus qu'à Diepholz ou à Karlsruhe. Il se fit bien à cette éducation anglaise, à la fois stricte et libérale, comme il s'accommoda de cette vie sportive qui contrastait si fort avec l'existence qu'il avait connue passage de Choiseul.

Son séjour fut toutefois attristé par la maladie de sa tante Joséphine, femme de l'oncle Charles et mère de Charlotte Destouches. Cette petite cousine « Lolotte », qui avait son âge, fut élevée comme lui de bric et de broc et il l'affectionnait tout particulièrement. Tante Joséphine fut finalement emportée, sans doute par le choléra, malgré les soins prodigués par le docteur Robert Proust, frère de Marcel et fils du docteur Adrien Proust dont toute la carrière avait été axée sur la lutte contre le choléra.

La mort de Bobs vint aussi endeuiller son séjour à Broadstairs et il en fut affecté profondément. Il est vrai que la pauvre bête se faisait vieille et se traînait assez lamentablement depuis quelque temps : « [...] j'aime mieux le voir mort que souffrir comme il souffrait. [...] depuis son mauvais coup de cet hiver il ne valait plus grand-chose de plus avec l'haleine qu'il avait il devait souffrir beaucoup de l'estomac [...] C'est le premier chien que nous ayons, ce sera bien le dernier [3] ». Il envisagea cependant peu après l'achat d'un berger écossais qu'il se proposait de ramener à Paris. La crainte des complications du service sanitaire à l'entrée en France lui fit

---

1. *Mort à crédit*, p. 715.
2. *Ibid.*, p. 716.
3. Lettre à ses parents. Dimanche (sans date).

renoncer au projet. Nul ne sait où fut enterré Bobs, mais Louis aurait bien voulu que ce soit à Ablon. En souvenir de cette petite bête, héritée de sa grand-mère, et qui avait été le témoin de tant de souvenirs heureux de son enfance, on rebaptisa du nom de Bobs le bateau de M. Destouches.

Louis revint à Paris vers le milieu du mois de novembre 1909. Avant son départ, une soirée d'adieu fut donnée le 5 novembre à Pierremont Hall. Il s'agissait en réalité d'un concert baptisé pour la circonstance « Farewell Concert », au cours duquel chacun fit de son mieux dans sa spécialité. Certains récitèrent des poèmes, d'autres jouèrent du violon; Mme Farnfield chanta et Louis joua du piano-forte solo interprétant notamment *Romance*, *Simple Aveu* et *Printemps*. Il interpréta aussi une petite scène en compagnie de deux autres pensionnaires et d'une certaine Susan, domestique à Pierremont Hall.

A son retour à Paris il parlait, lisait et écrivait bien l'anglais; il pouvait donc enfin se lancer dans la vie, c'est-à-dire dans le commerce. Il était pleinement conscient de l'effort fait par ses parents qui s'étaient saignés aux quatre veines pour lui permettre d'effectuer ce séjour en Angleterre dans de bonnes conditions. Aussi écrivait-il à sa mère à l'occasion de sa fête :

« Chère Maman. Quoique nous venions de passer et surtout toi une passe qui t'a beaucoup éprouvé aussi bien au point de vue moral que physique. C'est avez joie que je te souhaite ta fête pour l'année qui va venir et qui je l'espère sera plus heureuse que celle passé je ne saurais te souhaiter que de rester toujours bien portante car tu sais bien et tu en as assez de preuve que la santé est le plus grand des biens nous sommes tous trois bien portants Si les affaires ne vont pas comme tu veux cela ne rentre jamais qu'en second plan.

» Je tâcherai par ma conduite et mon application de vous rendre le plus heureux possible, afin de pouvoir vous rendre les sacrifices énormes que vous imposez pour moi depuis ma naissance et surtout depuis deux ans afin de me donner une arme pour plus tard et donc je vous assure j'userai toujours pour votre bonheur et votre bienaitre à tous deux [1]. »

Cette lettre permet d'imaginer ce que devaient être celles de M. Destouches à son fils, confites de bons conseils et de morale élémentaire. Il devait y prendre Dieu à témoin des immenses sacrifices que l'on s'imposait passage de Choiseul pour l'éducation de cet enfant. Avec l'espoir qu'il saurait plus tard leur témoigner sa gratitude. Dans *Mort à crédit* Céline a fait un remarquable pastiche d'une lettre de son père, épousant son style, sa manière et sa façon de penser :

« Je ne me berce plus d'illusions sur l'avenir que tu nous réserves! nous avons, hélas, éprouvé à maintes reprises différentes toute l'âpreté, la vilenie de tes instincts, ton égoïsme effarant... Nous connaissons tous tes goûts de paresse, de dissipation, tes appétits quasi monstrueux pour le luxe et la jouissance... Nous savons ce qui nous attend... Aucune mansuétude, aucune considération d'affection, ne peut décidément limiter, atténuer, le caractère effréné, implacable de tes tendances... Nous avons, semble-t-il, à cet égard tout mis en œuvre, tout essayé! Or, actuellement, nous nous trouvons à bout de force, nous n'avons plus rien à risquer! Nous ne pouvons plus rien distraire de nos faibles ressources pour t'arracher à ton destin!... A Dieu vat!...

» Par cette dernière lettre, j'ai voulu t'avertir, en père, en camarade, avant ton retour définitif, pour la dernière fois, afin de te prémunir, pendant qu'il en est temps encore, contre toute amertume inutile, toute surprise, toute rébellion superflue, qu'à l'avenir, tu ne devais plus compter que sur toi-même, Ferdinand! Uniquement sur toi-même! Ne compte plus sur nous! je t'en prie! Pour assurer ton entretien, ta subsistance! Nous sommes à bout ta mère et moi! Nous ne pouvons plus rien pour toi!... »

Puis le père de Ferdinand affirmait qu'il était aux portes de la vieillesse, ruiné, malade, sans relations, sans appuis, qu'il ne lui

---

1. Pierremont Hall, Broadstairs (sans date).

restait que sa conscience irréprochable, sa parfaite probité, la notion très précise, indéfectible de ses devoirs. La lettre s'achevait par cette péroraison : « Nous t'embrassons, mon cher enfant! Ta mère se joint encore à moi, encore une fois! pour t'exhorter! te supplier! t'adjurer avant ton retour d'Angleterre (si ce n'est point par intérêt, ni par affection pour nous, au moins dans ton intérêt personnel), de prendre quelque détermination courageuse et la résolution surtout de t'appliquer désormais corps et âme au succès de tes entreprises [1]. »

1. *Mort à crédit*, pp. 746-749.

CHAPITRE VI

Paris et Nice

« Je peux raconter des légendes comme on pisse, avec une facilité qui me dégoûte... »

Lettre à Milton Hindus du 29 mai 1947.
Les Cahiers de l'Herne, p. 113.

Si l'on devait en croire Céline, c'est principalement chez Berlope, « Rubans Garnitures », rue de la Michodière, et chez Gorloge, bijoutier en étage rue Elzevir, qu'il fit son apprentissage, expérience lamentable, émaillée d'incidents rocambolesques qui furent autant d'occasions de démontrer sa débilité aussi bien que sa vraie nature de voyou.

En réalité Louis Destouches débuta dans le commerce le 1ᵉʳ janvier 1910 chez Raimon, puissant marchand de tissus, dont le magasin était situé à l'angle de la rue de Choiseul et de la rue du Quatre-Septembre et qui avait des succursales à Lyon, Saint-Étienne, Londres et New York. La maison Raimon existe du reste toujours au 4 de la rue de Choiseul.

N'ayant aucune expérience du commerce, il y fut sans doute employé comme saute-ruisseau, livreur, apprenti vendeur. Le certificat de travail qui lui fut délivré après sept mois de présence était muet sur ce point, mais il y était mentionné que Louis quittait la maison le 31 juillet 1910 libre de tout engagement. Son employeur déclarait avoir été satisfait de ses services.

Après un mois de vacances, Louis reprit le travail chez Robert, joaillier dont la boutique était située 16, rue Royale, à l'angle de la rue Saint-Honoré, devenue aujourd'hui la bijouterie Cérésole. Il y resta jusqu'au 31 mars 1911. Nous ne possédons non plus aucun détail sur son emploi exact dans cette maison mais, dans le certificat qu'il lui délivra, M. Robert affirmait : « Je n'ai eu qu'à me louer de son honnêteté, de son travail et de son exactitude. En un mot ce jeune homme est très recommandable sous tous les rapports. »

Nous sommes donc ici très loin des outrances de *Mort à crédit*, car Louis Destouches ne fut pas le petit dévoyé minable sous les traits duquel il s'est volontairement dépeint. Son père n'eut donc pas à proposer à M. Lempreinte, pourtant bien rongé par la maladie : « Tenez, moi, je le prendrais bien, votre ulcère! tout ce qu'on voudra pourvu qu'on me soulage de mon fils! Vous n'en voulez pas [1]? »

Il convient toutefois de signaler qu'une petite note manuscrite a été jointe au certificat de travail délivré à Louis par M. Robert. On peut y lire, écrit d'une encre passée et d'une écriture assez commune : « Reçu de M. Destouches 22 f pour " goûter " janvier et février. Guerraz. » Il s'agirait d'un papier sans intérêt s'il n'était surchargé au crayon. Au-dessus du mot « goûter » on peut lire très distinctement le mot « baiser » et, un peu en dessous de la signature, « Carotte tirée étant chez Robert rue Royale. » A la lecture de ces surcharges, très probablement de la main de M. Destouches, on peut penser que les goûters chez cette dame étaient d'une nature un peu particulière. On imagine la colère de Fernand Destouches découvrant le « pot aux roses » dont il devait en plus payer la facture... Si l'on se reporte au dictionnaire Littré on constate en effet que la « carotte » est un « tour par lequel on subtilise de l'argent à

1. *Mort à crédit*, p. 679.

quelqu'un » et que « tirer une carotte » est une expression populaire signifiant « obtenir quelque chose de quelqu'un par ruse ou
par adresse[1] ». L'histoire ne dit pas si Louis continua à voir
Mme Guerraz, mais il fut en tout cas rapidement changé d'employeur
et sur-le-champ privé de goûter.

Il quitta la bijouterie Robert le 31 mars 1911 pour entrer dès
le lendemain chez Henri Wagner, établi à Paris 114, rue du Temple,
à l'enseigne « Bijouterie, Joaillerie, Ciselure, Pièces de Commande ».

Chez Wagner nous savons qu'il se vit parfois confier de véritables missions de confiance, car nous avons retrouvé le double
d'un reçu signé par lui concernant des bijoux qui lui avaient été
confiés le 11 juillet 1911 par un sieur A. Helft, 366, rue Saint-
Honoré, portant sur dix pièces d'une valeur totale de 4 780 francs,
ce qui représentait tout de même quelque 15 000 de nos francs
actuels. Le bijou le plus important de cette liste était un pendant
en émail qui valait à lui seul 3 500 francs. Il est à ce sujet assez
curieux de constater que ce reçu, au bas duquel figure la signature
de Louis, ainsi que les mots « lu et approuvé », est le seul document
de cette nature conservé par M. Destouches dans ses archives.
Tous les bijoux sont rayés, sauf deux épingles de chapeau
« Lalique » pesant 48 grammes et valant 180 francs les deux, et
une « béquille », sans doute une béquille de canne ou de para-
pluie, d'une valeur de 95 francs. Qu'ils n'aient pas été rayés de la
liste implique-t-il qu'ils aient été perdus et que M. Destouches ait
conservé ce reçu après avoir indemnisé leur propriétaire?

Cet incident pourrait être à l'origine des événements rapportés
par Céline dans *Mort à crédit*. Gorloge qui « donnait surtout dans
la bague, la broche et le bracelet ouvragé[2] » (le reçu signé par
Louis mentionne en majeure partie des broches et des bagues),
serait allé avec Ferdinand au musée Galliéra copier le « Çakya-
Mouni », ce dieu du bonheur dont un mandarin en vacances à

---

1. Peut signifier aussi « se masturber ». Céline l'employa dans *Voyage au bout de la nuit* : « [...] à se masturber sur les draps moisis, tirant d'infinies carottes, [...] » (p. 144).
2. *Mort à crédit*, p. 644.

Paris voulait une exacte réplique montée en épingle pour sa cravate.

On connaît la suite. Pendant l'absence de Gorloge parti dans l'Est pour une période militaire, son employé Antoine fabrique l'épingle tandis que la débauche s'installe dans la maison. Ferdinand conserve le « Çakya-Mouni » dans sa poche bien fermée par trois épingles de nourrice et, un jour, devant le théâtre de l'Ambigu, alors qu'il sortait justement des bras de Mme Gorloge, il constate avec effroi la disparition du trésor, dont il relate ensuite les effroyables conséquences, rapportant notamment les réactions de son père : « Mon père, il se causait tout seul. Il s'en allait en monologues. Il vitupérait, il arrêtait pas... Tout le bataclan des maléfices... le Destin... les Juifs... La Poisse... L'Exposition... La Providence... Les Francs-Maçons [1]... » Il raconte aussi les scènes entre son père et sa mère, laquelle se voyait accusée de faiblesse et d'incapacité : « Si tu le laisses encore vadrouiller des journées entières dans les rues, sous prétexte d'apprendre le commerce, nous n'avons pas fini d'en voir, ma pauvre amie! Ah non alors! Je peux te le jurer! Nous ne sommes encore qu'au début! C'est pas voleur qu'il finira! C'est assassin! m'entends-tu? Assassin! Je ne donne pas seulement six mois avant qu'il étrangle une rentière! Oh! il est avancé déjà sur la jolie pente!... Oh! là là! Il ne glisse plus! Il caracole! Il galope! Il est effréné! Je le vois moi! Tu ne le vois pas toi? Tu ne crois à rien! Tu es aveugle! Pas moi! Non! Ah non! Pas moi [2]!... »

En réalité, en admettant que l'incident ait eu lieu, il n'a pas eu l'importance que lui a donné Céline dans *Mort à crédit* avec son exagération coutumière. Le certificat de travail, qui lui a été remis le 5 octobre 1911, est cependant laconique puisqu'il y est simplement dit qu'il quittait la maison « libre de tout engagement ». Le lendemain, fort de la recommandation d'un sieur Imbault, il entrait chez Lacloche.

Lacloche, c'était enfin la grande et bonne maison de réputation

1. *Mort à crédit*, p. 675.
2. *Ibid.*, p. 676.

internationale dont Fernand et Marguerite Destouches rêvaient pour leur fils. La très puissante société anonyme des Anciens Établissements Lacloche Frères au capital de six millions de francs avait pignon sur rue, non seulement à Paris, 15, rue de la Paix, mais aussi à Londres, 2, New Bond Street, et encore à Madrid, à Saint-Sébastien, Biarritz, Aix-les-Bains et Nice. Ces messieurs tiraient aussi quelque gloire et fatuité de pouvoir se dire fournisseurs attitrés de trois maisons royales.

A Paris, Louis fut employé à des tâches diverses parmi lesquelles il se plut à dire beaucoup plus tard que la plus importante consistait à promener deux chiens barzoï[1]. Il raconta aussi à Lucette Almanzor qu'il fut fréquemment utilisé comme mouchard, planqué dans le creux des boiseries du magasin pour surveiller les clients, pratique courante alors chez tous les grands bijoutiers, et remplacée depuis par les circuits intérieurs de télévision[2]. Cette fonction n'était sans doute pas pour lui déplaire, car lorsque plus tard il plaisantait en disant qu'à ses yeux il n'y avait que deux sortes d'hommes, les voyeurs et les exhibitionnistes, il se rangeait incontestablement parmi les premiers, ce dont nous aurons à reparler à propos des après-midi qu'il aimait à passer dans les cours de danse.

Il n'est pas sans intérêt de rapprocher le souvenir que Louis Destouches a conservé des heures qu'il a ainsi passées comme « voyeur » chez Lacloche et les événements qu'il rapporte avec humour dans *Mort à crédit* quand il raconte comment un autre petit apprenti de chez Gorloge lui apprit à observer la vie intime de la femme du patron : « Il m'a montré son système pour regarder par les gogs, pour voir les gonzesses pisser, sur notre palier même, deux trous dans le montant de la porte » Et plus loin : « [...] et une chose encore bien plus forte, un autre trou qu'il avait percé, alors absolument terrible, dans le mur même de la chambre, juste

---

1. Voir *Voyage au bout de la nuit*, p. 102.
2. Voir Claude Bonnefoy, *L.-F. Céline raconte sa jeunesse* : « On me donnait tout à faire... Nettoyer l'argenterie, surveiller les mains des clientes... Promener les chiens!... » *Cahiers Céline* 2, p. 210.

près du lit. Et puis, encore une position... En escaladant le four-
neau... dans le coin de la cuisine, on plongeait par le vasistas, on
voyait alors tout le plumard [1] ». C'est de là qu'il aurait pu voir les
ébats de Mme Gorloge et d'Antoine, autre employé de son mari,
avant d'être lui-même littéralement violé par cette furie.

En réalité Louis ne resta pas longtemps à Paris. Dès la fin du
mois de décembre il fut affecté à la succursale de Nice ainsi qu'en
témoigne le brouillon d'une lettre aussi obséquieuse que plate de
Fernand Destouches à M. Lacloche peu après que Louis fut revenu
de Nice :

« Mon fils, Louis Destouches, a eu l'honneur d'être admis dans
votre maison au mois d'octobre 1911 sous le patronage de Monsieur Imbault; il a été désigné d'office paraît-il deux mois après
pour aller travailler dans votre succursale de Nice; cette décision
qui nous a surpris à l'improviste, puisque mon fils ne nous l'a fait
connaître que 3 jours environ avant la date fixée pour son départ,
ne m'a pas permis de faire auprès de vous la démarche qui se trouvait indiquée pour vous demander votre opinion sur mon fils et
vos intentions à son égard. Ainsi s'explique que cette démarche
que vous attendiez sans doute, ne se soit point produite. Néanmoins
vous comprendrez facilement que ce ne soit point sans une très
grande appréhension que je me sois résigné à abandonner ainsi
complètement à lui-même et hors de tout contrôle un garçon de
17 ans déjà très indépendant par caractère Le danger m'apparais-
sait très nettement cependant, de voir s'anéantir dans des fréquen-
tations douteuses tout le bagage de santé d'instruction et d'éducation morale et physique que nous lui avions péniblement constitué
dans notre modeste situation par les exemples reçus de nous-
mêmes et par de très lourds sacrifices d'argent.

» Il s'est acquitté, paraît-il, de son travail à votre satisfaction
Ce qui ne me surprend pas autrement car toutes les personnes avec
lesquelles il s'est trouvé en relation d'affaires, lui accordent un très
grand sens Commercial, [...] »

1. *Mort à crédit*, p. 654.

On comprend les appréhensions de M. Destouches à l'idée de ce départ pour Nice. Louis avait vécu souvent loin des siens, mais toujours sous la coupe de familles ou de professeurs étrangers, c'était donc vraiment la première fois qu'il allait être libre pour de bon. Son père était d'autant plus inquiet que cette totale indépendance lui était accordée au moment où il commençait à être en âge d'en profiter.

Louis, qui avait déjà la tête un peu chaude, n'a pas manqué de profiter de cette situation et il a très certainement connu à Nice plusieurs aventures féminines. Son père, comme à l'accoutumée, avait immédiatement flairé le désastre. Il remit donc à son fils avant le départ une sorte de petite bible à l'usage des puceaux intitulée *Pour nos fils quand ils auront vingt ans* [1], dont l'auteur était le professeur Alfred Fournier, membre de l'Académie de médecine, ancien élève de Ricord, et grand spécialiste de la syphilis.

Ce petit opuscule sur la couverture duquel Louis a écrit en gros le mot « vérole » commence ainsi : « Mes amis, voici que déjà vous n'êtes plus des enfants, ni même des adolescents. L'aurore d'un autre âge s'annonce sur vous par tout un ensemble de signes qui sont les apanages d'une prochaine virilité. Bref, vous allez être des hommes », et s'achève par les mots : « Je vous le répète, en telle situation et à votre âge surtout, l'aveu est un devoir auquel vous ne sauriez vous soustraire. » Quant au corps même de l'ouvrage on imagine en quels termes un médecin de cette époque pouvait s'exprimer pour attirer l'attention de la jeunesse sur les dangers du « péril vénérien ». Une main anonyme, celle de Louis sans doute, a promené son crayon sur bien des pages, entourant ou soulignant certains mots, toujours un peu les mêmes : « chaudepisse » et « blennorragie », sans que l'on puisse en tirer la moindre certitude. En revanche, aucun trait de crayon n'accompagne les mots : « la virilité vraie n'est pas atteinte avant l'âge de vingt et un ans et le besoin sexuel ne s'impose pas avant ce terme ».

---

1. Publié chez Charles Delagrave par la Société française de prophylaxie sanitaire et morale.

Dès son arrivée à Nice, Louis s'installa à l'hôtel-pension du Congrès « Carpatti-Keller », 5, rue du Congrès, tenu par les époux Carpatti et par une femme, Anna Lemplé. Pour un prix raisonnable (7 francs par jour), il disposait d'une chambre avec pension complète et pouvait s'offrir quelques suppléments, soit pratiquement tous les jours une bouteille de vin et un œuf frais. Au cours de ce séjour de nombreux incidents sont survenus entre Louis et les époux Carpatti, pour des riens du reste, qu'Anna Lemplé réglait au mieux et relatait ensuite assez bêtement à M. Destouches. Elle lui annonça, par exemple, que Louis avait offusqué ses associés, pour avoir demandé des œufs à la place d'un plat de langue de bœuf qui l'avait dégoûté. Elle disait aussi donner de bons conseils à son jeune pensionnaire pour qu'il ne fasse pas trop de bruit et pour qu'il soit aimable avec M. et Mme Carpatti, « quitte pour leur faire ensuite une petite grimace, chose à laquelle il s'entend bien ».

M. Destouches tenait une comptabilité des dépenses de son fils et de ses revenus professionnels qui étaient maigres. Apprenti à 150 francs par mois, la balance était largement déficitaire; ainsi, pendant les mois de janvier, février et mars 1912, les dépenses de Louis se montèrent à 954 francs tandis que ses gains ne dépassèrent pas 450 francs. Il faut ajouter à cela que Louis disposa pendant cette période de trois mois d'une somme de 180 francs pour son argent de poche. Le reste de son salaire servait à payer une partie de sa pension.

Il n'est évidemment pas possible de dire aujourd'hui l'usage que fit Louis de cet argent de poche, mais on peut le deviner. On sait en tout cas qu'il fréquenta avec assiduité l'Eldorado Casino, 9, rue Pastorelli, théâtre et music-hall dirigé par J. Morlay, où se donnait tous les jours en matinée un programme de cinématographe géant sur un écran de cinquante mètres avec des attractions; et en soirée un spectacle de music-hall, « Étoiles, Intermèdes, Attractions », où Louis a vu pendant la saison d'hiver, outre quelques « opérettes anglaises », les plus grands comiques de l'époque : Dickson, mais surtout Polin, le père de la Petite Tonkinoise et de *l'Ami Bidasse,* qui se produisait en culotte rouge à basane avec un petit képi et un grand mouchoir à carreaux, et le grand Dranem, le roi du café-concert, qui a fait rire plusieurs générations avec un admirable répertoire totalement inepte.

Nice était alors pendant l'hiver un lieu de villégiature où l'on venait de toute l'Europe. Louis y rencontra beaucoup d'aristocrates et quelques grands de ce monde venus se chauffer au soleil de la Méditerranée. Il eut en tout cas l'occasion d'approcher ceux qui venaient chez Lacloche, souvenir qu'il évoqua le 5 avril 1951 pour Albert Paraz : « J'en ai livré moi quand j'étais grouillot chez Lacloche, rue de la Paix et à Nice, boulevard Masséna (saison d'hiver). Soixante francs par mois je gagnais (pas nourri). Si je poulopais porter des trésors, des diadèmes aux princesses russes, des au... précisément! Ah je les fréquentais les Grands Ducs, les Carnavals du Tonnerre! ces Veglions! et Émilienne d'Alençon! et le frère du Tzar! Si j'avais faim, moi, mes soixante francs! 1910 [1]! »

Et dans une lettre adressée de Douala le 5 novembre 1916 à Simone Saintu, Céline raconte qu'à Nice, un jour en allant chez Lacloche, il vit un groupe entourant un vieillard assis sur un banc en qui il reconnut aussitôt l'empereur François-Joseph. Il s'en approcha, et lui demanda un autographe sur une carte de chez Lacloche. Ce qui n'était certes pas une façon très protocolaire d'approcher un empereur, et Céline confesse avoir été en cette occasion particulièrement mal élevé, mais, ajoutait-il : « en ce temps je m'attachais à perdre le bon goût ». François-Joseph, un peu surpris, lui aurait alors tendu la carte en lui disant : « Moi aussi Jeune Homme j'ai ma raison commerciale. [...] Je m'aperçus qu'il avait l'air atrocement vieux et m'en réjouis intérieurement. [...] Il me prit la main qu'il me serra dans une étreinte débile. [...] » Céline affirmait qu'il avait longtemps conservé cette carte sur laquelle on pouvait lire « F-J d'Habsbourg Empereur d'Autriche ». Il l'aurait ensuite perdue comme tant d'autres choses.

L'anecdote est plaisante, mais une vérification s'imposait car

---

1. *Les Cahiers de l'Herne,* p. 171.

l'expérience montre qu'il faut manipuler avec précaution, non seulement ce qu'écrivit Céline dans ses œuvres romanesques, mais aussi les propos qu'il tint dans sa correspondance et dans ses conversations.

L'Institut autrichien de Paris, l'Institut de Recherches historiques de l'université de Vienne et l'archiviste de la ville de Nice sont malheureusement unanimes. L'empereur, alors mal portant, a passé Noël 1911 en Haute-Autriche, au château de Wallsee, et il n'a pas mis les pieds à Nice pendant la saison 1911-1912. La riviéra française a bien reçu cet hiver-là nombre de personnalités du Gotha : la princesse Charlotte de Prusse, le grand-duc et la grande-duchesse de Saxe-Cobourg, le grand-duc Michel de Russie, Ferdinand Ier de Bulgarie, le roi et la reine des Belges, le roi Guillaume de Wurtemberg, ainsi que le roi de Suède descendu à l'hôtel d'Angleterre sous le nom de comte de Tulgarn. Mais pas François-Joseph! Tout au plus, l'archiduc Frédéric d'Autriche, qui séjourna à Menton à partir du 2 mars 1912. Louis Destouches l'a-t-il croisé sur la promenade des Anglais? Ont-ils échangé leurs cartes de visite? L'a-t-il fait avec un autre grand personnage de l'époque moins en vue que François-Joseph? L'histoire était évidemment plus amusante telle qu'elle fut rapportée à Simone Saintu. Elle souligne le besoin qu'avait Céline d'affabuler, moins par mythomanie que pour le simple plaisir de raconter des événements hauts en couleur.

Louis assista tout de même à quelques manifestations remarquables. Ainsi, le 12 avril 1912, lorsque la ville de Nice commémora le souvenir de la reine Victoria qui avait été son hôte le plus illustre [1].

A l'initiative du *Petit Niçois* une souscription publique avait été ouverte pour permettre l'édification d'un monument en marbre blanc, dont l'exécution avait été confiée à M. Louis Maubert. En impératrice des Indes coiffée d'un simple bonnet, Victoria rece-

---

1. Tous les vieux Niçois avaient en mémoire les promenades que la reine aimait à faire très simplement vêtue, soit à pied, soit dans une petite voiture attelée d'un poney.

vait l'hommage de trois femmes symbolisant les villes de Nice, Menton et Cannes. Cette dernière, piquée au vif, avait elle-même décidé d'édifier une statue en mémoire du roi Édouard VII, mort depuis peu.

Le gouvernement français, qui cherchait à donner le plus d'éclat possible à l'Entente cordiale, vit dans l'inauguration de ces monuments l'occasion de célébrer l'amitié franco-anglaise. Raymond Poincaré, alors président du Conseil, vint présider les cérémonies auxquelles assistaient Delcassé, ministre de la Marine et l'un des principaux artisans de ce rapprochement, Alexandre Millerand, ministre de la Guerre, et sir Francis Bertie, ambassadeur de Grande-Bretagne à Paris. Mais l'inauguration du monument qui eut lieu l'après-midi fut éclipsée par les fastes de la matinée, malgré les discours d'Honoré Sauvan, député-maire de Nice, et de Poincaré retraçant la vie de la reine Victoria, « auguste personnification du grand peuple britannique ». Louis s'était posté tout près de la place Masséna, au premier rang de la foule, muni de son appareil photographique. Il prit de nombreux instantanés dont il envoya par la suite des tirages aux Turnfield, avec lesquels il correspondait régulièrement. Ces clichés montrent l'importance du défilé militaire qui réunissait des unités de toutes les armes, avec un fort contingent de soldats et de marins anglais. Du côté français, on avait surtout remarqué les troupes alpines au pas rapide et les marins. Le défilé fut suivi d'une imposante démonstration des escadres françaises et anglaises qui croisèrent à quelques centaines de mètres seulement du rivage. Les Anglais étaient commandés par le contre-amiral sir Douglas Gamble, et la division française de Méditerranée, qui ne comptait pas moins de douze bâtiments de ligne, par le vice-amiral Boué de Lapeyrère. Puis apparut dans le ciel au-dessus des bâtiments de guerre un aéroplane, bientôt suivi de quatre autres.

Le lendemain, toutes les personnalités s'embarquèrent pour Cannes où devait être inauguré le monument d'Édouard VII. Cette seconde journée fut un peu gâchée par l'état de la mer, et comme la mine de ces messieurs se décomposait, on dut écourter le voyage et continuer par la route. Louis, de son côté, la tête pleine encore des images de la veille, avait repris son travail chez Lacloche.

M. Destouches, assez peu satisfait de l'usage que Louis faisait de la liberté, exigea son retour à Paris. Louis quitta donc Nice le 12 mai 1912. Anna Lemplé avait été pourtant bien discrète sur les raisons pour lesquelles il lui paraissait préférable que Louis revînt à Paris. Le 15 avril elle écrivait à M. Destouches :

« Monsieur votre Fils ne va pas mal mais heureusement pour lui son séjour à Nice touche à sa fin. Il est aisé de comprendre que la vie qu'il mène ici ne lui est pas favorable, il s'ennuie beaucoup et son estomac s'accommoderait mieux d'une table de famille - Depuis hier cependant j'ai pu arriver à lui faire comprendre qu'il devait manger le soir et je pense qu'il va continuer à prendre au moins un potage et du rôti- Le système du dîner dans la chambre ne m'a pas été possible car je n'aurais pu le faire à l'insu de mes associés [...] » Plus loin, Anna Lemplé continuait : « [...] dans une quinzaine de jours la joie de faire sa malle donnera à votre grand enfant terrible " car il l'est bien " : une vigueur nouvelle et de meilleures couleurs ».

Dans le brouillon de sa lettre adressée à Lacloche après le retour de Louis à Paris, Fernand Destouches avait écrit ce passage qu'il a finalement rayé : « [...] il n'en reste pas moins qu'il est rentré de Nice très anémié et qu'il nous a fallu lui faire suivre une véritable cure pour le remettre en bonne forme bien que cependant rien n'ait été négligé pour lui assurer pendant son séjour à Nice un régime confortable qui absorbait et bien au-delà ses appointements et ses idemnités complémentaires ». Puis, abordant la vie menée par son fils à Nice (barré aussi) : « J'entends bien que la dépression physique que nous avons constatée ne devait pas être uniquement attribuée aux fatigues de son emploi mais aussi à d'autres conséquences fatales de son séjour à Nice dans des conditions de vie qui ne pouvaient être logiquement que celles d'un homme et non d'un adolescent presque un enfant. » La reprise en main a dû être énergique, elle semble en tout cas avoir porté ses fruits et M. Destouches de s'incliner encore un peu plus bas devant le tout-puissant patron de son fils : « Je me suis employé à ramener mon fils à une attitude moins indépendante et plus réservée que celle qu'il avait conservée de son stage à Nice et à rectifier les quelques idées fausses que cette existence exceptionnelle lui avait laissées, très satisfait en somme de ne payer que ce tribut inévitable à un apprentissage très appréciable pour son avenir dans une maison aussi puissante et aussi honorable que la vôtre. »

Louis avait alors pratiquement terminé son apprentissage, et comme il avait donné satisfaction, M. Lacloche était tout à fait disposé à l'engager comme employé titulaire après qu'il se serait libéré de ses obligations militaires. Le fils de M. Lacloche, contemporain de Louis, se trouvait dans la même situation et il paraît avoir, lui aussi, devancé l'appel. M. Destouches justifia le départ de Louis sous les drapeaux en disant qu'il était important à ses yeux que les deux garçons partent en même temps à l'armée, pour pouvoir ensuite débuter ensemble dans les affaires. Et de rappeler que le fils Lacloche était le futur patron de Louis. Plus tard, il raconta qu'il avait incité son fils à partir au régiment avant l'appel de sa classe, parce qu'il ne savait plus qu'en faire. Il s'était déjà plu à dire qu'il l'avait envoyé en Allemagne et en Angleterre parce qu'il avait été mis à la porte de l'école. Cette version était aussi fausse que celle présentée par Céline lui-même au début de *Voyage au bout de la nuit* : « Mais voilà-t-y pas que juste devant le café où nous étions attablés un régiment se met à passer, et avec le colonel par-devant sur son cheval, et même qu'il avait l'air bien gentil et richement gaillard, le colonel! Moi, je ne fis qu'un bond d'enthousiasme », et comme son compagnon Arthur lui criait : « T'es rien c... Ferdinand! » il lui aurait lancé : « On verra bien, eh navet [1]! »

L'histoire ainsi racontée relève évidemment de l'invention mais il faut savoir toutefois que jusqu'à la fin de sa vie, et même dans les pires moments de son existence, quand il fut poursuivi, détenu ou

---

1. *Voyage au bout de la nuit,* pp. 13-14.

exilé, et en tout cas parfaitement désabusé, Céline a toujours éprouvé le même frisson au passage d'une troupe, à la vue d'un drapeau ou au son d'une fanfare. C'est le même type d'émotion qu'il avait dû ressentir à Nice au passage des armées française et anglaise et qu'il a ressentie ensuite plus intensément quand il a participé lui-même à des revues militaires, et surtout en 1914 quand son régiment a fait mouvement pour le Front. On peut y voir la marque de l'éducation qu'il avait reçue d'un père cocardier et d'une mère qui disait volontiers comme lui pour ne pas le contrarier.

Dès son plus jeune âge, il avait toujours fait preuve d'un don d'observation exceptionnel, doublé d'une sorte de fragilité qui lui faisait ressentir les choses de la vie avec une particulière intensité. Il a été ainsi marqué de façon indélébile par les péripéties de son enfance et par les idées dont on l'avait pétri. Il n'est jamais parvenu à s'en défaire totalement, malgré son absolu besoin de liberté et ce besoin constant de rompre ses amarres. Empêtré dans ses contradictions qui n'étaient que l'expression de ses déchirements, il était tout aussi incapable de renier son passé que de se contenter des idées reçues et de résister à l'attirance viscérale qu'il éprouvait pour le mouvement, les départs et les changements de décor. Et reprenant le mot d'André Gide : « l'âme tend à monter, le corps pèse », on peut dire que chez Céline ce sont les souvenirs, les affections et les idées reçues qui pesaient, contrariant en permanence ses élans de liberté, sa vraie nature de vagabond.

Louis fut probablement séduit par l'idée de quitter Lacloche pour changer simplement de vie et de peau, et son père était dans le vrai quand il écrivait à M. Lacloche : « Quelques jours après son retour de Nice il nous a déclaré qu'après en avoir référé à ses Patrons et à vous-même en particulier il en avait conclu qu'il était de l'intérêt de son avenir dans votre bonne maison de se libérer le plus rapidement possible de ses obligations militaires, ainsi s'explique que j'ai consenti à son engagement au 12ᵉ Cuirassier. » Peut-être faudrait-il aussi ajouter que M. Destouches n'était au fond pas mécontent de voir Louis tâter un peu de la discipline militaire qu'il savait être la force principale des armées.

C'est le 28 septembre 1912 que Louis, qui avait eu dix-huit ans le 27 mai, signa son engagement dans l'armée pour trois ans.

Entre son retour de Nice le 12 mai et son départ pour Rambouillet où se trouvait le quartier du 12e régiment de Cuirassiers, il vécut 11, rue Marsollier, dans le petit appartement où ses parents s'étaient installés à la fin de l'année 1907, tout en conservant la boutique du passage de Choiseul, à une centaine de mètres de là.

Pendant ces quatre mois d'inactivité apparente, Louis seconda peut-être sa mère dans son commerce, mais elle avait alors une bonne qui la déchargeait de toutes les tâches domestiques. Louis continua aussi de s'instruire, ce qu'il n'avait jamais cessé de faire, et il passa probablement une partie de l'été au bord de la mer. Sur un dossier tenu par son père on peut lire : « Retour de l'Étranger - Références des maisons où Louis a travaillé avant d'aller au Régiment - premières amours havraises- » Si ce dossier ne contient aucun document relatif à ces premières amours, il est en tout cas permis de penser que Louis profita pleinement de ces longues vacances. Elles allaient être les dernières de sa jeunesse.

On a bien l'impression que c'est là qu'elle s'achève, lorsque se referment sur lui les portes du quartier du 12e « Cuir » à Rambouillet, antichambre des champs de bataille dont il est revenu vivant, mais déchiré pour le reste de sa vie.

Il resta profondément marqué par ses années de jeunesse, et bien qu'il ait été souvent séparé des siens, il s'en souvint comme autant d'années d'insouciance et de bonheur, qui sont demeurées dans sa mémoire comme une inépuisable féerie dans laquelle il est allé ensuite maintes fois chercher l'inspiration et la matière même de son œuvre.

CHAPITRE VII

Rambouillet

« Quel noble métier que le métier des armes.
Au fait les vrais sacrifices consistent peut-être
dans la manipulation du fumier à la lumière
blafarde d'un falot crasseux?... »

Carnet du cuirassier Destouches, in *Casse-
pipe,* p. 111.

Entre 1871 et 1914, l'opinion des Français à l'égard de l'Allemagne, de la Revanche et de l'Armée, n'a cessé d'osciller du patrio-
tisme le plus traditionnel que pratiquait Fernand Destouches à
l'antimilitarisme le plus intransigeant. Si nombre de nos contemporains déplorent le « mauvais esprit » qui leur paraît régner dans
certaines couches de la population et chez quelques conscrits, ils
recouvreraient un peu de leur sérénité en lisant certains textes de
Jules Renard, Abel Hermant, Remy de Gourmont, ou certaines
résolutions votées à la « Belle Époque » par les Congrès de la
C.G.T. [1].

C'est en 1891 que Jules Renard, plus connu comme l'auteur de

1. Voir à ce sujet l'excellente étude de Raoul Girardet, *la Société militaire dans la
France contemporaine (1815-1939).* Plon, 1953.

Poil de Carotte, écrivit dans le *Mercure de France* : « J'espère que bientôt la guerre de 1870-71 sera considérée comme un événement historique de moindre importance que l'apparition du *Cid* ou d'une fable de La Fontaine. » En 1891 aussi Remy de Gourmont publiait dans le même *Mercure de France* un article intitulé le « Joujou patriotique » dans lequel il ne mâchait pas ses mots : « Personnellement je ne donnerais pas en échange de ces terres oubliées (l'Alsace et la Lorraine), ni le petit doigt de ma main droite, il me sert à maintenir ma main quand j'écris, ni le petit doigt de ma main gauche, il me sert à secouer la cendre de ma cigarette... Le jour viendra peut-être où l'on nous enverra à la frontière, nous irons sans enthousiasme, ce sera notre tour de nous faire tuer, nous nous ferons tuer avec un réel déplaisir : " Mourir pour la Patrie ", nous chantons d'autres romances, nous cultivons un autre genre de poésie. S'il faut, d'un mot, dire nettement les choses, eh bien! nous ne sommes pas patriotes. »

Il ne s'agissait évidemment que d'un son de cloche, prolongé jusqu'aux approches de la Grande Guerre quand Maurice Le Blond écrivait : « Le traité de Francfort, l'Alsace-Lorraine! Il est bien certain que ces questions intéressent de moins en moins l'opinion de la nation... Et chez la jeunesse de vingt ans au surplus, le sentiment de la revanche a presque totalement disparu [1]. »

Jusqu'en 1911-1912 la C.G.T. de son côté ne manquait pas une occasion d'affirmer son antimilitarisme; ainsi cette motion adoptée par le Congrès de Tours en 1897 : « [...] la propagande antimilitariste et antipatriotique doit devenir toujours plus intense et plus audacieuse ». Dans *la Voix du Peuple*, qui était son organe officiel en 1906, le jour même de la Conférence d'Algésiras, la C.G.T. invitait le prolétariat « à refuser de prendre les armes en cas de guerre avec l'Allemagne », idée reprise au Congrès de Marseille en 1908. « Les travailleurs doivent répondre à la déclaration de guerre par : « une déclaration de grève générale révolutionnaire ».

Quant à l'organisation interne de l'Armée, son esprit, son enca-

1. Dans *l'Année nouvelle* de Jean Jaurès (1911).

drement surtout, ils faisaient l'objet de critiques unanimes. Le *Nouveau Manuel du soldat* édité par la Fédération des Bourses du Travail, qui fut abondamment diffusé dans les casernes, affirmait que l'Armée était : « Non seulement l'école du crime mais encore l'école du vice, de la fourberie, de la paresse, de l'hypocrisie et de la lâcheté. » Gustave Hervé dans *le Piou-Piou de l'Yonne* allait encore plus loin : « Conscrits, désertez. Cela vaut mieux que de servir de jouet aux brutes alcooliques et aux fous furieux galonnés auxquels vous serez soumis dans les bagnes militaires. Si vous n'avez pas le courage de déserter, prenez les fusils que l'on vous donnera non pour frapper l'ennemi, mais vos chefs, les bourgeois et les capitalistes. » Idées reprises dans des tracts qui circulaient dans les établissements militaires du type de : « Il est préférable de tuer un général français qu'un soldat étranger. » Et : « Il vaut mieux être libre à l'étranger qu'esclave à la caserne [1]!... »

La littérature de l'époque abonde en romans dans lesquels la vie régimentaire apparaît sous son aspect le plus absurde, la médiocrité des officiers n'y a d'égal que la débilité du corps des sous-officiers accusés de compenser leurs carences par la mesquinerie, la vulgarité et bien souvent par la brutalité. Ainsi pour Lucien Descaves, l'auteur de *Sous-Off* et de *la Caserne*, qui fut le plus ardent défenseur de *Voyage au bout de la nuit* au sein de l'Académie Goncourt, la caserne est : « Le réceptacle de toutes les mauvaises passions, sentine de tous les vices. » Mais le roman qui eut le plus grand retentissement fut *le Cavalier Miserey* d'Abel Hermant, paru en 1887. « Est-ce que l'on a autre chose à faire que de se lever au réveil, d'aller aux classes, de panser son cheval, de manger la soupe et de dormir la nuit?... Et il relisait sur les murs : " *Honneur et Patrie, Gloire à la France* "; il sentait confusément que ces choses-là ne sont point dans la théorie et que l'on ne les lui enseignerait pas [2]. »

C'est ce monde qu'allait découvrir Louis Destouches lorsqu'il se présenta le 3 octobre 1912 aux portes du quartier du 12e régiment de

---

1. Voir à ce sujet Raoul Girardet, *op. cit.*
2. Albin Michel, nouvelle édition de 1925, p. 85.

Cuirassiers à Rambouillet. C'était un régiment prestigieux où les plus grandes traditions de la Cavalerie étaient jalousement conservées. Le drapeau du régiment portait en ses plis les noms d'Austerlitz, Iéna, La Moskowa et Solférino. Mais les officiers du régiment, plus mondains encore si possible que dans les autres unités de cavalerie, s'enorgueillissaient d'appartenir au régiment de prestige des présidents de la République. C'était en d'autres termes un régiment pour la parade où la discipline était de fer, les traditions immuables, les corvées sans limites et les préoccupations morales inexistantes.

Le 12e « Cuir » avait alors installé ses quartiers à Rambouillet dans les anciennes écuries du roi situées en bordure du parc et de la forêt sur l'avenue qui mène au château quand on vient de Paris. Comme en 1912, la cour a toujours ses pavés « plus gros que les têtes » et la grille à l'entrée est encore celle décrite dans *Casse-pipe* : « J'avais attendu devant la grille longtemps. Une grille qui faisait réfléchir, une de ces fontes vraiment géantes, une treille terrible de lances dressées comme ça en plein noir [1]. » Le factionnaire dans sa guérite aurait annoncé : « Brigadier! C'est l'engagé! » et le brigadier aurait répondu du fond du corps de garde : « Qu'il entre ce con-là [1]! »

C'est au *Carnet du cuirassier Destouches* qu'il faut se reporter si l'on veut avoir une relation exacte de certains faits et des sentiments éprouvés par Louis pendant son séjour à Rambouillet. Quand Louis fut blessé au tout début de la guerre de 14 et évacué sur l'hôpital de Hazebrouck, il dut laisser une partie de son paquetage à son ancien, le cuirassier Maurice Langlet, qui conserva ce petit carnet de moleskine noire apparemment sans importance. C'est seulement en 1957, après la publication *D'un château l'autre*, que M. Langlet, qui s'était retiré au Havre, fit le rapprochement entre Destouches et Céline et confia alors le carnet à un autre ancien du 12e, M. André Neufink, qui vint à Meudon le remettre à Céline.

« 3 octobre - Arrivée - Corps de garde rempli de sous-offs aux allures écrasantes. Cabots esbrouffeurs. Incorporation dans un peloton le 4e Lt Le Moyne bon garçon, Coujon [?] méchant faux comme un jeton. - Le Baron de Lagrange [?] (officier sincère et bon mais légèrement atteint au moral par une nervosité et sujet à attaques dont il faudrait je crois rechercher les causes dans les libations excessives de la jeunesse). C'est entouré de cet état-major bigarré que je fais mes premiers pas dans la vie militaire. Sans oublier Servat un ancien cabot cassé... faux et brute, mêlant à un bagout de méridional vantard une roublardise et un égoïsme étrange. Aucune gentillesse ne lui sera trop et combien de fois j'ai mêlé à mes ennuis particuliers les siens ou ceux que je me crée pour lui en éviter. Depuis les dettes jusqu'aux vols dont je ne voulais pas m'apercevoir mêlé à tout cela une nostalgie profonde de la liberté, état peu préparatoire à vous faciliter une instruction militaire[1]. »

A la lecture de ces notes prises sur le vif il semble bien que Louis ait été franchement malheureux à Rambouillet et certains accents du *Carnet* sont bien ceux du *Cavalier Miserey* :

« Je ne saurais dire ce qui m'incite à porter en écrit ce que je pense. A celui qui lira ces pages. Cette triste soirée de novembre me reporte à treize mois plus tôt au temps de mon arrivée à Rambouillet, loin de me douter de ce qui m'attendait dans ce charmant séjour. Ai-je donc beaucoup changé depuis un an, je le crois... car la vie de quartier au lieu de me plonger dans une [?] (rage... avec la tristesse avec état... à langueur) état d'où je ne sortais alors que l'esprit bourré de résolutions, hélas, jamais réalisables, alors qu'aujourd'hui complètement façonné à la triste vie que nous menons je suis empreint d'une mélancolie dans laquelle j'évolue comme l'oiseau dans l'air ou le poisson dans l'eau[2]. »

Un peu plus loin il expliquait que ses notes avaient pour seule fin de marquer dans sa vie une époque peut-être bien remplie,

1. *Casse-pipe suivi du Carnet du cuirassier Destouches*, pp. 110-111.
2. *Ibid.*, pp. 109-110.

mais « la première vraiment pénible [1] » qu'il ait traversée, ajoutant que ce ne serait sans doute pas la dernière et confessant que depuis son arrivée au régiment il avait subi « de brusques sautes physiques et morales [2] ».

Mais les accents du *Cavalier Miserey* se retrouvent plus encore ici : « Que de réveils horribles [*angois*] [*que*] aux sons si faussement gais du trompette de garde vous présentant à l'esprit les rancœurs et les affres de la journée d'un bleu. Ces descentes aux écuries dans la brume matinale. La [*course*] sarabande des galoches dans l'escalier la corvée d'écurie dans la pénombre [3]. » Et plus loin : « Que de fois je suis remonté du pansage et tout seul sur mon lit, pris d'un immense désespoir, j'ai malgré mes dix-sept ans pleuré comme une première communiante [4]. »

Ce grand gamin qui se croyait un homme en vint à douter de sa virilité : « Alors j'ai senti que j'étais vide que mon énergie était de la gueule et qu'au fond de moi-même il n'y avait rien que je n'étais pas *un homme* je m'étais trop longtemps cru tel peut-être beaucoup comme moi avant l'âge peut-être beaucoup le croient encore quoique plus vieux et en de mêmes circonstances sentiraient aussi leurs cœurs partir à la dérive comme une bouteille à la mer ballottée par la vague les injures et la croyance que cela ne finira jamais alors là vraiment j'ai souffert aussi bien du mal présent que de mon infériorité virile et de la constater [5]. »

Aveux dont on retrouva l'écho quelque vingt-trois ans plus tard dans *Casse-pipe* lorsque, au maréchal des logis Rancotte qui réclamait le mot de passe perdu par une escouade (un nom de bataille qui n'avait rien à voir avec un nom de fleur), le planton responsable, authentique fantôme de Louis Destouches, répondait en larmes : « Maman!... Ma... ma... qu'il hurle alors... Ma...man... Mar...gue...rite... ». Ce n'est pas l'effet du

1. *Casse-pipe suivi du Carnet du cuirassier Destouches*, p. 110.
2. *Ibid.*, p. 110.
3. *Ibid.*, p. 111.
4. *Ibid.*, p. 112.
5. *Ibid.*, p. 112.

hasard s'il s'agissait justement du prénom de Mme Destouches [1].

Louis, qui dans ses notes écrites à Rambouillet à l'âge de dix-huit ans fait état de sa « nostalgie profonde de la liberté », a dû beaucoup souffrir à l'idée qu'il se trouvait engagé dans cette galère pour trois pleines années [2].

Le *Carnet du cuirassier Destouches,* dans lequel on relève si souvent les mots « triste », « tristesse », « mélancolie », « langueur », et aussi [*angois*], « désespoir », « nostalgie », « vide », « abîme », montre que la condition militaire lui fut insupportable. Sa vie au 12e « Cuir » n'a pas été facilitée par des amitiés qu'il aurait pu établir avec d'autres cavaliers. Il ne semble jamais avoir dépassé le stade de la camaraderie car le recrutement du régiment, essentiellement rural, était d'un niveau très moyen. Il faut ajouter à cela les brimades dont les bleus faisaient l'objet, non seulement de la part des officiers et des sous-officiers, mais également de la part des hommes de troupe plus anciens, ce dont il s'est aussi ouvert dans son *Carnet :* « Au cours des élèves brigadiers pris en grippe par un jeune officier plein de sang en butte aux sarcasmes d'un sous-off' abruti ayant une peur innée du cheval [3]... » En plus Louis avait peur des chevaux, qu'il devait pourtant approcher constamment pour les panser, les nourrir et les monter. Il faut avoir participé à des *reprises* dans un manège militaire pour savoir le cauchemar vécu par ceux qui ne sont pas doués, qui sont maladroits ou qui ont simplement peur. Les chevaux s'énervent, les cavaliers tombent, ils se font injurier et les hurlements des sous-officiers ajoutent à la confusion et à la panique des hommes et des bêtes.

Louis a tant souffert de tout cela qu'il a songé à déserter, ce qu'il avoua sans ambiguïté dans son *Carnet :* « [...] je commençais sérieusement à envisager la désertion qui devenait la seule échap-

---

1. *Casse-pipe,* p. 100.
2. Le service militaire, qui était antérieurement de deux ans, avait été précisément porté à trois ans en 1912, contre l'avis de la gauche — surtout des socialistes —, et très curieusement avec l'appui des étudiants de la Sorbonne, qui avaient soutenu le projet du gouvernement.
3. *Casse-pipe suivi du Carnet du cuirassier Destouches,* p. 111.

patoire de ce calvaire[1] ». D'après Charlotte Robic, cousine germaine de Louis, il aurait réuni un attirail d'alpiniste dans sa chambre du passage de Choiseul où il ne couchait plus depuis que ses parents habitaient rue Marsollier. Son père aurait tout découvert et serait alors entré dans une formidable colère digne de *Mort à crédit*. Il y a dans cette version des faits une forte dose d'invraisemblance, car il n'était nullement nécessaire de disposer d'un tel équipement pour s'évader du quartier de la vénerie dont il sortait souvent en permission et qui n'avait vraiment rien d'une forteresse. A moins que Louis, avec son sens de la mise en scène, ait effectivement rassemblé ces signes extérieurs de révolte pour alarmer ses parents et donner plus de poids à ses velléités. Peut-être avait-il aussi besoin de ces accessoires de théâtre pour se convaincre lui-même de sa résolution!

D'après le même témoignage, peu après avoir renoncé à son projet de désertion, Louis aurait dégainé son sabre contre un officier, le lieutenant Jozan, qui le poursuivait depuis longtemps de sa hargne. Un tel comportement aurait à coup sûr conduit son auteur devant le Tribunal militaire. Or nous savons que Louis, non seulement n'a pas comparu devant cette juridiction, mais qu'il a été nommé brigadier, puis maréchal des logis, ce qui donne à penser qu'il ne s'est pas rendu coupable d'un tel manquement à la discipline.

Il n'en est pas moins vrai qu'il y eut un incident à Rambouillet ainsi qu'en témoigne le brouillon de la lettre adressée par M. Destouches à M. Lacloche : « Je n'ai pas besoin de vous rappeler l'incident survenu depuis son arrivée au régiment puisqu'il s'en est ouvert paraît-il à vous-même et que c'est sur vos sages conseils qu'il s'est ressaisi et qu'il est revenu à plus de sang-froid. » Ce passage a été remplacé par les mots : « Depuis son arrivée au régiment son attitude me cause de sérieuses appréhensions et pour décider de la conduite à tenir à son égard je souhaite vivement avoir un entretien avec vous. »

---

1. *Casse-pipe suivi du Carnet du cuirassier Destouches*, p. 111.

Ce qui est certain c'est que M. et Mme Destouches ont su que Louis avait l'intention de déserter. L'ont-ils découvert par eux-mêmes? L'ont-ils appris par les officiers de son régiment? Ou Louis s'en est-il carrément ouvert à eux? Toujours est-il que Marguerite Destouches a pris sur elle d'aller à Rambouillet plaider la cause de son fils. Le lieutenant Dugué Mac-Carthy, qui a incontestablement reçu la mère de Louis, était un homme remarquable. Sorti de Saint-Cyr en 1911 avec la promotion « In Salah », affecté au 1er Cuirassiers à Paris puis au cours des lieutenants d'instruction à Saumur en 1909, il avait été ensuite nommé au 12e Cuirassiers à Rambouillet. Plus tard, en décembre 1914, comprenant que la guerre serait une guerre de fantassins, il demanda et obtint son détachement dans l'infanterie. Affecté au 159e d'Infanterie alpine qui combattait en Artois, il y trouva la mort à Souchet le 18 juin 1915, jour du centenaire de la bataille de Waterloo.

Le lieutenant Dugué Mac-Carthy n'avait rien de commun avec les officiers du *Cavalier Miserey,* ni avec les officiers mondains si souvent dénoncés par la presse et la littérature. Il appartenait au contraire à ce type d'officiers qui avaient adopté les théories exposées par Lyautey dans « le Rôle social de l'officier dans le service militaire universel [1] ». Hubert Lyautey, qui n'était alors que capitaine, mit ses propres théories en pratique quand il fut à la tête du 4e Chasseur à Saint-Germain, se préoccupant du sort de ses hommes en dehors des heures de service, organisant des cantines, des foyers, des distractions, etc.

Le lieutenant Dugué Mac-Carthy avait fait de même à Rambouillet en constituant notamment une chorale et une troupe théâtrale qu'il animait lui-même. Marguerite Destouches fut donc bien reçue par cet officier exemplaire qui comprit que le cas de Louis méritait d'être traité autrement que par le « falot [2] ». Grâce à lui, grâce aussi sans doute aux exhortations de ses parents et peut-être aux bons conseils de M. Lacloche, Louis rentra dans le rang.

Pour les sorties le soir dans la ville de Rambouillet, dont les bis-

1. Paru dans *la Revue des Deux Mondes* du 15 mars 1891.
2. Tribunal militaire.

trots étaient lugubres, ou les courtes permissions à Paris, Louis s'était fait faire un uniforme « fantoche ». Il n'était pas insensible au plaisir de parader et savait le prestige dont jouit celui qui porte bien l'uniforme — vanité qu'il partageait avec Drieu qui presque à la même époque choisit la cavalerie lourde « pour être corseté de fer, porter crinière et montrer de longues cuisses rouges [1] ». Hormis ces menus plaisirs, il n'y avait vraiment pas grand-chose qui vienne rompre la monotonie de la vie au quartier de la Vénerie.

Il a cependant fait silence, dans son *Carnet*, sur quelques événements, comme s'il ne voulait déjà se souvenir que des épisodes mélancoliques et malheureux. Ainsi aucune allusion aux chasses de la duchesse d'Uzès auxquelles participaient pourtant les officiers du régiment, ce qui permit à Louis d'assister de temps à autre à des scènes propres à frapper l'imagination de l'ancien gamin du passage de Choiseul : « La tenue de l'équipage est rouge écarlate, raconte Lenôtre [2], culotte courte, bas blancs, hautes bottes, le cor à l'épaule, les hommes sont coiffés de la cape enfoncée jusqu'aux sourcils, les chasseuses portent le tricorne... et quand arrive la duchesse vêtue de noir, la dague de maître d'équipage au côté [2]... » Devant Jacques Darribehaude et Jean Guénot, il s'est cependant souvenu qu'il avait assisté aux chasses de Rambouillet mais comme victime en quelque sorte : « Oui la conscience sociale... j'ai assisté aux chasses du prince Orloff et de la duchesse d'Uzès, quand j'étais cuirassier, et nous tenions les chevaux des officiers. Je me rappelle bien la duchesse d'Uzès, à cheval, la vieille rombière, et le prince Orloff, avec tous les officiers du régiment, et j'avais pour mission de tenir les chevaux... Ça s'arrêtait là. Du bétail absolument nous étions. C'était bien entendu, c'était une affaire entendue [3]. »

Dans *Féerie pour une autre fois*, écrit au Danemark pendant les années d'exil, Louis-Ferdinand Céline évoqua aussi les chasses de

1. Drieu La Rochelle, « Paris part pour la guerre », *les Annales* du 3 août 1934.
2. *Le Château de Rambouillet six siècles d'histoire*, Calmann-Lévy, 1948, p. 245.
3. *Cahiers Céline* 2, p. 164.

Rambouillet en termes plus graves, se comparant au gibier traqué par les chasseurs :

« Je sais, je connais l'hallali, j'ai assisté à des chasses du temps que je servais " cavalier "... personne prend partie pour le cerf... plus on le déchire plus on jouit, plus cent chiens le dépècent, plus son cœur à vif palpite plus c'est émouvant! Ah l'admirable agonie!...
» — En voulez-vous du pied, duchesse? Toute l'Europe pour moi est forêt et meute et veneurs... tenez la preuve mes murs ici... Ces sanglots!... et les trompes! je me marre! j'aboye!... si je leur fourvoye leurs saloperies... le ranz! oui! vaches! vaches! pleurez cuivres! Je les ferai encorner les duchesses! brûler, déchirer, oui! casseroles! poix! que ça bouille! chaudrons! tout [1]! »

Même silence sur les cérémonies qui n'avaient pas dû le laisser insensible, lui qui se fit photographier dans son uniforme rutilant, selon l'usage de l'époque, et qui éprouva quelques satisfactions à se montrer passage de Choiseul en grande tenue, fort de la puissance et de la virilité que confère l'uniforme, provoquant une sensation d'autant plus forte que le choc était porté au cœur des événements de son enfance, dans un petit monde sans gloire où l'humiliation était pain quotidien.

Il arriva tout de même à Louis d'évoquer, notamment dans une lettre à Milon : « Les cortèges royaux, les éperons collés au flanc, les sabres et les cuirasses étincelant d'éclairs... » et avec plus de mélancolie la revue de Longchamp dont le souvenir apparaît dans une lettre écrite de Douala en 1916 à Simone Saintu : « Aujourd'hui 14 juillet, où suis-je? Je ne le sais pas au juste moi-même, je sais qu'il y a deux ans j'étais à Longchamp, au milieu de tant d'autres qui ne sont plus, et depuis il s'est passé beaucoup, beaucoup de tristes choses. »

La revue du 14 juillet 1914 a été racontée par Céline dans *Féerie pour une autre fois* [2] : « [...] à Longchamp, tambours et trompettes! comme si j'y étais! à Longchamp avant le grand

1. *Féerie pour une autre fois* I, p. 127.
2. *Ibid.* I, pp. 200 et suiv.

Juillet! » Il se souvenait alors des « trépignements des patriotes...
cent mille gueules ouvertes [...] » et de la foule bigarrée dans les
tribunes, ombrelles, aigrettes, boas, mousselines, plumes à flot,
qui formaient autant de taches de couleur au milieu desquelles se
détachait la figure grise de Raymond Poincaré venu présider la
cérémonie : « [...] en haut des tribunes, le petit Zan tout noir, c'est
lui!... c'est le Président!... la petite mie de pain grise : sa figure!... »
Évocation d'une fête dérisoire dont la guerre allait renvoyer
quelques jours plus tard un écho défiguré : « Ceux qui vont mourir vous saluent! »

Dans *Rigodon* aussi, quelques souvenirs brillants de ce temps
de Rambouillet lorsque le régiment se déplaçait près d'Orléans
pour de grandes manœuvres où il n'était encore question que de
jouer à la guerre : « [...] dans un autre genre, bien mémorable, j'ai
vu ce qu'on ne reverra jamais : les grandes manœuvres de cavalerie,
1913, du camp de Cercottes, déploiements, mouvements tournants
en fourrageurs, sept divisions!... à la trompette [1]!... »

Devant Claude Bonnefoy à qui il parla aussi de la revue de
Longchamp, il évoqua un épisode moins coloré mais cependant
marquant de sa vie sous les drapeaux : « On nous a envoyés dans
les grèves aussi. Je me souviens d'un premier mai, rue des Pyramides, où nous nous sommes trouvés face à des travailleurs révo-
lutionnaires qui nous jetaient des pierres. Ils étaient peu nombreux, une quarantaine à peu près. Le douzième cuirassier, composé
de paysans bretons qui parlaient à peine le français, ne risquait
pas de fraterniser. C'était pour cela qu'on nous appelait [2]... »

Entrepris vingt-trois ans plus tard, *Casse-pipe* est l'aboutissement
élaboré des impressions de 1913; une œuvre mince après le monument de *Mort à crédit*. Les années de Rambouillet apparaissent
blêmes et bêtes comme la vie militaire dont il escamote les fastes
pour ne retenir que le sordide : « C'était chaud dans le fond de la
mouscaille, gras et même berceur », et bien sûr : « Le crottin autour

---

1. *Rigodon*, p. 825; voir aussi p. 882.
2. *Cahiers Céline* 2, p. 212.

de nous, de plus en plus culminait. Ça se collait bien avec l'urine, ça faisait des remblais solides, des épaisses croûtes bien compactes [1]. »

Mais en réalité Louis ne fut pas l'ahuri complet que l'on pourrait imaginer à la lecture de *Casse-pipe,* il fut nommé brigadier le 5 août 1913, puis maréchal des logis le 5 mai 1914, soit quelques jours avant la mort du colonel Ditschneider, remplacé à la tête du régiment par le colonel Blacque-Belair. Devenu sous-officier, il pouvait espérer connaître des jours meilleurs, une vie matérielle plus facile, mais l'orage montait, bientôt ce serait l'été 14. Louis ne savait pas encore qu'il allait au-devant de nouveaux déchirements, et qu'il allait devoir pleurer d'autres larmes que celles qu'il avait versées comme une « première communiante » certains soirs à Rambouillet, après l'extinction des feux, en se cachant sous les draps.

1. *Casse-pipe,* pp. 62 et 63.

CHAPITRE VIII

Poelkapelle

« On est puceau de l'Horreur comme on l'est de la volupté. »

Voyage au bout de la nuit, p. 17.

Avec le recul dont nous disposons maintenant il semble que les grandes nations de la vieille Europe, mues par une sorte d'instinct autodestructeur et fratricide, se soient inexorablement acheminées vers un massacre général qu'aucun génie politique ne pouvait éluder. La guerre est montée lentement, d'abord dans les esprits, dans les rues, dans les cafés, dans les faubourgs, autour des tables familiales. Elle est montée aussi dans les écoles, dans les campagnes et dans les ateliers, préparée dans les états-majors, voulue par certains milieux politiques, combattue par d'autres, elle s'est finalement imposée à tous, inévitable comme la mort qu'elle allait engendrer.

Depuis 1905, les crises internationales s'étaient succédé de plus en plus rapprochées et de plus en plus intensément ressenties. En 1905, le Coup de Tanger : Guillaume II, *l'Empereur au Petit Bras*, débarquait à Tanger, pantalonnade qui fut reçue en France comme une gifle et comme un défi. Conférence d'Algésiras en janvier 1906, opération diplomatique montée par Guillaume qui tourna finalement à sa confusion. Affaire des déserteurs de Casablanca en septembre 1908, lorsque six déserteurs de la Légion étrangère, dont trois étaient allemands, furent arrêtés par les autorités françaises bien que porteurs d'un sauf-conduit qui leur avait été délivré par le consul d'Allemagne. Affaire d'Agadir, le 1er juillet 1911, quand une canonnière, la *Panther*, fit une démonstration devant la ville sous prétexte de protéger les intérêts allemands. Et puis, la crise bosniaque qui ne cessa d'empoisonner les relations entre les membres de l'Entente cordiale et le bloc formé par l'Allemagne et l'Autriche et fut à l'origine de la guerre lorsque, le 28 juin 1914, l'héritier du trône d'Autriche, l'archiduc François-Ferdinand, et son épouse s'écroulèrent sous les balles d'un terroriste serbe à Sarajevo.

Jamais peut-être dans l'histoire du monde on ne s'était aussi joyeusement précipité au massacre. En France comme en Allemagne la déclaration de guerre suscita dans toutes les couches de la population un immense enthousiasme. Louis Destouches, comme tous les hommes de sa génération, partit pour la guerre, la fleur au fusil, parce qu'il ne savait évidemment pas que c'était au « Bal des Ardents » qu'il était convié.

Le 3 août 1914, deuxième jour de mobilisation et jour même de l'ouverture des hostilités, il écrivait à son oncle Charles : « [...] qu'il arrive quoi que ce soit vous pouvez être sûr que son fils aura fait son devoir ». Dès le 31 juillet son régiment avait fait mouvement et, avant de quitter Rambouillet, Louis avait écrit à ses parents une lettre grave qui témoigne de ses sentiments patriotiques : « Chers Parents : L'ordre de mobilisation vient d'arriver nous partons demain matin à 9 h 12 pour Étain dans les plaines de la Voeuvre [1] je ne crois pas qu'un engagement ait lieu avant quelques jours je vous tiendrai jusque-là au courant des menus incidents de la route, par télégramme. » Et après leur avoir dit sa surprise à l'arrivée du télégramme de mobilisation : « [...] c'est

---

1. Il s'agissait de la Woëvre.

une impression unique que peu peuvent se vanter d'avoir éprouvée » et il leur racontait le calme avec lequel chacun se préparait pour la bataille : « Tout le monde est à son poste confiant et tranquille cependant la surexcitation des premiers moments a fait place à un silence de mort qui est le signe d'une brusque surprise. Quant à moi je ferai mon devoir jusqu'au bout et si par fatalité je ne devais pas en revenir... soyez persuadé pour atténuer votre souffrance que je meurs content, et en vous remerciant du fond du cœur. Votre fils. »

Plus tard il se souvint de cette journée mémorable avec infiniment d'amertume parce qu'il savait alors ce qu'elle présageait. Ainsi, écrivant à Simone Saintu le 31 juillet 1916 : « Voici aujourd'hui deux ans que je quittai Rambouillet pour la grande aventure, et depuis ce temps on a tué beaucoup, et on tue encore, inlassablement, fastidieusement. »

L'ambiance très particulière qui fut celle du 31 juillet 1914 à Rambouillet est bien décrite dans l'historique du 12e régiment de cuirassiers :

« Le 31 juillet 1914, le quartier du 12e cuirassiers, à Rambouillet, présentait l'aspect particulier d'un quartier de cavalerie à la veille des grandes manœuvres. Les hommes étaient consignés; ils circulaient dans la cour en culotte et bourgeron; ils avaient roulé leurs manteaux, commencé leurs paquetages, vérifié les ferrures. Les journaux leur avaient appris que l'Allemagne poussait des cris de guerre; ils n'en étaient pas autrement troublés, mais ils savaient cette fois que c'était très sérieux.

» Un peu après la soupe du soir, vers les quatre coins du quartier et jusqu'à ce qu'il perdît haleine, le trompette du corps de garde sonna " la Générale ". C'était la guerre. Il y eut quelques instants de fièvre, des cris de jeune enthousiasme et puis le régiment se prépara au départ.

» Le Colonel Blacque-Belair avait reçu, par dépêche, l'ordre de l'embarquer; il devait être employé comme troupe de couverture.

» L'état-major et le 1er escadron embarquèrent dans un premier train, le lendemain matin, au petit jour. Trois autres trains, se succédant de deux heures en deux heures, emportèrent ensuite les trois autres escadrons. »

Le voyage dura vingt-quatre heures, il faisait horriblement chaud, mais le train fut accueilli partout avec ferveur. A chacun de ses arrêts on offrit à boire aux hommes assoiffés, tant par la chaleur qu'à force d'avoir crié une victoire dont ils ne soupçonnaient pas le prix. En descendant de leurs wagons ils découvrirent la petite gare de Sorcy-Saint-Martin. Après avoir franchi un canal, le 2e escadron, auquel Louis appartenait, s'arrêta un moment sur les bords de la Meuse où s'abreuvèrent les 650 chevaux du régiment.

Par petites étapes ils remontèrent vers le nord, chevauchant les forêts de la Woëvre. Ils s'arrêtèrent dans des villages dont les noms n'étaient pas encore synonymes de massacre : Apremont, Xivray, Combres, Fresnes-en-Woëvre, Les Éparges... De temps à autre le régiment détachait des patrouilles de reconnaissance, mais la guerre commençait comme une promenade. Une première semaine passa. C'est alors que l'on se mit à alerter, à tort et à travers, les pelotons, sur des renseignements si vagues qu'ils se lançaient en pure perte dans d'épuisantes randonnées. Tard dans la nuit, ils atteignaient des bivouacs de moins en moins sûrs et bientôt ils n'eurent plus le temps de se dévêtir pour dormir ni de desseller leurs chevaux.

Louis prenait sur ses temps de repos pour écrire à ses parents, affichant un bel optimisme :

« [...] la marée allemande monte toujours mais nous l'étranglerons [...]

» La région est infestée de troupes il y en a près de 200.000 sur notre ligne, pourtant nous n'avons pas encore entendu un seul coup de canon.

» Il est vrai que lorsque cela commencera ce sera pour longtemps et très fort. Toutes les pentes sont garnies de tranchées et le soir la plaine de la Woëvre est inondée du feu des forts sans que cependant cela éclaircisse la situation qui nous apparaît comme fort ténébreuse [...] »

Il leur parlait aussi de son moral et de la vie de tous les jours :
« Le moral est très bon, et après le léger affolement des premiers jours consécutif au nouvel état de choses, le calme renaît dans les esprits et à peu de choses près le moral est le même que celui d'une troupe en manœuvre.
» Il est vrai que nous n'avons pas encore été au feu...
» Nous dormons par bribes de droite et de gauche et au point tel que l'on peut dormir jusqu'à dix fois dans la journée par fractions de 10 minutes à 2 heures c'est du reste la seule façon car il n'existe pas de repos continu.
» Depuis 9 jours je ne me suis pas déchaussé et probablement qu'il en sera ainsi durant toute la campagne [...] [1]. »

Fatigue et absolu besoin de sommeil qui sont le lot habituel des troupes en campagne et qu'il évoqua dans de nombreuses pages de *Voyage au bout de la nuit* : « Ah! l'envie de s'en aller! Pour dormir! D'abord! [...] Un mois de sommeil sur chaque paupière voilà ce que nous portions et autant derrière la tête, en plus de ces kilos de ferraille [2]. »

Le 11 août ils cantonnaient à Mesnil-sous-les-Côtes lorsqu'ils entendirent le canon pour la première fois. Dix jours plus tard, comme ils se portaient vers Audun-le-Roman, ils reçurent le baptême du feu et virent le village de Malavilliers s'effriter sous leurs yeux, pilonné par l'artillerie allemande. Les obus pleuvaient encore à midi quand ils se replièrent sur Spincourt. A la fin du mois ils passèrent en Argonne, l'ennemi rôdait partout et les patrouilles s'accrochaient souvent pour de brèves escarmouches dont la plus fameuse eut lieu le 4 septembre. Ce jour-là le sous-lieutenant Danbon, jeune officier que la guerre avait surpris à Saint-Cyr, pointa un dragon allemand et en sabra un autre à deux kilomètres

1. Sans date.
2. *Voyage au bout de la nuit*, pp. 29 et 30.

de Sainte-Menehould tandis que le cavalier Le Bas transperçait un dragon ennemi. Ce fait d'armes, qui est relaté dans l'historique du régiment, Céline s'en souvenait encore lorsqu'il écrivit *Voyage au bout de la nuit,* montrant une fois de plus combien son œuvre est autobiographique, malgré ses transpositions et ses outrances : « Un matin en rentrant de reconnaissance, le lieutenant de Sainte-Engence invitait les autres officiers à constater qu'il ne leur racontait pas de blagues. " J'en ai sabré deux! " assurait-il à la ronde, et montrait en même temps son sabre où, c'était vrai, le sang caillé comblait la petite rainure, faite exprès pour ça[1]. »

Le 10 septembre, en appuyant le 6e corps qui se débandait faute de munitions, le 12e « Cuir » apporta une contribution décisive à la bataille de la Marne car les Allemands étaient agglutinés autour du fort de Troyon et menaçaient de traverser la Meuse. Alors ils découvrirent le vrai visage de la guerre. La tuerie fut effroyable et le combat dura trois jours : « La lutte s'engage formidable, écrivit-il à ses parents, jamais je n'ai vu et verrai tant d'horreur, nous nous promenons le long de ce spectacle presque inconscients par l'habitude du danger et surtout par la fatigue écrasante que nous subissons depuis un mois il se fait avant la conscience une espèce de voile nous dormons à peine trois heures par nuit et marchons plutôt comme des automates mus par la volonté instinctive de vaincre ou de mourir Pas de nouveau sur le champ de bataille presque sur la même ligne de feu depuis 3 jours les morts sont remplacés continuellement par les vivants à tel point qu'ils forment des monticules que l'on brûle et qu'à certain endroit on peut traverser la Meuse à pied ferme sur les corps allemands de ceux qui tentèrent de passer et que notre artillerie engloutit sans se lasser. La bataille laisse l'impression d'une vaste fournaise où s'engloutissent les forces vives de deux nations et où la moins fournie des deux restera la maîtresse[2]. » Ainsi se trouvait comblé le vœu qu'il avait exprimé dans le *Carnet du cuirassier Destouches :* « Mais ce que je veux avant tout c'est vivre une

1. *Voyage au bout de la nuit,* p. 34.
2. Sans date.

vie remplie d'incidents que j'espère la providence voudra placer sur ma route[1] [...] »; cette lettre montre en tout cas qu'en pleine bataille, il se posait déjà les questions qui trouveront leur énoncé dans *Voyage au bout de la nuit* ou dans sa correspondance :
« J'éprouve un profond dégoût pour tout ce qui est belliqueux. Je me demande à quel point une victoire achetée au prix de la consomption d'un pays est une victoire.
» Je n'ai plus d'enthousiasme que pour la paix[2]- »
Au milieu des péripéties les plus tragiques de cette existence, en pleine apocalypse, il ne perdit jamais ce sens de l'humour et de la caricature qui sont une constante de son œuvre. Il possédait au plus haut point l'art de faire surgir le comique et le grotesque au cœur des pires situations; ainsi dans une lettre à ses parents : « [...] notre lieutenant-colonel a été évacué pour varices. Je crois qu'il se bombera d'avancement [...] », détail qui ne figure évidemment pas dans l'historique du régiment! « Nous couchons tous dans la même grange. Les distances existant entre officiers et la troupe sont joliment rétrécies elles n'existent même plus du tout Tout le monde à la gamelle Colonel compris seuls subsistent quelques œufs car les poules pondent toujours même en cas de guerre aussi la ruée est telle que lorsqu'elles commencent à chanter pour annoncer l'événement 50 poilus se précipitent pour le gober[3] [...] »
Beaucoup plus tard, au mois d'août 1939, Céline a raconté certains épisodes comiques de cette période de sa vie à Pierre Ordioni qui les a recueillis et publiés[4] : « Dans un village à l'abreuvoir, bombardement, mon cheval m'échappe. Pas moyen de le rattraper. On retraite bien sûr. Moi, à pied derrière l'escadron. Je le perds de vue. A travers un bois, dans un layon, un cheval tout seul. Sans cavalier. Évidemment, pas le mien! Attaché par la bride à un bouleau. Une bête magnifique. Avec un harnachement grand

1. *Casse-pipe suivi du Carnet du cuirassier Destouches*, p. 114.
2. Lettre à Simone Saintu du 11 décembre 1916.
3. Sans date.
4. Pierre Ordioni, *Commandos et cinquième colonne en mai 1940*. Nouvelles éditions latines, 1970, pp. 7-17.

luxe. Je saute dessus. Pas de veine : je n'avais pas rassemblé les rênes qu'un officier anglais sort d'un buisson tenant sa culotte à deux mains et qui court sur moi en criant. Je pique des deux et détale. Sorti du bois, j'entendais encore le British hurlant de colère. Je rallie la colonne. L'adjudant d'escadron me dit : " Destouches, où avez-vous trouvé cette bête? — Cheval de prise, mon lieutenant. " Si j'avais poussé, j'étais cité. Mais c'était avant l'invention de la croix de guerre. Je me suis contenté de l'appeler *Uhlan*. Seulement, j'ai passé toute la nuit à gratter les marques de son sabot. J'étais redevenu quelqu'un [1]. » Un homme sans cheval en effet, ce n'était vraiment rien.

Céline a également raconté à Pierre Ordioni : « Le lieutenant nous fait mettre en fourrageurs. Tout le peloton. Au trot. Au galop. Il faisait des moulinets avec son sabre. Et des changements de pied au galop. Très à l'aise sous la mitraille, le bougre. Nous, on serrait les fesses. On croyait qu'il allait crier " Chargez! " Il hurle : " Maréchal des Logis! " Je pousse à sa hauteur et il me cria : " Foutez dedans ce cosaque qui monte *Gouverneur* et qui tient son sabre comme un cierge. Faites-moi pointer ce bedaud de malheur. " Dans ce temps-là, on changeait quelquefois de cheval mais jamais de lieutenant. On restait quinze ans lieutenant! Depuis deux ans, on avait le même lieutenant et les mêmes bonshommes. Eh bien, vous me croirez si vous voulez, notre chef de peloton, sous la mitraille, était capable de reconnaître à trente mètres un cheval, mais pas de mettre un nom sur l'homme qui le montait! » Ajoutant : « [...] dans la lourde, ce n'était pas le cavalier qui comptait, mais le bourrin. C'est le cheval qui charge. Allez donc arrêter un cheval qui s'emballe, entraîné par les autres! Et, à plus forte raison lui faire faire demi-tour, si la peur vous prend au ventre! Le bonhomme n'a plus qu'à s'efforcer de rester dessus et à donner de grands coups de sabre à droite et à gauche pour dégager ses abords. C'est le bourrin qui fait du cavalier un héros! Comme à Waterloo! A Floing! A Reischoffen! Que de raclées, mais

---

1. Pierre Ordioni, *op. cit.*

de la gloire! Que de conneries, mais du panache [1]! » Propos désabusés sur le courage, la gloire et l'héroïsme dont Céline a dit
maintes fois ce qu'il pensait : « Le culte du Héros c'est le culte de
la veine [2] », écrivait-il avec le même mépris qu'avait Abel Hermant
quand il affirmait : « L'héroïsme n'exige aucune maturité d'esprit [3]. »

Après avoir piétiné plusieurs jours sur la ligne Loison-Étain,
le 12e « Cuir » redescendit vers le sud et le 22 septembre il manqua
de se faire encercler dans Saint-Mihiel. Les jours suivants ses escadrons se déployèrent autour d'Apremont et Xivray, toujours pilon-
nés par l'artillerie allemande qui s'était emparée de la butte de
Montsec, dont il ne restait pratiquement rien. Le 1er octobre le
régiment se retrouva à Sorcy-Saint-Martin dans la petite gare où
il était arrivé deux mois plus tôt. Il y fut embarqué dans un train
à destination d'Armentières où il arriva le 4 au matin. Du train
qui contournait Paris, Louis griffonna une carte à ses parents :
« En vous écrivant je vois la Tour Eiffel nous partons nous battre
ailleurs [4] [...]. »

La région d'Armentières, toute en bocages coupés de canaux et
de fossés profonds, était bien peu propice au déploiement d'un
régiment de cavalerie lourde et encore moins aux charges. C'est
peut-être pour cela que les communiqués indiquaient souvent après
les engagements que « l'issue en avait été confuse à cause de la
nature de terrain ». Le 5 octobre au soir les Allemands s'emparèrent
des ponts que les cuirassiers reprirent le lendemain, pénétrant
dans le bourg de Deûlemont qui avait été totalement mis à sac par
l'ennemi. Plusieurs pelotons s'en allèrent prendre les avant-postes
sur la Deûle et le premier demi-régiment auquel appartenait Louis
poussa jusqu'à Warneton qui avait été abandonné précipitamment
par les Allemands, puis jusqu'à Comines qui servit probablement
de modèle à « Noirceur-sur-la-Lys » dans *Voyage au bout de la*

1. Pierre Ordioni, *op. cit.*
2. *Bagatelles pour un massacre*, p. 138.
3. *Xavier ou les Entretiens sur la grammaire française*, chap. V.
4. Carte postale au crayon parvenue rue Marsollier le 4 octobre.

nuit. A Comines, ils repérèrent une colonne de Uhlans qui faisait route sur Ypres avec deux batteries.

Le 8 octobre, au retour d'une mission de reconnaissance qui faillit tourner mal, le maréchal des logis Destouches croisa pour la première fois la mort de très près dans les bois de Ploegsteert. Tandis que le trompette Chaligne était tué à ses côtés d'une balle dans la tête, le lieutenant Jozan s'affalait sur sa monture, atteint à la cuisse droite. C'est avec lui que Louis avait eu des difficultés à Rambouillet : « On s'était bien fait arroser par un petit poste d'infanterie au passage... On rentrait de reconnaissance, à la queue leu-leu. On était tombé dessus sans le voir. Il avait son compte, des Oncelles. Le sang lui découlait à flot de dessous sa cuirasse [1]. » Le maréchal des logis Destouches sauva la vie du lieutenant Jozan en le ramenant dans les lignes françaises ficelé sur son cheval, épisode qu'il n'a ensuite évoqué qu'une seule fois, dans *le Pont de Londres* [2] : « [...] Comment j'ai sauvé le capitaine! en le traînant par les cheveux à travers tout le champ de bataille... [...] dans des nuées de balles, un vrai nuage! que le ciel était obscurci tellement ça passait la mitraille épais... par-dessus nous deux... », relation qui tranche singulièrement avec le récit de Robinson crachant sa haine à la face de son capitaine blessé à mort.

Deux jours plus tard, établi au sud de la Lys dans les bois de Biez, puis contraint de se replier sur Neuve-Chapelle, le 12ᵉ « Cuir » livra des combats très meurtriers. Le carnage atteint son paroxysme à Richebourg-l'Avoué dans une mêlée confuse qui s'est achevée par un corps à corps sanglant dans le cimetière du village. Trois jours plus tard, la tuerie reprit au sud d'Estaire, et le 14 octobre à Pont-Richon. Finalement le régiment, qui n'en pouvait plus, fut relevé le 15 à midi et reçut l'ordre de se diriger sur Hazebrouck et sur Houdeghem où il prit ses cantonnements. Il n'y resta que vingt-quatre heures car la division, qui devait aller en repos, reçut l'ordre de contenir l'ennemi sur le canal d'Ypres et sur l'Yser. Les

---

1. Fragment de *Casse-pipe* publié par Robert Poulet et réédité dans *Mon ami Bardamu.* Plon, 1971, p. 172.
2. *Guignol's Band* II, *le Pont de Londres*, p. 34.

Allemands descendaient de Gand et de Bruges en direction de Dunkerque. C'était la course à la mer. Le régiment fit mouvement dès le 16 octobre, remontant vers le Nord. Après avoir traversé Woesten et Steenstraate, il franchit le canal d'Ypres à Furnes et poursuivit son chemin, remontant des colonnes de réfugiés belges, progressant sur des routes défoncées, coupécs de tranchées et de barricades. Autour des cuirassiers, montant au Front ou en revenant, se croisaient dans un immense désordre des troupes de toutes les armes, des Français, des Belges, des Anglais, des Canadiens, des Hindous. Le régiment arriva le 19 octobre à Stadenberg et à Poelkapelle, dont l'ennemi s'emparait dès le lendemain. Le paysage était lugubre, ses longs coteaux sablonneux hérissés de taillis, hachés par les combats. Le ciel était toujours couvert et les nuits déjà très froides. Le 19, le régiment campa sur place, comme il put, quelques heures. Avant le lever du jour il était au contact de l'infanterie allemande qui ne cessait de progresser. A 15 h 30, la situation devint intenable au point qu'il fallut battre en retraite sur Langemarck et prêter main-forte à un bataillon de territoriaux qui se débandait. Louis faisait son devoir comme les autres, sous un déluge de shrapnels, se protégeant comme il pouvait.

La journée du 21 octobre fut un peu plus calme, le régiment détacha six pelotons à l'artillerie et fortifia ses positions autour du village de Langemarck. Le soir, couvert par les escadrons Sainte-Marie et d'Humières qui étaient aux avant-postes, il cantonna à Kortekeer. Le 22, le 12ᵉ « Cuir » prit part avec toute la division à l'attaque de Bixchoote, puis il se replia sous le feu violent de l'ennemi tandis que le 4ᵉ escadron commandé par le capitaine d'Humières se maintenait sur place pour permettre à une unité de chasseurs cyclistes et à un régiment écossais de reprendre l'offensive.

Les 23 et 24 octobre le régiment fit mouvement entre Ypres et Langemarck. Du 25 au 28 octobre, il assura la couverture du flanc gauche du 66ᵉ d'infanterie qui avait reçu mission de reprendre Poelkapelle. Il fallait à tout prix assurer la liaison entre le 66ᵉ et le 125ᵉ régiment d'infanterie rattaché provisoirement à la division. Le premier attaquait Poelkapelle à l'ouest de la route de Saint-

Julian et le second à l'est. Jamais peut-être le feu n'avait été aussi nourri : même les estafettes hésitaient à transmettre les ordres. Le 27 octobre on demanda des volontaires. Louis « s'est offert spontanément [1] ».

Il parvint à accomplir sa mission sans se faire accrocher, mais au retour, vers 18 heures, alors qu'il tentait de rejoindre son unité au grand galop, une balle ricocha et l'atteignit au bras droit.

Deux ans plus tard, le 29 octobre 1916, Louis Destouches décrivit à Simone Saintu comment les choses s'étaient passées :

« Il y a aujourd'hui très exactement 2 ans que je fus amoché, un peu plus du moins.

» Je me rappelle qu'à ce moment, entre la première ligne de tranchée et le poste de commandement, il n'y avait pas de boyaux, à la nuit tombante on pouvait ainsi chercher pendant des heures, à l'aveuglette, le poste de commandement qu'aucune lumière ne révélait naturellement.

» On appelait ça garder les vaches.

» C'est en gardant les vaches que je fus numéroté. »

Où Louis est-il tombé exactement? A Geluwe comme il l'écrivit à Perrot auquel il précisait : « c'est à 2 kil de Poëlkapelle, l'endroit où j'ai pris mon jeton en 14 [2] ». Or Geluwe est situé sur la route d'Ypres à Menen, à une bonne quinzaine de kilomètres de là. Il paraît improbable qu'il ait été si loin de son régiment qui était ramassé dans un secteur minuscule aux portes de Poelkapelle, à moins qu'il ait été contraint de faire un grand détour pour échapper au piège qui s'était refermé sur lui. Trente ans plus tard, quand il écrivait à son ami Perrot, il se trompait, soit sur la distance, soit sur le nom de la commune sur le territoire de laquelle il avait été blessé. Il semble plutôt que l'accrochage se soit produit à proximité immédiate de Poelkapelle, là même où devait s'écraser le « Spad » de Guynemer, foudroyé en plein ciel le 11 décembre 1917.

1. Extrait de la citation à l'ordre de la 7e division de cavalerie et de l'ordre nº 439 « D » en date du 25 novembre 1914.
2. *Les Cahiers de l'Herne*, p. 189.

C'est aussi un peu plus loin, en face d'Ypres, le 29 octobre 1914, tout juste deux jours après que Louis ait été blessé, que fut engagé pour la première fois le 16ᵉ régiment bavarois d'infanterie de réserve, commandé par le colonel List. Pour Adolf Hitler qui en faisait partie, c'était le baptême du feu, et pour lui commençait « le temps le plus inoubliable et le plus sublime de son existence terrestre [1] ».

Dans une lettre qu'il adressa le 5 novembre 1914 à son frère Charles Destouches, le père de Louis ne mentionne aucun lieu précis, seulement les circonstances et la nature de cette blessure :

« Mon cher Charles
» Sous ce pli je te renvoie la lettre de ton ami que je te prie de remercier des vœux qu'il fait en faveur de la prompte guérison de Louis.

» Il a été frappé sous Ypres au moment où sur la ligne de feu il transmettait les ordres de la division à un Colonel d'Infanterie.

» La balle qui l'a atteint par ricochet était déformée et aplatie par un premier choc; elle présentait des bavures de plomb et des aspérités qui ont occasionné une plaie assez large, l'os du bras droit a été fracturé. Cette balle a été extraite la veille du jour où nous avons pu parvenir jusqu'à son chevet; il n'a pas voulu qu'on l'endorme et a supporté l'extraction douloureuse avec beaucoup de courage.

» Le docteur croit pouvoir affirmer que la liberté de jeu du bras ne sera pas compromise mais la blessure est SÉRIEUSE il faudra de longs mois pour rendre au bras sa vie normale à moins de complications que le Médecin ne prévoit pas en raison de la robuste constitution de Louis et de la netteté de son sang. Nous l'avons trouvé assez déprimé moralement sous le coup de la réaction des fatigues continuelles et excessives de ces 3 derniers mois et surtout de tout ce qu'il a vu sous ses yeux; la mort de plusieurs bons camarades l'a particulièrement affecté; il explique que cette camaraderie des champs de bataille est plus profonde qu'on ne peut l'imaginer et

---

1. *Mein Kampf*, cité par Joachim Fest, *Hitler* I. Gallimard, 1973, p. 68.

que lorsque la mort fauche un compagnon il y a toujours parmi ceux qui restent un contrecoup douloureux.

» L'action était tellement chaude, le nombre de morts et de blessés tellement grand que le premier échelon des ambulances ne put le panser, les tentes étaient remplies de morts et de mourants, il a dû faire 7 kilom à pied pour rencontrer le 2ᵉ échelon où la fracture a été réduite en principe et le bras placé dans une gouttière. Pendant tout ce trajet son bras fracturé était maintenu par son ceinturon disposé en baudrier, c'est à dire passé autour de son cou; il devait aller d'Ypres à Dunkerque dans un convoi mais il n'a pu aller jusqu'au bout du trajet tellement la douleur était vive, il lui a fallu descendre à Hazebrouck où un officier anglais l'a conduit à la Croix-Rouge.

» Il se demande encore par quel miracle il se trouve encore de ce monde; la présence du danger aigu de jour et de nuit auquel il a conscience seulement maintenant d'avoir échappé a provoqué chez lui comme chez les autres une surexcitation nerveuse que la privation presque complète de sommeil n'a fait que surexciter. Il a refusé les piqûres de morphine que le Docteur voulait lui faire pour lui rendre un peu le sommeil car il ne dort qu'une heure par-ci une heure par-là et se réveille en sursaut baigné de transpiration. La vision de toutes les horreurs dont il a été le témoin traverse constamment son cerveau. Mais maintenant tout cela se calmera sous l'influence apaisante du lit d'hôpital et des soins dont il est entouré bien que cependant le canon tonne encore aux portes d'Hazebrouck mais c'est une musique à laquelle il est familiarisé.

» Je reproduis TEXTUELLEMENT les termes de la lettre que je viens de recevoir du Capitaine Schneider Commandant le 2ᵉ Escadron du 12ᵉ cuirassier. »

« En campagne sous Ypres Belgique

» Monsieur

» Votre fils vient d'être blessé, il est tombé en brave, allant au-devant des balles avec un entrain et un courage dont il ne s'est pas départi un seul instant depuis le début de la campagne.

» J'ai tenu à vous annoncer moi-même cette blessure pour vous dire la belle conduite dont votre fils n'a cessé de donner l'exemple.

» Signé Capitaine Schneider

» 12ᵉ Cuirassier. »

« Je garde précieusement cette lettre dans mes archives. Bien cordialement à toi. Destouches. »

Informé lui aussi de la triste nouvelle et du comportement exemplaire de Louis depuis le début des hostilités, Georges Destouches répondit poliment qu'il allait écrire à son neveu pour le féliciter. Il promettait également de prévenir tous les membres de la famille, mais dans cette lettre on le sent partagé entre la fierté de compter un héros de plus dans la famille et une sorte de prévention à l'égard de son frère qui allait pouvoir se draper de ce malheur pour jouer à fond son nouveau personnage de père noble. Louis, en effet, ne fut pas le premier Destouches à s'illustrer. Quelques jours avant qu'il ne fût blessé, son cousin Jean Destouches, fils aîné de Georges, s'était porté volontaire pour traverser la Marne à la nage. Une fièvre typhoïde contractée au cours de cet exploit l'avait rendu amnésique et avait nécessité son évacuation à l'arrière.

Georges Destouches était sans doute aussi un peu déçu parce que le comportement de Louis démentait les propos que l'on avait tenus sur lui, sur son incapacité, sa fantaisie et son mauvais esprit.

Le courage et l'intrépidité de Louis sont confirmés par le texte de la citation dont il a fait l'objet : « En liaison entre un régiment d'infanterie et sa brigade, s'est offert spontanément pour porter sous un feu violent un ordre que les agents de liaison de l'infanterie hésitaient à transmettre. A porté cet ordre et a été grièvement blessé au cours de sa mission. »

Profondément marqué par cet épisode tragique de son existence, Louis Destouches avait encore à vivre de multiples aventures et péripéties avant de devenir Louis-Ferdinand Céline. Cependant, jusqu'à la fin de sa vie, qui fut toute hachée de rebondissements et d'accidents épiques, il est resté le cuirassier Destouches, cavalier solitaire et fantasque. Roger Nimier qui le sentait bien lui décocha un jour cette dédicace, en tête des *Épées* : « Au maréchal des logis Destouches, qui paie aujourd'hui trente ans de génie et de liberté, respectueusement Le cavalier de 2ᵉ classe Roger Nimier. Février 49 [1]. »

1. Exemplaire retrouvé en juin 1969 dans le grenier de « Fanehuset », petite maison habitée au Danemark par Céline et sa femme de 1947 à 1951.

CHAPITRE IX

Hazebrouck et le Val-de-Grâce

> « Il me fallait cette grande épreuve pour connaître le fond de mes semblables sur lesquels j'avais de grands doutes. »
> Lettre à Simone Saintu du 31 juillet 1916.

Au passage de Choiseul on fut très légitimement fier de ce comportement héroïque que confirmait une nouvelle lettre, plus détaillée, du capitaine Schneider :

« près d'Ypres, le 30 octobre 1914. Cher Monsieur, il se confirme que la blessure de votre fils que malheureusement je n'ai pu voir moi-même ne serait pas grave. Il a été atteint d'une balle dans les circonstances suivantes : le 27 courant, chargé avec quelques cuirassiers du régiment d'établir la liaison entre des éléments d'infanterie et le commandement, à l'attaque de Poëlkapelle, traversant à plusieurs reprises des zônes les plus dangereuses, il a été, ce jour-là à 18 h frappé d'une balle au bras. Vous pouvez rassurer madame Destouches, cette blessure n'est, paraît-il, pas grave, il n'est pas même question, je crois, de fracture. Mais ce que je tiens surtout à vous redire, c'est combien le courage de votre fils a été admirable. Depuis le début de la guerre on le trouve d'ailleurs partout où il y a du danger, c'est son bonheur, il y est plein d'entrain et d'énergie! Le 27, il marche sans compter, même quand ce n'est pas son tour, sous un feu formidable qui depuis quatre jours est un roulement de tonnerre ininterrompu. Fusillade, mitrailleuses, obus, rien ne l'arrête, et au poste de Commandement du général de Division où j'étais, le Commandant de l'Infanterie a rendu compte que ces cuirassiers s'étaient conduits comme des héros! Ce sont les termes que le colonel a reproduits en citant votre fils à l'ordre du régiment, en faisant l'éloge de sa belle conduite. Je ne sais encore où il aura été évacué, je vous tiendrai au courant de ce que je saurai, il vous écrira sans doute lui-même prochainement.

» Je vous adresse avec tous mes compliments et mes vœux pour une guérison rapide, l'expression de mes sentiments les meilleurs. »

A la page 15 du *Journal de marche* du 12ᵉ « Cuir », on peut lire la citation suivante à l'ordre du régiment [1] :

« Ferme de La Brabaudière le 29 octobre 1914. Le Cel. Ct. le 12ᵉ Cuir. Signé Blacque-Belair.

» Ordre : Le Cel. porte à l'ordre du régt. le M. d. Logis Destouches du 2ᵉ esc. blessé.

» Le Mal. d. Logis Berthelot.

» Le Brig. Florentin.

» Le Cav. Magalon grièvement blessé, le Cav. Touquet, blessé. Les Cav. Dreguin, Pape, Denis, Johan, Lahargue, Pavard, Bartha, Toch, le trompette Pichon du 3ᵉ esc. qui durant les journées du 26, 27 et 28 octobre ont assuré la liaison entre les 66ᵉ et 127ᵉ régts. d'infanterie dans des conditions particulièrement dangereuses [2].

» Ces gradés et cav. sont rentrés au régt. avec la mention suivante du Ch. de Bataillon Ct. le 66ᵉ Régt. d'Inf. " Se sont conduits comme des héros. "

» Le Cel. leur adresse ses félicitations sans s'étonner autrement

1. La croix de guerre ne fut créée que par décret du 8 avril 1915. A partir de cette date, Louis eut le droit de porter cette décoration.
2. Il s'agissait en réalité du 125ᵉ régiment.

de leur courage et de leur dévouement dont le régt. a donné tant de preuves depuis le commencement de la guerre. Il prescrit que le présent ordre sera inscrit sur l'historique du régt [1].

> » Le Cel et le 12ᵉ Cuir
> » Signé Blacque-Belair. »

Après avoir regagné les lignes françaises, Louis fut conduit à l'ambulance n° 3 d'Ypres, devant un major qui voulut à tout prix lui amputer le bras. Son refus énergique lui obtint, après avoir été pansé sommairement, d'être évacué sur l'hôpital auxiliaire n° 6 installé dans le collège Saint-Jacques à Hazebrouck. La balle écrasée qui était restée dans la plaie le faisait souffrir atrocement et lui faisait courir des risques graves d'infection. Elle ne fut extraite que deux jours après, sur l'initiative d'un médecin de la ville, le docteur Senellart. Louis refusa l'anesthésie, certainement pour éviter d'être amputé à son insu. « La plaie en séton a occasionné une fracture du bras et une paralysie des extenseurs de l'avant-bras; le coude doit rester ankylosé à 45°. » Au bout d'un mois on enregistra : « Un peu d'hyperesthésie dans le territoire cutané du nerf radial », c'est-à-dire une sensibilité excessive de cette région.

Tout au long de son séjour à Hazebrouck, Louis fit l'objet de soins très attentifs de la part de l'infirmière-major, Alice D..., grande femme autoritaire approchant la quarantaine, dont le père avait été le directeur d'une feuille locale, *l'Indicateur*. Depuis sa mort, elle vivait avec une sœur dans la grande maison familiale de la rue du Rivage où Louis fut accueilli très affectueusement. Hélène Cauwel, dont le mari tenait la pharmacie du 29 rue de l'Église, rapporte que bien après le départ de Louis, Alice accoucha d'une fille dont la rumeur publique lui attribua la paternité.

Louis resta en tout cas à Hazebrouck pendant un mois environ. Ses parents étaient tout de suite venus le voir, puis ils avaient intrigué pour obtenir son transfert à Paris. Devant le refus du médecin-chef de la Place de Dunkerque ils demandèrent l'appui de Georges Destouches, secrétaire général de la Faculté de médecine de Paris.

1. Archives militaires de Vincennes.

Grâce à son intervention, Louis fut enfin transféré le 1ᵉʳ décembre au Val-de-Grâce. C'est là qu'il reçut la médaille militaire qui lui avait été conférée le 24 novembre 1914 par le général Joffre. La nouvelle avait été annoncée à ses parents par une lettre du capitaine Schneider du 4 décembre 1914 : « Cher Monsieur, votre fils reçoit la Médaille Militaire pour sa belle conduite au feu. J'en suis aussi heureux que vous et vous laisse la joie de le lui annoncer, en vous priant d'y joindre toutes mes bien sincères félicitations. Affectueusement. »

Fernand Destouches écrivit aussitôt à son frère René pour lui relater la cérémonie : « Louis a reçu dans un écrin une Médaille militaire qui lui est offerte par le Colonel et les officiers du 12ᵉ Cuirassier. L'envoi a été fait du front et c'est le plus ancien de la salle qui a épinglé la médaille sur la capote de Louis au milieu de tous les malades en attendant qu'elle lui soit officiellement remise. Le jeu de son bras paraît s'améliorer mais il semble que ce sera encore long[1]. »

La gloire de Louis et la fierté de ses parents atteignirent leur apogée lorsque *l'Illustré national* consacra sa couverture à l'exploit. Le dessin représentait un cuirassier ténébreux et résolu fonçant dans la nuit tombante, avec dans l'angle supérieur droit sa photographie en grande tenue de cuirassier, et comme légende le texte de sa citation. Louis fut très heureux de tout cela, heureux d'en être sorti vivant et flatté des honneurs dont il faisait l'objet. Il se fit photographier portant la médaille militaire au revers de sa vareuse au milieu d'autres blessés du Val-de-Grâce. Il apparaît radieux et triomphant, sentiments légitimes éprouvés par tous les blessés de la guerre de 14, par tous les permissionnaires qui revenaient du Front, et même par bien des planqués qui paradaient dans Paris en uniformes de fantaisie. Il est fait allusion à cela dans *Voyage au bout de la nuit* : « On nous couvrirait de décorations, de fleurs, on passerait sous l'Arc de Triomphe. On entrerait au restaurant, on vous servirait sans payer, on payerait plus rien,

---

1. Sans date.

jamais plus de la vie! On est les héros! qu'on dirait au moment de la note... Des défenseurs de la Patrie! Et ça suffirait!... On payerait avec des petits drapeaux français!... La caissière refuserait même l'argent des héros et même elle vous en donnerait, avec des baisers quand on passerait devant sa caisse. Ça vaudrait la peine de vivre [1]. »

Son voisin de lit, le sergent Albert Milon, blessé à la poitrine dès le mois d'août 14, fut immortalisé dans *Voyage au bout de la nuit* : « Brandelore mon voisin d'hôpital, le sergent, jouissait, je l'ai raconté, d'une persistante popularité parmi les infirmières, il était recouvert de pansements et ruisselait d'optimisme. Tout le monde à l'hôpital l'enviait et copiait ses manières [2]. » Louis aima la verve inépuisable d'Albert Milon, son registre faubourien, sa bonne humeur et sa drôlerie. Plus tard il lui vanta, sans succès, le pactole de la vie coloniale, mais ils traînèrent ensemble en Bretagne dans les camions de la Mission Rockefeller. Puis leurs chemins se séparèrent : l'un s'orienta vers la médecine et l'écriture, l'autre devint voyageur de commerce pour une maison de vins et tâta aussi de la politique à Saint-Germain-en-Laye dans les rangs du parti radical. Lorsqu'il mourut le 1er décembre 1947, Louis écrivit à sa veuve : « Il emporte avec lui une bonne moitié de nos plus chers souvenirs communs de nos plus épiques épreuves... Il emporte aussi nos pauvres espoirs nos douloureuses illusions si blessées... nos sacrifices nos héroïsmes si inutiles... Vous voyez Renée l'agonie a vraiment commencé au Val-de-Grâce, ce n'était qu'un répit un sursis ce n'était pas la vie ni le bonheur... Ce n'était déjà plus possible... Une fatalité atroce était sur nous [3]... »

Que s'était-il donc passé pendant ces quelques mois de guerre dans la tête de Louis Destouches? Il n'avait sans doute jamais imaginé que la guerre était bien jolie, mais vue de Rambouillet à travers le prisme des chasses de la duchesse d'Uzès, des grandes

1. *Voyage au bout de la nuit*, p. 22.
2. *Ibid.*, p. 98.
3. Sans date.

manœuvres de Cercottes et de la revue de Longchamp, il avait dû surtout la concevoir à l'image des charges légendaires, étendards et crinières au vent, étincelante comme le soleil qui faisait miroiter les cuirasses. Il était à cent lieues de penser qu'elle pourrait atteindre un tel degré dans l'horreur, qu'il verrait dans la boue froide des milliers d'hommes comme lui, perdus, cloués au sol sous des déluges d'artillerie, avec tout autour de lui des morts, ses meilleurs camarades, ses officiers, des blessés, des mourants partout pour lesquels on ne pouvait rien, et des vivants hagards tous en sursis, morts à crédit, « vivant par hasard et pour un instant [1] ».

Plus jamais il ne voulut entendre parler de la guerre tant elle lui faisait horreur, aversion qui explosa dans *Voyage au bout de la nuit* et qui transparut ensuite à toutes les pages de son œuvre, dans ses romans comme dans ses pamphlets. Les lettres envoyées d'Afrique à Simone Saintu, alors que les combats faisaient encore rage, montrent que Louis avait été profondément bouleversé par la guerre :

« J'ai vu, étudié, de mes yeux, la figure de l'homme qui va se faire tuer, lorsqu'il n'est pas illuminé, déterminé, il est résigné, *il ne comprend plus,* tout ce qu'on pourra vous raconter, d'avance je le réfute, ceux qui ont vu, ont voulu *voir* quelque chose, là où il n'y a rien à voir [2]... »

« Vous me parlez d'une brillante offensive, tant mieux - Pourtant, chaque fois que j'entends parler d'offensive... je me représente un soldat quel qu'il soit, mort, tué, sanglant, râlant dans la boue rouge.

» Et mon enthousiasme disparaît - Représentez-vous ce petit tableau et si vous avez deux sous de sens commun, je vous défie à l'avenir d'applaudir aux offensives.

» Je ne vous cache pas que la guerre me répugne, c'est une régression pénible dans la marche au progrès [3],... »

1. Robert Poulet, *Mon ami Bardamu.* Plon, 1971, p. 162.
2. Lettre du 27 septembre 1916.
3. Lettre du 22 août 1916.

« [...] pour moi dans une guerre il n'y a ni voleur ni brigand, ni volé, que la guerre est un épisode sanglant d'une évolution du genre humain, de laquelle ni les uns ni les autres ne sont responsables[1], [...] »

Dans une lettre du 31 juillet 1916 il lui avait écrit :

« Voici aujourd'hui deux ans que je quittai Rambouillet pour la grande aventure, et depuis ce temps on a tué beaucoup et on tue encore, inlassablement, fastidieusement. La guerre commence à me faire l'effet d'une ignoble tragédie, sur laquelle le rideau s'abaisserait et se relèverait sans cesse, devant un public rassasié, mais trop prostré pour se lever et partir.

» Presque tous ceux avec lesquels je suis parti en campagne, sont tués, les rares qui subsistent sont irrémédiablement infirmes, enfin quelques autres comme moi, errent un peu partout à la recherche d'un repos et d'un oubli, que l'on ne trouve plus. » Et un peu plus loin, ces réflexions sur les hommes face à la mort et au danger : « Quelle triste représentation, ma chère Amie, que celle qu'ils jouèrent pour la plupart devant celle qui ne pardonne pas aux piètres acteurs.

» Combien j'ai vu aussi de vessies dégonflées, qui tenaient en respect quelques jours avant, des peuples de subalternes.

» Aussi, suis-je maintenant avec beaucoup d'autres, rempli d'un scepticisme piteux, pour cette cohorte de prétentieux, imbéciles pour la plupart [...] »

Le 27 décembre 1914 Louis, dont l'état s'était amélioré, fut transféré du Val-de-Grâce à l'hôpital auxiliaire n° 47, établi aux Enfants abandonnés, 121, boulevard Raspail. On peut lire dans son dossier à la date du 30 décembre : « Destouches refuse une intervention que veut faire le docteur Le Bec, dans ces conditions je l'évacue sur le Val-de-Grâce. » Il fut en fait dirigé le jour même sur l'hospice Paul-Brousse à Villejuif, que dirigeait Gustave Roussy, et où celui-ci fonda en 1926 l'Institut du cancer qui porte aujour-

1. Lettre du 15 octobre 1916.

d'hui son nom. Roussy, qui devint successivement doyen de la Faculté de médecine puis recteur de l'université de Paris fut campé par Céline dans *Voyage au bout de la nuit* sous les traits du docteur Bestombes, ce dont il s'ouvrit à Milton Hindus dans une lettre du 18 juillet 1947 : « Le docteur Bestombes du *Voyage*, nul autre que le Recteur Roussy. » Gustave Roussy en tout cas a dû se montrer plus convaincant que le docteur Le Bec, car Louis accepta finalement l'opération, et pour mettre un terme à une légende déjà bien entamée, voici le compte rendu opératoire dans son texte intégral :

« Symptômes à l'entrée : Troubles moteurs : l'extension de la main sur l'avant-bras, des premières phalanges sur la main est nulle. L'extension du pouce ainsi que l'abduction est nulle.

» Absence de la corde du long supinateur. Les mouvements de latéralité de la main persistent légèrement. L'extension de l'avant-bras sur le bras est possible.

» Trophicité : Légère amyotrophie de l'avant-bras droit.

» Diagnostic : Paralysie radiale.

» Examen radiologique : Fracture du 1/3 inférieur de l'humérus droit.

» Marche de la maladie : Intervention chirurgicale faite par M. le Professeur Gosset le 19 janvier 1915. Incision oblique à la face postérieure du bras droit. On décolle l'espace cellulaire entre le vaste externe et le triceps et dans la profondeur on trouve le nerf radial. On le suit jusqu'au bord externe de l'humérus où il se perd. Alors on va à la recherche du bout inférieur en prolongeant l'incision dans la gouttière bicipitale et on constate qu'il est entièrement sectionné. On revient au bout supérieur, on le dégage de la gouttière osseuse où il disparaît et on trouve un névrome de prolifération. On avive les deux bouts et on fait une suture. On fait sauter le cal exubérant au point où le nerf passait et on interpose entre le nerf et la face osseuse humérale un lambeau musculaire. Fermeture sous drainage.

» Observations : Section du radial opéré. »

Bien entendu, ni trépanation ni même trauma crânien, et rien non plus à ce sujet dans le certificat établi le 24 février 1915 par le médecin major Laurens et le médecin principal Moty à l'hôpital annexe de Vanves, qui mentionnaient simplement : « Plaie perforante du bras droit par balle, entrée 1/3 supérieur face antéro-interne, sortie 1/3 inférieur face postéro-externe, libération et suture du nerf radial. Nécessité d'un congé de convalescence de trois mois à passer à Paris. »

Rien non plus au sujet d'une éventuelle trépanation dans son dossier de réforme dans lequel il apparaît que les taux suivants lui ont été accordés :

— 70 % à titre temporaire du 9 novembre 1939 au 8 novembre 1941,

— 70 % à titre temporaire du 9 novembre 1941 au 8 novembre 1942,

— 70 % à titre définitif à compter du 9 novembre 1942.

Son taux d'invalidité permanente était alors ventilé de la façon suivante :

1°) Reliquat de fracture ouverte de l'humérus droit avec paralysie radiale - Cal de l'humérus et quelques éclats intra et extra-osseux 60 %.

2°) Réaction douloureuse dans le territoire cutané du radial 10 %.

C'est évidemment Céline lui-même qui a fait naître le mythe de sa trépanation. Bon nombre de témoins de bonne foi et beaucoup de ses intimes n'auraient pas hésité à engager leur parole d'honneur, affirmant qu'ils avaient touché la plaque de métal qu'il avait sur le crâne, juste sous la peau... Ainsi le professeur Henri Mondor, dans l'avant-propos de *Voyage au bout de la nuit* dans la Pléiade, parle de « sa pauvre tête fracturée » et Marcel Aymé, dans *les Cahiers de l'Herne* : « Par suite d'une trépanation nécessitée en 1914 par une blessure à la tête, trépanation qu'il disait avoir été très mal faite, il avait toujours souffert de violentes migraines... ». Céline, il est vrai, avait soigneusement cultivé sa légende. A Évelyne Pollet en 1933 : « [...] on m'a trépané, ça m'a bien avancé!

Je souffre toujours... De la tête, oui, et de l'œil gauche. Par moments, de l'œil gauche, je vois tout trouble [1] ». A Pierre Monnier en décembre 1944 : « Cette insomnie est une séquelle de mes blessures à la tête [2]... » Le 22 juillet 1948, Milton Hindus, convaincu, notait dans son journal : « A l'endroit où il a été trépané, il porte une plaque d'acier, qui provoque toutes sortes de bruits dans sa tête [3]. »

S'il n'y avait donc pas de plaque d'acier sur le crâne de Louis-Ferdinand Céline, il est vrai qu'à partir de 1914 il entendit « toutes sortes de bruits dans sa tête » et souffrit de névralgies interminables, d'insomnies rebelles et de surdité. Marcel Brochard, qui connut Louis à Rennes, parlait d'une altération du tympan due au fracas des explosions du champ de bataille. A la même époque, le docteur Follet, beau-père de Louis, attribua ce qui n'était alors qu'une sorte de bourdonnement à un bouchon de cérumen, et il pratiqua un jour de façon très artisanale une insufflation tubaire qui provoqua une recrudescence du mal.

L'otalgie et les hallucinations auditives s'accrurent, et s'y ajoutèrent des vertiges et un malaise indéfinissable accompagné parfois de vomissements. Plus tard, Élie Faure, qui était lui-même médecin, pencha pour la maladie de Ménière, diagnostic adopté par Céline dans *Féerie pour une autre fois* : « [...] je dégueule!... je dégueule dedans! je bourdonne!... le vertige! il m'a pas le vertige! vertige de Ménière ça s'appelle!... Les maisons tournent! et alors!... s'élèvent! s'enlèvent! et alors! les immeubles en l'air! " Ménière! Ménière! " les trottoirs godent [4]!... »

Céline alors détenu à Copenhague écrivit dans le même sens le 12 avril 1946 à son avocat danois Mᵉ Thorvald Mikkelsen : « Mon entérite ne va pas mieux, ni mon rhumatisme, ni mon vertige de Ménière, ni le reste [5]! »

---

1. Évelyne Pollet, *Escaliers*, Bruxelles, La Renaissance du livre, 1956, p. 34.
2. *Les Cahiers de l'Herne*, p. 262.
3. Milton Hindus, *L.-F. Céline tel que je l'ai vu*, Édition de l'Herne, 1969, p. 35.
4. *Féerie pour une autre fois* I, p. 295.
5. Archives de la fondation Mikkelsen à Klarskovgaard.

Un document, retrouvé récemment dans les archives de la Fondation Mikkelsen à Klarskovgaard, permet de déterminer enfin l'origine des maux d'oreille et de tête dont se plaignait Céline, et de mettre un point final à cette question qui suscita de nombreux commentaires.

Il semble en effet que Céline ait été blessé une première fois avant d'être atteint au bras. A une date indéterminée, un obus aurait explosé près de lui et il aurait été violemment projeté contre un arbre. Il fut choqué à la tête et son oreille a très probablement souffert de la déflagration, mais comme il n'avait aucune blessure apparente, l'incident n'a été consigné dans aucun document officiel. Toutefois, sur une photographie prise au cours de l'hiver 1914-1915, on peut le voir au milieu d'autres blessés, portant un pansement entourant sa tête et couvrant ses deux oreilles. Avait-il reçu des soins pour son oreille blessée? Ou souffrait-il simplement d'une rage de dents?

Le papier retrouvé au Danemark est écrit de la main de Céline. C'est une sorte de bilan de santé destiné à son avocat danois, rédigé sur un ton raisonnable et sans outrance. Le fait qu'il n'y soit pas question de trépanation permet de penser que le contenu de cet écrit est proche de la vérité. En voici l'essentiel :

« *État médical* le *30 nov 1936* PRÉCISIONS [1].

» J'ai passé 6 mois à l'hôpital de la Westre Fangsel sur *11 mois* d'incarcération. A l'heure actuelle voici mon état :

» TÊTE mal de tête permanent (ou à peu près) (céphalée) contre lequel toute médication est à peu près vaine. Je prend 8 cachets de *gardénal* par jour — plus *2* cachets d'aspirine, on me masse la tête tous les jours, ces massages me sont *très douloureux*. Je suis atteint de spasmes cardio-vasculaires et céphaliques qui me rendent tout effort physique impossible - (et la défécation).

» *Oreille :* complètement sourd oreille gauche avec bourdonnements et sifflements intensifs *ininterrompus*. Cet état est le mien

---

1. Il s'agit évidemment du 30 novembre 1946. Ce document a été mis à ma disposition par Mme Helga Pedersen, présidente de la Fondation Mikkelsen.

depuis 1914 lors de ma première blessure lorsque je fus projeté par un éclatement d'obus contre un arbre. Commotion cérébrale et surdité et vertiges depuis cette époque. Mais ces malaises ayant pris une grande intensité depuis deux ans et surtout pendant mon incarcération.

» *Insomnie :* je ne dors jamais plus de six heures par nuit et par *saccades*. Je suis réveillé par des vertiges et des bruits d'oreille. Ma vie interne est *infernale*. J'ai compensé ce supplice par courage et bonne humeur toute ma vie mais en prison le même supplice se trouve *décuplé*, franchement *insupportable*. »

Les paragraphes suivants étaient relatifs à ses rhumatismes, à la paralysie radiale due à sa blessure au bras, à son cœur, à ses intestins, à son eczéma et à sa pelagre. Ce rapport explique donc enfin pourquoi Céline, blessé par balle au bras le 27 octobre 1914, a souffert tout le reste de son existence de douleurs à la tête.

Dans *le Pont de Londres* Céline fit de constantes allusions aux choses étranges qui se passaient dans sa tête : « L'oreille me relance... me bourdonne, des sifflets!... des tambours, des cuivres, des vapeurs fusantes, jeux d'usine, mon secret bastringue... Je suis le malheureux de ma tête!... de mon bras... de ma jambe aussi [1]!... » « Toutes les douleurs me rattrapent... de part en part me traversent!... le front, le bras, les oreilles... j'entends des trains qui me foncent dessus!... me sifflent, me ronflent plein la tête [2]!... » « Ils avaient pas dû bien regarder à l'hôpital en m'opérant... Ils avaient dû me laisser quelque chose... un petit éclat!... un petit bout de fer... juste derrière l'oreille certainement... C'est là que j'avais surtout mal!... Je le sentais l'éclat en essayant de m'endormir... à coup de volonté... Il me sifflait en me faisant un mal!... », et il ajoutait un peu plus loin : « Faut y tâter un tout petit peu pour connaître le genre de jouissance d'être le malheureux traqué con, martyr dans sa viande, que tout le monde long et large s'en fout [3]... »

1. *Guignol's Band* II, *le Pont de Londres*, pp. 86 et 87.
2. *Ibid.*, p. 110.
3. *Ibid.*, p. 195.

Déjà dans *Voyage au bout de la nuit* Céline avait fait état de ces douleurs : « Sans chiqué, je dois bien convenir que ma tête n'a jamais été très solide. Mais pour un oui, pour un non, à présent, des étourdissements me prenaient, à en passer sous les voitures [1]. » Dans *Mort à crédit* il était revenu sur ces troubles auditifs, dont il souffrit de plus en plus et qui empoisonnèrent littéralement les dernières années de sa vie : « Fièvre ou pas, je bourdonne toujours et tellement des deux oreilles que ça peut plus m'apprendre grand'chose. Depuis la guerre ça m'a sonné. Elle a couru derrière moi, la folie... tant et plus pendant vingt-deux ans. C'est coquet. Elle a essayé quinze cents bruits, un vacarme immense, mais j'ai déliré plus vite qu'elle, je l'ai baisée, je l'ai possédée au "finish". » Il avait aussi affirmé que sa grande rivale c'était la musique : « Elle m'ahurit à coups de trombone, elle se défend jour et nuit. J'ai tous les bruits de la nature, de la flûte au Niagara... Je promène le tambour et une avalanche de trombones... Je joue du triangle des semaines entières... Je ne crains personne au clairon. Je possède encore moi tout seul une volière complète de trois mille cent vingt-sept petits oiseaux qui ne se calmeront jamais... C'est moi les orgues de l'Univers [2]... »

Ce concert permanent qu'il traitait avec ironie et dont il a souffert jusqu'à la fin de ses jours apparaît dès les premières interviews qu'il a données, après la sortie de *Voyage au bout de la nuit*. Ainsi il confessait à Merry Bromberger : « Quand je vous parle en ce moment, j'ai un train dans l'oreille gauche, un train en gare de Bezons. Il arrive, il s'arrête, il repart. Ce n'est plus un train maintenant; c'est un orchestre. Cette oreille est perdue. Elle n'entend plus que pour me faire souffrir. Je ne peux presque pas dormir [3]. » Quant à Elisabeth Porquerol, elle notait après une visite de Céline en 1933 : « C'est un grand malade, atteint du vertige de Ménière, insomnies et maux de tête, comme un train de

---

1. *Voyage au bout de la nuit*, p. 102.
2. *Mort à crédit*, p. 525.
3. *Cahiers Céline* 1, p. 30.

marchandises qui lui passe sans arrêt dans l'oreille [1]. » Train de voyageurs ou train de marchandises, cet homme était obsédé par un roulement quasi permanent qui lui cassait l'oreille et la tête, entravant son travail, empoisonnant ses jours et réduisant son sommeil à des bribes de somnolence qu'il arrachait comme un voleur à ce tintamarre.

1. *Cahiers Céline* 1, p. 48.

CHAPITRE X

Londres

« Faut pas bouder son Destin!... Je me
trouvais verni et drôlement!... Tous les autres
comme moi c'était frit! Ils faisaient leurs trous
dans les Artois... ou ailleurs!... au 16e Lourd!...
aux " portés "... Ils avaient muté certains...
aux biffes dévorantes... sucrés, pilés dans la
chaux... Dix heures sur douze sous les mar-
mites! A la bonne leur! C'était mieux ici! »

Guignol's Band I, p. 142.

« Je suis l'homme des départs précipités aussi je te dis au revoir
par carte. Mon père t'expliquera.

» L. Destouches. Délégué du Gd. Quartier Général au Consulat
Général de France Londres Bedford Square.

» Franchise postale - Économie. »

C'est ainsi que Louis s'exprima par une simple carte postée de
Folkestone le 10 mai 1915 pour annoncer à son oncle Charles son
affectation à Londres, utilisant une formule qui lui allait vraiment
comme un gant, car il était bien « l'homme des départs précipités ».

Entre sa sortie de Paul-Brousse le 22 janvier 1915 et ce brusque départ pour l'Angleterre, Louis avait bénéficié d'un congé de convalescence de trois mois à passer à Paris. Il s'était installé chez ses parents dans leur petit appartement de la rue Marsollier où il fut choyé par sa mère et fêté par tous comme un héros. Il paradait dès le matin dans un uniforme impeccable, orné de sa médaille militaire, suscitant partout l'admiration et la jalousie. Les uns le trouvaient trop fringant et hautain, les autres se plaignaient qu'il leur disait à peine bonjour, tous enviaient ce grand gamin de vingt ans dont ils ne supportaient ni la beauté ni le panache ni surtout la désinvolture.

Louis profita pleinement de la situation car il savait bien que tout cela n'aurait qu'un temps. « Les jours viendront où l'on aura un peu honte de nous les vieux blessés [1]. » Pour l'heure ils étaient fêtés partout, et plus le carnage au Front prenait de l'ampleur plus on menait joyeuse vie à Paris, comme si la mort des uns commandait aux autres de s'encanailler et de s'étourdir de plaisir. Les fêtes un peu louches se multipliaient dans la capitale, les permissionnaires et les convalescents dans leurs uniformes rutilants étaient adulés, invités, et toutes les portes s'ouvraient devant eux. Louis ne détesta pas cette vie, ni les amours faciles ni ce climat de kermesse et de fausse gaieté, participant à cet étrange carnaval qui contrastait si violemment avec ce qui se passait tout près de Paris sur le champ de bataille où l'on s'entretuait inlassablement.

Le bras de Louis n'allait pas beaucoup mieux. Du 22 février au 27 mars il fut admis à l'hôpital militaire annexe de Vanves, qui était installé dans le lycée Michelet, pour y subir un traitement au courant continu et chocs galvaniques. Au début du mois de mai il fut considéré comme apte à servir dans un emploi sédentaire et affecté au Consulat général de France à Londres où il resta jusqu'à la fin de l'année 1915.

C'est sans doute la période la plus obscure de la vie de Céline, au sujet de laquelle il ne s'est jamais étendu et dont il ne subsiste

1. Lettre à Milon.

qu'un témoin, Georges Geoffroy, lui-même attaché au bureau des passeports du Consulat, où il vit un jour arriver Louis avec « sa batterie de cuisine », c'est-à-dire avec sa médaille militaire et sa croix de guerre [1]. Comme Georges Geoffroy habitait au 71 Gower Street un appartement meublé trop vaste et trop coûteux pour lui seul, il demanda à Louis de le partager.

Si l'on doit en croire Georges Geoffroy, les fonctions de Louis au Consulat étaient purement administratives et bien banales : « [...] nous étions chargés de donner le visa d'entrée en France ou le refuser. Dans les cas douteux, nous en référions à nos chefs directs [2] ». Rien en tout cas qui permette de penser que Louis ait été affecté à des missions occultes, bien qu'il ait officiellement appartenu au service du contre-espionnage, comme il le confirmait à Milon dans une lettre du 19 juillet 1915 : « [...] il paraît que l'on m'a donné comme mort; je suis ici comme tu sais au contre-espionnage ». Filtrer les entrées sur le territoire français et veiller à ce que des visas ne soient pas délivrés à des espions allemands relevait en effet des services spéciaux : Louis ne semble y avoir joué qu'un rôle administratif.

Il était autrement intéressé par la vie de Londres, fasciné par cette grande ville qu'il aima d'abord parce que c'était un port. Céline aima tous les ports : Le Havre, Saint-Malo, New York, Copenhague,... amour qu'il confessa dans *D'un château l'autre* : « [...] je dois vous dire qu'en plus de voyeur je suis fanatique des mouvements de ports, de tous trafics de l'eau... de tout ce qui vient vogue accoste [3]... » Lucette Almanzor le savait bien, c'est pourquoi elle fit graver sur sa tombe au vieux cimetière de Meudon un grand bateau à voile, pour son dernier voyage.

Louis fut aussi captivé par la vie nocturne de Londres, celle des bas quartiers, celle de Soho où il se retrouvait avec Geoffroy au milieu des prostituées et des voyous qui l'avaient pris en sympathie. Il est vrai que l'uniforme et la « batterie de cuisine » facili-

1. *Les Cahiers de l'Herne*, p. 201.
2. *Ibid.*, p. 201.
3. *D'un château l'autre*, p. 65.

taient bien les choses, on les recevait tous les deux gratis dans les music-halls et dans les bars. « Louis raffolait des danseuses [1]. » Il fit la connaissance d'Alice Delysia, de gens de théâtre, devint le protégé des maquereaux et des filles, rencontrant toutes sortes de gens de toutes les couleurs et de toutes les nationalités, y compris Mata-Hari qui l'invita, paraît-il, à dîner avec Geoffroy dans son appartement du Savoy. Cette anecdote racontée par Geoffroy dans *les Cahiers de l'Herne* est probablement exacte. Grâce à ce procédé Mata-Hari obtint des officiers alliés beaucoup de renseignements, et c'est justement dans le courant de l'année 1915 que l'Intelligence Service alerta le 2e Bureau français sur les activités de la célèbre espionne.

Paul Morand, alors jeune attaché à l'ambassade de France, a décrit l'atmosphère très particulière qui régnait à cette époque, tant au consulat général que dans la ville elle-même : « [...] à notre consulat général, de périodiques conseils de révision viennent ratisser les derniers hommes valides, ne laissant à Londres que quelques auxiliaires grelottants et nus [2] ». « Blasé sur les horreurs de la guerre, l'arrière s'est ressaisi et veut vivre pour soi : nouveaux riches, ouvriers gâtés par les hauts salaires, embusqués et profiteurs, espions de tous genres, microphones dans les grands hôtels; princesses russes en fuite, aventuriers internationaux, coureurs de dot autour des veuves de guerre, marchands de munitions américains au Ritz, envoyant des orchidées et prenant des commandes. Les clubs de nuit font fortune. Ils n'ont d'ailleurs pratiquement jamais fermé, tant les Anglais considèrent que le danger n'empêche pas de se divertir et qu'on a aussi bien le droit de danser que de se faire tuer. Noël 1914 vit le bal de Christmas au Carlton; en 1915, aux théâtres, les blessés sont invités en foule : centaines de bras à éclisses posés sur le rebord en velours des loges; béquillards plein les dancings; Murray's, Ciro's ne chôment guère; gourdes de whisky dans les poches, jeunes lieutenants et vieux généraux s'essayant à un nouveau pas nommé fox-trot, au son des premiers

1. *Les Cahiers de l'Herne*, p. 201.
2. Paul Morand, *Londres*. Plon, 1933, p. 65.

jazz, avant de retourner au travail, le lundi matin, dans les tranchées flamandes [1]. »

C'est dans Londres que Céline planta les décors de *Guignol's band* et du *Pont de Londres* [2] et c'est là qu'en 1915 il fit la connaissance de Suzanne Germaine Nebout, entraîneuse dans un bar. Elle était un peu plus âgée que lui, et lui témoigna tant de gentillesse et d'affection qu'il prit le parti de l'épouser, sans trop réfléchir, un peu par jeu, et aussi parce qu'il l'aimait bien.

Le mariage eut lieu discrètement, le 19 janvier 1916, devant l'officier de l'état civil du district St-Martin en présence de deux témoins, Carolina Ode et Édouard Benedictus. Louis figure sur l'acte avec le grade de lieutenant, domicilié 4 Leicester Street à Soho, et son nom est orthographié Des Touches. Suzanne se déclara sans profession, demeurant 475 Oxford Street. M. et Mme Destouches, qui n'avaient pas été prévenus, n'apprirent l'événement qu'un peu plus tard lorsque Suzanne Nebout, que Louis venait de quitter dans un réflexe de fuite qui lui était devenu cher, se présenta passage de Choiseul en disant simplement : « Je suis madame Destouches. » On imagine l'effet de cette déclaration, le coup de sang du père de Louis, la dignité des lamentations de sa mère et les plans qu'ils durent échafauder pour tenter de limiter les conséquences du désastre. Louis, qui était majeur, n'avait eu besoin d'aucune autorisation pour contracter mariage. Son union était légalement parfaite et il n'y avait aucune possibilité d'annulation. Toutefois, par ignorance ou par négligence, ou parce qu'ils se doutaient que leur union ne serait pas de longue durée, Suzanne et Louis avaient omis de faire transcrire leur mariage au Consulat de France où Louis pourtant avait été employé. Au regard de la loi française ils pouvaient donc être considérés comme célibataires. Il n'est pas impossible que Fernand Destouches soit allé à Londres pour tenter d'arranger les choses avec un peu d'argent. En tout cas, lorsque Louis se fiança en 1919 avec Édith Follet, son père,

---

1. Paul Morand, *op. cit.*, p. 63.
2. *Guignol's band* II. *Le Pont de Londres.*

le docteur Follet, en fut averti, mais Fernand Destouches prétendit que ce mariage était nul pour vice de forme, ce qui était tout à fait inexact.

Suzanne Nebout accepta de disparaître comme elle était venue, et Céline affirma plusieurs fois à Lucette Almanzor qu'elle était morte peu après leur séparation. Il existe pourtant, quelque part en France du côté de l'Allier, une femme de sa génération qui porte son nom. Elle affirme n'avoir jamais été à Londres et n'avoir jamais connu un garçon de son âge qui s'appelait Louis Destouches.

Céline a toujours été remarquablement discret au sujet de ce premier mariage dont il n'avait évidemment pas lieu de se vanter, excepté dans *Féerie pour une autre fois* où figure une allusion à cette erreur de jeunesse et la confirmation du fait qu'elle serait morte. Il y raconta comment, en 1944, peu après le débarquement, il aurait rencontré sa « belle-sœur », qu'il n'avait pas revue « depuis des années ». Rue Ravignan, s'entendant appeler par son nom, il se serait retourné : « Marie-Louise! », et alors elle aurait évoqué devant lui « ... Londres fin 17 [...] Ah, tu serais resté avec nous!... [...] Janine serait pas morte! Janine sa sœur... c'était pas d'hier nos adieux... Je les avais quittées Leicester Square... » et un peu plus loin cet aveu : « [...] j'ai commis qu'un crime dans ma vie, un seul, là, vrai... comme j'ai quitté mes petites belles-sœurs, pauvres fillettes en novembre 17... et pas des petites crevettes businettes!... Ah pas du tout! des fleurs de poupées! Minois!... éclat! fraîcheur! mutines [1]!... »

D'après Charlotte Robic, cousine germaine de Louis, son rôle dans le contre-espionnage français n'aurait pas été limité aux tâches administratives dont Georges Geoffroy s'est fait l'écho dans *les Cahiers de l'Herne*. Louis serait allé en Suisse allemande pour prendre un bain de germanisme, puis après un court séjour dans une famille, il serait passé en Allemagne par la Hollande avec un passeport d'une puissance neutre comme représentant d'une fabrique de bijouterie. Un jour, se trouvant dans un compartiment

---

1. *Féerie pour une autre fois* I, pp. 141-144.

avec un officier de Uhlans, il aurait reconnu le fils d'un de ses anciens professeurs de Diepholz; il se serait alors caché dans les toilettes du wagon, puis aurait profité d'un ralentissement pour sauter du train en marche. Aucun document d'archives ne permet de confirmer ce témoignage.

Toutefois, dans une lettre à Milon, écrite de Londres, il est question de la Suisse de façon un peu mystérieuse. « Je me suis lancé dans la " diplomatie " », écrivait-il d'abord, ce qui donne à penser que cette lettre fut écrite peu après son installation en Grande-Bretagne, d'autant qu'il rendait compte à Milon du climat particulier qui régnait dans la capitale : « Ici vie mouvementée, pour les Anglais pas la moindre idée de la guerre. » Puis venait cette phrase énigmatique : « Va 11 square Delambre (gare Montparnasse). Demande à la Concierge - si Mme et Mlle Bezard sont rentrées de Suisse écris-moi vite la réponse mais à aucun prix ne dis qui t'envoie - et surtout n'en parle pas à la maison il y a eu grand Drame. » Ce drame qui paraît avoir secoué la rue Marsollier était beaucoup plus probablement en rapport avec une aventure d'ordre sentimental qu'avec une activité d'agent secret, mais c'est peut-être sous cette dernière forme que les événements ont été racontés à sa cousine.

Quand Louis Destouches aurait-il trouvé le temps d'aller en Suisse et en Allemagne? Pas pendant l'année 1915 en tout cas puisque nous savons par Georges Geoffroy qu'ils ne se sont pratiquement pas quittés jusqu'au mois de décembre 1915. Le 2 décembre, après un congé passé à Paris, Louis a fait l'objet d'une décision de réforme n° 2, c'est-à-dire sans pension. Cette décision prise sur avis du docteur Dardenne, et qui fut entérinée le 16 décembre par le Consul général de France à Londres, mettait fin à sa carrière militaire. Il est vrai qu'entre cette date et son départ pour le Cameroun au milieu du mois de mai 1916 se situe une période obscure. Nous savons toutefois qu'il s'est marié le 19 janvier; il était donc retourné à Londres où il n'avait plus rien à faire. Nous savons aussi que c'est de Liverpool qu'il s'est embarqué pour le Cameroun. Comment a-t-il vécu pendant ces quatre

172 LE TEMPS DES ESPÉRANCES

mois et demi? Et avec quel argent? A ceux qui l'ont par la suite questionné à ce sujet il répondait volontiers un peu n'importe quoi, des réponses du type de : « En Angleterre, je m'occupais de la fabrication d'ailes d'avions. » Il est probable que les propos qu'il a tenus à certains de ses proches lorsqu'il leur racontait ses aventures en Allemagne, comme espion, relèvent de la même fantaisie affabulatrice et du souci qu'il eut peut-être aussi de garder pour lui certains aspects peu reluisants de la vie qu'il avait menée à Londres avant son premier départ pour l'Afrique.

Londres a sans aucun doute marqué Louis Destouches, mais ce n'est qu'en 1944 qu'il livra au public le volume qu'il intitula *Guignol's Band*, publié par Denoël et qui s'inspirait de cette période de sa vie. C'est une étude de style et de mœurs, une étonnante galerie de portraits dans le genre grand-guignol où l'on voit surgir, puis disparaître, de façon rocambolesque : Borokrom, chimiste diplômé de Sofia et de Saint-Pétersbourg, ex-inventeur et constructeur de bombes, pianiste et trafiquant d'un peu tout; Cascade, proxénète français planqué à Londres; le commissaire Matthiew, qui apparaît quand on ne l'attend pas, mais toujours à pic, un peu comme « gendarme » au guignol; le docteur Clodowitz, « médecin à la suite » au « London Freeborn Hospital » et Van Claben, « Titus Van Claben and Partner » à l'enseigne « Aux Trois Boules... Prêteur sur gages et sur parole [1]... » sans oublier « Hervé Sosthène de Rodiencourt, Prospecteur Agréé des Mines, Explorateur des Aires Occultes, Ingénieur Initié [2] ». Et bien sûr : « Berthe, Mimi, qu'étaient là vautrées aux coussins qu'en pouffaient à étouffer. La Berthe, la maigre, la verdâtre, et Mimi la jambe de bois, en grimaces comme ça sous la lampe [3] », « Cascade en avait cinq à lui souvent davantage au travail, la Léa, l'Ursule, la Ginette, Mireille et la petite Toinon qui sortait qu'avec sa mère [4]... » « Tout le cul provenait de France chez Cascade, sauf la

1. *Guignol's Band* I, p. 176.
2. *Ibid.*, p. 265.
3. *Ibid.*, p. 70.
4. *Ibid.*, p. 84.

Portugaise!... et Jeanne Jambe la Blonde qu'était native de Luxembourg [1]... »

Au travers des affabulations de *Guignol's Band* perce une vérité qui, une fois débarrassée de ses outrances et des effets de l'imagination, permet d'entrevoir ce que fut la vie de Louis Destouches à Londres pendant le début de l'année 1916. Les femmes y ont tenu sans aucun doute un rôle prépondérant : « Les femmes à Pierrot qu'on se trompe pas, avec tous leurs vices et machins, si elles affurent trois Livres par jour! c'est tout le bout du monde!... En douce il me les refile à bon compte! C'est moi qui lui avais vendues. Je les connaissais donc un petit peu [2]!... » Sans doute a-t-il vécu aussi de petits trafics et d'expédients divers : « [...] les semaines où je bricolais un petit peu par-ci par-là ... aux Docks, aux corvées faciles en raison de mon bras, de ma jambe... Aux jeux forains avec Boro pour me faire des petits rapports pour les choses les plus nécessaires... deux limaces, les ressemelages, un sweater tout laine [3]. » A-t-il aussi tâté de la drogue? Comme consommateur? A-t-il aidé des trafiquants? Il le prétendit en tout cas dans *Guignol's Band* : « On y planquait nos tubes d'opium dans ses remblais, dans les trous de rats, les boîtes en jonc, la came du fleuve, la bonne contrebande, que le Chinois ballotte à volée par le hublot, de jour ou de nuit... Frrrtt!... C'est parti [4]!... » Comme il ne cessa d'affirmer qu'ils avaient toujours un peu la police aux trousses : « On pouvait se tirer par la berge quand les bourres du Yard rapprochaient, qu'on entendait leurs pas gracieux... sonnaient leurs grolles ... plein les pavés [5]... »

Nul ne saura jamais l'entière vérité, mais l'une des seules photographies de Louis à cette époque le représente hirsute, la chemise ouverte; plus rien à voir avec l'écolier de Saint-Joseph des Tuileries, ni avec le fringant cuirassier de Rambouillet, et l'on mesure en

1. *Guignol's Band* I, p. 85.
2. *Ibid.*, p. 56.
3. *Ibid.*, p. 42.
4. *Ibid.*, p. 43.
5. *Ibid.*, p. 48.

regardant cette photo le chemin qu'il a ainsi parcouru en si peu de temps. On comprend aussi qu'il ait passé sous silence certaines aventures vécues par lui à Londres, préférant faire croire un peu à ses proches qu'il avait sillonné l'Allemagne comme agent « très spécial » de l'État-Major français.

Annoncée dans la préface de *Guignol's Band* sous le titre de *Guignol's Band II*, en attendant les tomes suivants, la suite des aventures londoniennes de Ferdinand a paru en 1964, trois ans après la mort de Céline, sous le titre *le Pont de Londres. Guignol's Band II*. C'est Robert Poulet qui assura la transcription du manuscrit, préfaça l'ouvrage et lui donna son titre.

A Londres, comme en toutes les autres circonstances de sa vie, Louis Destouches a voulu tout voir. Comme il était homme à comprendre vite, à saisir à l'instant les êtres et les situations, il a rapidement touché le fond. Il lui fallut alors immédiatement changer de décor, partir sans regarder derrière lui. Il « tirait sa révérence [1] », disparaissant simplement dans l'ombre, sans explication, effaçant après lui la trace de ses pas.

---

1. Expression qu'il utilisa devant Robert Poulet. Voir *Mon ami Bardamu*, Plon, 1971, p. 138.

CHAPITRE XI

Bikobimbo

« En route pour de nouveaux cieux, rien
n'est plus beau que la liberté... »

Lettre à ses parents.

Peu après le déclenchement des hostilités, la France et la Grande-Bretagne envoyèrent au Cameroun un corps expéditionnaire pour tenter de conquérir cette colonie allemande. Les opérations militaires s'achevèrent en février 1916 par une victoire alliée, puis en juillet la France et l'Angleterre s'entendirent pour partager ce territoire dont la majeure partie revint à la France et sur laquelle elle reçut, en 1922, mandat de la Société des Nations.

C'était donc la plus jeune des colonies françaises qu'il fallait exploiter, peupler, encadrer, pour que la conquête militaire soit complétée par la « conquête morale des indigènes », lesquels s'étaient, du reste, empressés de rallier le camp des vainqueurs. Le gouvernement français favorisa donc le départ de ceux qui voulaient y chercher fortune. Louis Destouches fut de ceux-là.

Son départ pourtant n'alla pas sans difficultés, ses amis paraissant avoir semé sur son chemin on ne sait quelles embûches pour tenter de compromettre son aventure, à commencer par Georges

Geoffroy, dont Louis s'est plaint dans plusieurs lettres à ses parents, dans lesquelles il fait état de « difficultés de tout genre ». Le 9 mai, veille de son embarquement, il avait été plus précis :

« On avait soigneusement groupés pas mal d'embûches à Southampton pour entraver mon débarquement mais tel Napoléon au retour de l'île d'Elbe, les factieux sont rentrés dans mes rangs.

» J'ai néanmoins reconnu parmi cette petite coalition quelques-uns de mes amis et tout particulièrement Geoffroy à qui je réserve un petit chien - qui mordra son maître. », ajoutant cette phrase :

« Les associations ne me valent rien, mais individuellement je suis invincible aussi bien par la calomnie que par la [1]... »

Une lettre envoyée de Campo le 20 août évoquait à nouveau le rôle de Geoffroy : « Lors de mon passage à Liverpool j'ai été averti par des amis que Geoffroy s'était livré sur mon compte à une violente campagne de diffamation qui faillit même aboutir à de très graves ennuis pour moi - Ayant réussi à faire échouer ses plans, je me suis mis immédiatement en campagne, et lui ai joué un bon tour dont il se souviendra avant de quitter l'Angleterre non toutefois sans le prévenir - d'où télégramme. »

Après avoir ainsi terrassé ses ennemis, Louis parvint à s'embarquer sur le *R.M.S. Accra* de la British and African Steam Navigation Company, petit cargo sur lequel il voyagea seul avec un autre passager dont nous ignorons l'identité. Le bateau fit une première escale le 27 mai à Freetown en Sierra Leone, puis une seconde le 4 juin dans le port de Lagos, en Nigeria, avant de toucher Douala.

En marge du télégramme qu'il avait envoyé de Liverpool pour leur annoncer en anglais son départ, « Sayled today », ses parents écrivirent au crayon le mot « larmes » suivi de cinq points d'exclamation. Ils ont dû se faire encore plus de souci et de mauvais sang

---

1. Mot illisible.

lorsqu'ils ont reçu les premières nouvelles de la traversée qui avait
été affreuse tant à cause de la mer que de la chaleur. Pour épar-
gner sa mère il écrivit parfois directement au bureau de son père
au Phénix, ainsi cette carte adressée de Lagos : « Rien dire à
Maman, envoie autre carte à la maison. Si violente fièvre- Envoie
argent Duala à mon compte Banque Afrique Équatoriale. N'y
toucherai pas si je peux tenir le coup. Excuse-moi mais pas ma
faute 2 morts à bord. Louis. » Il demanda dans une autre lettre à
son père qu'il lui envoie une somme de 1 000 francs à prélever sur
son livret de Caisse d'épargne. Les cartes adressées rue Marsollier
étaient de ce fait moins alarmantes : « Chaleur formidable. Louis »
« Avons très chaud très mauvaise traversée. T'embrasse bien.
Louis. » « En quarantaine. L. Destouches. » Les deux morts sur-
venues au cours de la traversée avaient dû inciter les autorités
sanitaires à prendre quelques précautions, mais l'*Accra* put finalement poursuivre normalement son voyage.

Avant de partir pour le Cameroun Louis était venu à Paris
signer un contrat avec la Compagnie forestière Shanga-Oubangui
(au capital de 12 000 000 de francs), dont le siège social était
5, rue La Rochefoucauld. Il avait ensuite franchi la Manche du
Havre à Southampton, réglé les difficultés rencontrées, et gagné
Liverpool d'où il s'était embarqué pour l'Afrique.

Louis s'était engagé auprès de cette société comme stagiaire
pour une durée de six mois à dater du jour de son arrivée à Douala,
avec un traitement mensuel de 150 francs plus une indemnité de
nourriture de 325 francs par mois. Au cours de ce stage il pouvait
être licencié sans préavis ni indemnité. A la fin de cette période
probatoire il serait lié *ipso facto* pour une durée de vingt-quatre
mois, avec un salaire de deux cents francs par mois. Au bout de
ces deux années il aurait le droit d'être rapatrié en 2e classe aux
frais de la Compagnie, qui faisait aussi l'avance des frais du voyage
aller. Il était prévu qu'il ne pourrait alors quitter la Compagnie
qu'en donnant congé huit mois à l'avance. Diverses modalités pré-
cisaient les cas de rupture du contrat, suivant que Louis commettrait une faute ou n'en commettrait pas. Il était en tout cas for-

mellement stipulé que « l'intempérance habituelle est un motif de révocation immédiate sans indemnité ».

Louis devait accorder tout son temps à la Société qui prenait en charge son logement et tous ses frais médicaux, « étant bien entendu que la compagnie n'a pas de médecin à son service et qu'elle ne peut installer une pharmacie dans chaque factorie, étant entendu qu'aucun fait malheureux de privations de logement, nourriture et soins médicaux ne pourra donner lieu à aucune action en responsabilité contre la compagnie, même si les faits provenaient de la négligence ou de la mauvaise volonté d'agents intermédiaires ». Et, pour que Louis soit encore plus complètement ligoté, il était stipulé qu'il avait été au préalable « mis en garde contre les dangers qu'un Européen court généralement dans les pays tropicaux, et particulièrement dans l'exploitation d'une concession congolaise. En cas d'accident et de maladie quelconque et même de décès, vous dégagez la compagnie de toute responsabilité et de toute obligation ».

Les premières impressions de Louis ont été détestables. Ainsi, dès l'escale de Lagos, le 2 juin, il écrivait à Milon :

« L'expérience est concluante- Il n'y a ici aucun espèce d'avenir. Non pas par suite du manque de débouché commercial mais par suite des conditions climatiques qui sont purement et simplement abominables. Les Européens ont ici l'air miné par toutes sortes d'affections dues en partie aux excès mais aussi aux conditions sanitaires. Toute vie saine est *impossible* et ce n'est qu'au prix de *sa santé* que l'on arrive ici à quelque chose- J'ai moi-même eu une attaque de fièvre à Sierra-Leone et je ne vais pas faire long feu en Afrique nous partirons pour *Duala* demain. Je vais rester là un mois ou deux pour réparer autant que possible le côté onéreux de cette petite expérience. Passe chez moi et dis-moi ce qu'il en *est*. Si tu vois quelque chose de possible à Paris ne m'oublie pas- La contrée est excessivement riche et est sans contredit ouverte à un grand avenir mais vraiment *rien à faire* pour quiconque tient à garder une santé potable.

» Rien n'est plus triste que les visages des colons d'ici jaunes, languissants, l'air miné par toutes les fièvres possibles Tristes épaves dont la vie semble s'échapper peu à peu, comme absorbée par un soleil qui ravie tout et tue infailliblement ce qui lui résiste. »

De l'*Accra,* avant même d'être arrivé au Cameroun, il écrivait aussi à Simone Saintu, avec laquelle il allait correspondre très régulièrement pendant tout son séjour en Afrique : « Votre vieil ami a bien changé, il est devenu encore plus vilain qu'avant, couleur vieux citron, secoué par une fièvre qui paraît m'affectionner, légèrement rendu myope par les doses exorbitantes de quinine absorbées, transpirant ou grelottant suivant les heures [1]. »

Arrivé au Cameroun, son moral n'a pas tardé à se rétablir et sa santé à se réparer. Il est vrai que la découverte d'un monde entièrement nouveau pour lui avait succédé à quelques semaines de quasi-solitude à bord du steamer *Accra.* Ses lettres témoignent toutes de son étonnement à la découverte de la petite ville de Douala où l'on mangeait du singe, de l'éléphant, du crocodile et de l'homme, lui-même dévoré de la façon la plus quotidienne et habituelle par les moustiques.

Au mois de juin il commença à voyager et fut envoyé dans un village de la tribu des Pasins, plus ou moins anthropophages, appelé Bikobimbo, tout proche d'un autre petit village qui s'appelait Dipikar [2]. C'était à vingt-sept jours de marche de Douala et à onze jours du premier Européen, lequel était un fonctionnaire chargé de la surveillance d'un immense territoire grand comme la France, dévasté de temps à autre par des épidémies et de façon permanente par la maladie du sommeil et par la malaria. « Il en résulte que du matin au soir je me promène entouré d'épais voiles contre les moustiques. Je fais ma cuisine moi-même de peur d'être empoisonné. Je m'intoxique à la quinine et à pas mal d'autres

---

1. Juin 1916.
2. Ancienne possession personnelle de l'empereur d'Allemagne dite « île de Dipikar ».

drogues pour me protéger des fièvres [1] [...] » Armé de jour comme de nuit, craignant principalement d'être mangé par ses clients, il ne voyait dans cette vie qu'un seul réel avantage : « l'absence absolue de commentaires sur ma conduite et la grande, totale, absolue liberté [1] ».

D'après ses lettres, son travail était fort simple. Il consistait à faire avec les indigènes du commerce sous sa forme la plus élémentaire, généralement du troc, échangeant avec eux des objets de pacotille et surtout des cigarettes contre des défenses d'éléphants.

Au mois de juillet il passa en Guinée espagnole et séjourna quelque temps au bord de l'océan, à Batonga, dans un petit poste tenu par un sergent. Il y rencontra un chercheur d'or américain et un missionnaire en poste au Gabon qui, pour rentrer chez lui, longeait la mer en marchant sur le sable à marée basse et en se reposant à marée haute. C'est dans un petit poste semblable qu'il planta le décor du premier acte de *l'Église*, pièce publiée en 1933 et dont il eut peut-être l'idée dès son premier séjour en Afrique. Il écrivait en tout cas le 15 septembre 1916 à Milon : « Te donnerais-je une description de la *vie coloniale française?* Il y aurait de quoi faire plusieurs pièces tragi-comiques. » On retrouve aussi dans *Voyage au bout de la nuit* l'évocation de ce premier séjour en Afrique, le mauvais souvenir de la traversée sur l'*Accra*, devenu pour la circonstance l'*Amiral Bragueton*, le Cameroun transposé en *Bambola-Bragamance* et la Compagnie forestière Shanga-Oubangui en *Compagnie pordurière du Petit Togo*.

Si l'on excepte le « Journal de Diepholz » qui n'était qu'un jeu d'enfant, c'est à cette époque que remontent ses premières velléités littéraires. Le 7 juillet 1916 il écrivit en effet à Simone Saintu pour lui faire savoir dans le plus grand secret qu'il était l'auteur d'une petite nouvelle « qui paraîtra peut-être au journal », ce qu'il confirmait quelques mois plus tard dans une lettre à ses parents écrite le 5 mars 1917 : « J'ai commis pourtant une petite nouvelle, qui vient d'être acceptée par Henri de Régnier, et sera publiée incessam-

---

1. Lettre à Simone Saintu de Bikobimbo le 28 juin 1916.

ment. Je vous avertirai. » Aucune nouvelle pouvant correspondre à cette première tentative d'écriture n'a été publiée au *Journal* auquel collaborait effectivement Henri de Régnier [1].

En revanche, nous connaissons le texte d'une nouvelle de quinze pages intitulée *Des vagues*, datée « en mer 30 avril 1917 [2] ». S'agit-il du même texte qu'il aurait revu et daté en mer lors de son voyage de retour? Il s'agit plus vraisemblablement d'une nouvelle différente, car il y parle de la rupture des relations diplomatiques entre les États-Unis et l'Allemagne, or l'entrée en guerre des États-Unis est intervenue le 6 avril 1917, alors que Louis se trouvait justement en mer, en route pour l'Europe.

Des vagues est la relation d'une conversation dans le fumoir du paquebot *Tarconia* [3] où sont réunis : un officier écossais le major Tomkatrick, un Suisse sans âge apparent M. Brünner, un petit monsieur huileux gouverneur d'une colonie portugaise, M. Camuzet historien franc-maçon, républicain et areligieux, M. et Mme Bronnum, missionnaires protestants danois, et le prince Catulesco. Au cours de cette conversation, la porte du fumoir s'ouvre soudainement et l'opérateur de la télégraphie sans fil leur jette : « Gentlemen, les États-Unis ont rompu les relations diplomatiques avec l'Allemagne. » Seul, le major Tomkatrick manifesta bruyamment son enthousiasme, il s'offrit aussi un ultime cocktail tandis que les autres passagers, visiblement peu troublés par la nouvelle, gagnaient la salle à manger.

En Afrique, Louis composa aussi deux poèmes qu'il jugea d'une qualité suffisante pour les adresser à ses parents et à Simone Saintu, agrémentés de petits dessins de sa main. En marge de l'un d'eux figure un astre qui se lève ou qui se couche sur une ville orientale manifestement endormie, dominée par un minaret au sommet duquel on distingue un muezzin. Le poème est intitulé *Gnomographie*, titre forgé sans doute à partir du mot « Gnomon » qui est

---

1. Les archives du *Journal* sont actuellement « réservées », donc inaccessibles pendant cinquante ans.
2. A paraître en 1977 dans les *Cahiers Céline* avec les lettres d'Afrique.
3. Louis voyagea en fait sur le *Tarquah*.

selon Littré « une espèce de grand style dont les astronomes se servent pour connaître la hauteur du soleil ». Les deux copies de ce poème sont signées L. des Touches et en marge du texte destiné à Simone Saintu on peut lire le mot : « inconvenant ».

Stamboul est endormi sous la lune blafarde
Le Bosphore miroite de mille feux argentés
Seul dans la grande ville mahométane
Le vieux crieur des heures n'est pas encore couché

Sa voix que l'écho répète avec ampleur
Annonce à la ville qu'il est déjà dix heures
Mais par une fenêtre de son haut minaret
Il plonge dans une chambre son regard indiscret

Il reste un moment muet, cloué par la surprise
Et caresse, nerveux, sa grande barbe grise.
Mais fidèle au devoir il assure sa voix

Et l'écho étonné, répète par trois fois,
A la lune rougissante, aux étoiles éblouies,
A Stamboul la blanche, qu'il est bientôt midi.

Bikobimbo 29 août 1916 [1].

Le second poème qui pourrait faire suite au premier a été lui aussi inspiré par les inoubliables couchers de soleil d'Afrique. Il est daté de Bikobimbo le 30 août 1916 et en marge du texte Louis a dessiné un grand arbre. Sur l'exemplaire de Simone Saintu il a simplement indiqué : « Le grand chêne un peu cacochyme. »

Mais, déjà lentement, le ciel se décolore
Les rayons du couchant, pourchassés par la nuit
Luttent contre les ténèbres et résistent encore
Pour voiler la retraite du soleil qui fuit.

---

1. Le texte envoyé à Simone Saintu porte : Nyobonbong le 28 août 1916.

En haut du noir rocher qui domine les bois
Le chêne retient encore la lumière qui décroît
Cependant, peu à peu l'ombre monte et le prend
Et le plonge à son tour dans le tout inquiétant

Chaque heure de notre vie apporte aussi son ombre
Les illusions perdues, l'amertume qui monte
En chassent l'espérance, qui ne reviendra plus
Envahissent notre cœur, le détruisent et le tuent.

La vie que Louis menait en Afrique lui permettait évidemment de penser, d'écrire et de lire, et l'arrivée du courrier était pour lui, comme pour tous les coloniaux, l'une des grandes distractions. Simone Saintu l'avait abonné au *Cri de Paris* et dans la correspondance qu'il échangca avec elle les références littéraires et les citations sont nombreuses qui permettent de se faire une idée de ses lectures et de ses goûts; ainsi se trouvent cités : Albert Samain, Jules Renard, Voltaire, Socrate, Pascal, le Prince de Ligne, Metchnikoff, Alfred de Musset, Montluc, Talleyrand, Urbain Gohier, Claude Farrère, Oscar Wilde (mais au sujet de ses mœurs uniquement), Baldwyn, Maeterlinck, Kipling, pour lequel il éprouvait une grande admiration, Brunetière, Jules Lemaître, Bergson, dont il disait que s'il y avait beaucoup de Bergson la vie serait plus douce, et Faguet souvent cité, qu'il mentionnait dans une lettre avec ce commentaire : « Ce n'est pas si bête quoique ce soit de Faguet. »

Au début du mois de septembre 1916, il obtint la gérance d'une grande plantation de cacao à Dipikar : « [...] je suis à un mois du patron, seul, avec des noirs j'ai pleine initiative pleine autorité - je fais ce que je veux - Et je mets de côté *2.000* fr par mois [1] ». Vivant au milieu de tonnes de cacao, sa première idée, un peu naïve, fut de tenter de faire lui-même du chocolat pour son usage personnel, mais il n'y parvint pas et dut se résigner à se fournir « chez Potin » comme avant.

1. Lettre à Milon du 15 septembre 1916.

A Claude Bonnefoy, qui l'interrogeait sur son travail au Cameroun, il expliqua que l'on pouvait difficilement imaginer aujourd'hui ce qu'était la vie en Afrique équatoriale à cette époque :

« Maintenant, on ne se rend plus compte... L'Afrique c'est tout près, on y va pour le week-end, la forêt, on la montre aux touristes... [...] J'ai donc vécu dans les paillotes, j'ai appris à faire des maisons en feuilles de palmes, j'ai descendu des rivières dans des canoës nègres...

» Je me suis occupé de la récolte du cacao. Un sergent de la coloniale m'avait indiqué tout ce qu'il fallait faire. »

Puis il lui expliqua qu'il fallait encore transporter la récolte à Douala, sur de grandes pirogues activées par des rameurs qui ne cessaient de chanter tout au cours du voyage. « Après un jour de piteuse navigation sur ce petit fleuve plein d'hippopotames et de crocodiles (pas gênants, les hippopotames et les crocodiles), on arrivait dans un poste militaire... Là on transbordait la cargaison dans un bateau à fond plat. Le même bateau à fond plat apportait le ravitaillement, et le pernod pour le sergent [1]... »

A Simone Saintu, à ses parents et à Milon, il décrivait aussi sa vie là-bas : les horribles conditions climatiques dont il avait à souffrir, la guerre aux moustiques, les difficultés de logement, de communications et de nourriture auxquelles il était affronté quotidiennement. Mais au moins sur le plan pécuniaire les affaires marchaient bon train, et déjà il échafaudait des plans : « J'économise pas mal d'argent qui va me servir à aller en Amérique, tenter ma chance. » Dans la même lettre écrite de Campo à ses parents le 20 août 1916 il envisageait son avenir avec optimisme, en complet désaccord avec sa mère qui n'avait jamais envisagé que des catastrophes, travers dont Céline fut lui-même atteint à la fin de sa vie, mais en 1916, il était encore jeune et confiant :

« L'avenir ne saurait paraître aussi sombre que Maman le prédit,

1. *Cahiers Céline* 2, pp. 213-214.

un homme jusqu'à 24 ou 25 ans peut encore chercher sa voie, il faut songer que je ne serais *pas sorti du régiment* si j'avais suivi la filière normale.

» J'aurais vu un peu plus de choses, que si j'avais été sage, n'est-ce pas la seule ambition qu'on puisse avoir au monde.

» Et puis peut-être un jour je réussirai.

» Je bois de l'eau, c'est beaucoup, combien peuvent en dire autant, après la vie que j'ai mené?

» Souhaiter le bonjour de ma part à tous ceux qui s'intéressent à moi - assurer les que je ne finirai jamais ni sur un banc d'assises, ni aux soupes populaires, que ma vie déréglée ne m'a pas encore privée d'une santé que beaucoup m'envient, que je ne me connais encore que deux infirmités, une paralysie radiale qui m'a rapporté la médaille militaire - et une légère phobie inconstante qui ne m'a encore rien rapporté. »

Dans cette lettre il envisageait aussi son retour en France :

« A quoi bon? », écrivait-il à ses parents, « il doit être excessivement pénible d'y gagner sa vie en ce moment - d'autre part la vie française telle que mes moyens me permettent de la mener me conviendra mal, en plus ayant naturellement à la maison la table et le coucher, je me sais trop frivole pour travailler assidûment, Pour faire un effort suivi, je me rends nettement compte qu'il faut que les circonstances m'y contraignent, sinon, je risque fort de m'éterniser dans du provisoire qui dure par trop souvent des mois entiers-

» Après la guerre, un réveil commercial, me paraît très hypothétique [...] Et puis sait-on ce qu'il adviendra même franchement vainqueurs?-?? » Il ajoutait très cyniquement : « La seule chance, reste le mariage heureux, sous tous points de vue-

» De celui-là je n'ai cure - préférant mon indépendance même vagabonde et parfois me réservant de durs lendemains à un lien quelconque même marital - »

A Simone Saintu il écrivait sur le même sujet le 29 septembre :

« Je ne suis pas marié et je ne me marierai jamais surtout en Afrique. » Elle n'était donc pas au courant du mariage de Louis et de Suzanne Nebout intervenu dix-huit mois plus tôt à Londres dans les conditions que l'on sait. Sur le chapitre des femmes il affirmait le 14 septembre à ses parents : « Jamais je n'ai été aussi sage, j'ai horreur des noires. J'ai trop aimé les blanches. » Il trouvait pourtant leur ligne souvent parfaite; l'odeur, disait-il, « on s'y fait », mais il leur reprochait principalement d'être toutes vérolées.

Il est vrai qu'en raison du climat et des conditions sanitaires qui étaient déplorables, les questions de santé prenaient généralement le pas sur toutes les autres. Il adressait à ses parents de longues listes de produits pharmaceutiques car il ne cessait de chasser la maladie, le moustique et le microbe, mais il s'avouait souvent vaincu par les uns et par les autres. De graves crises de dysenterie, notamment à la fin du mois d'octobre, allaient précipiter son retour en France. Il avait alors dû rester plusieurs jours en pleine forêt équatoriale, inondé de sueur, se bourrant de laudanum, sans pouvoir quitter son lit Picot. Pour tenter de prévenir la maladie et pour la soigner quand elle survenait il avait monté une pharmacie de fortune, soignant les indigènes sans être pour autant persuadé « de leur utilité », c'est du moins ce qu'il écrivait avec humour à Simone Saintu.

C'est à cette époque qu'il fit ses premières expériences médicales, jouant un peu le rôle d'officier de santé ou de « médecin aux pieds nus ». Pour s'en convaincre il suffit de se reporter aux listes d'objets et de produits qu'il demandait à ses parents de lui expédier en grande quantité. On y relève plus de cent médicaments différents, des sérums, mais aussi de quoi faire un peu de chirurgie : un nécessaire de suture, des pinces hémostatiques, un bistouri, toutes sortes de seringues, bandages, ventouses, pêle-mêle avec « [...] une épingle pour col mou simili or 2 carats [...] de l'émail de dentiste (j'ai ici un dentiste indigène) [...] dix pots de marmelade d'orange de chez Potin [...] un drapeau tricolore (genre bateau Ablon) [...] un sirop dépuratif [...] six gravures anglaises *encadrées*, de chasses ou autre (pas de femmes!) » Le tout de quoi faire un formidable bric-à-brac, où trois pantalons de flanelle et une paire de bretelles voisinaient avec le *Précis de pathologie tropicale* de Le Dantec, avec « tout le service de table si possible en assez chic, meilleur que la faïence », et encore du chocolat express, des boutons de culotte et « des vues de Paris pour montrer aux nègres ».

Il réclamait aussi des cartes d'Europe et d'Afrique, et quelques livres : *l'Accusateur* de J. Clarette, « un autre bouquin que celui de Chevalier sur le cacao et un sur le caoutchouc », et « deux ou trois bouquins sur l'Afrique de bons auteurs, en particulier *la Fosse* de Miguel Zamacoïs, *les Bouffons*, *la Fleur merveilleuse* », et encore trois paires de draps, une grande moustiquaire et une paire de lunettes avec des verres jaunes pour le soleil « monture forte mais pas chaude ». Le tout devait être emballé tout spécialement pour la colonie et pour les voyages : « Il faut que tout soit ou puisse être mis à sa place dans des boîtes pour être déplacé rapidement avec un minimum de casse et de perte. Pas de boîtes en carton à cause de l'humidité, mais du cuir,

» Le poids et le nombre n'ont aucune Importance La domesticité est fort nombreuse, et les porteurs innombrables.

» C'est à peu près la seule chose avec le cacao que le pays possède en abondance. »

Il avait tout de même fini par s'organiser une vie un peu plus confortable. Il s'était fait faire une case en acajou, était servi par une domesticité abondante, il avait deux chevaux, entretenait une petite basse-cour et disposait pour lui tenir compagnie d'un chat sauvage qu'il avait apprivoisé, comme il en apprivoisa des dizaines quelque trente ans plus tard à Klarkskovgaard où ils venaient s'entasser les nuits d'hiver les uns sur les autres autour du poêle à tourbe, sous le regard dédaigneux de Bébert.

Pour Louis à Dipikar les affaires marchaient bien et en septembre il avait déjà 5 000 francs d'économies [1], ce qui peut paraître un peu surprenant quand on sait qu'il ne gagnait en principe que deux

---

1. Lettre à ses parents de Campo le 14 septembre 1916.

cents francs par mois. Il est vrai qu'il était monté en grade en devenant directeur de plantation, mais l'accroissement de ses économies tenait tout de même un peu du miracle, à moins qu'il n'ait pris quelque liberté avec le très draconien contrat qui le liait à la Compagnie forestière Shanga-Oubangui. Une lettre écrite par lui à Milon le confirme; elle est datée du 15 septembre 1916, époque où Louis espérait encore que son ami accepterait de le rejoindre au Cameroun : « Signe tout ce que l'on te montrera, ceci n'a aucune espèce d'importance, ces contrats coloniaux sont léonins, n'ont aucune valeur devant la loi et ne valent que le prix que tu apportes à ta signature, ne t'arrête pas aux questions d'appointements, je te dirai plus tard pourquoi *surtout n'en parle pas à mon sujet.*

» Tu vois que cela n'a pas été long.

» Tu peux en faire autant. »

La famille de Louis eut-elle vent des libertés qu'il prenait avec son contrat? Sa cousine Charlotte, qui n'était peut-être pas toujours très bonne langue, affirmait volontiers que peu avant son retour en France il aurait été jusqu'à mettre le feu à sa case pour effacer la trace de ses indélicatesses. Quant à son oncle Georges Destouches, qui n'avait jamais beaucoup apprécié les fantaisies de son neveu, il cessa de lui écrire et même de répondre à ses lettres, coupant volontairement les ponts, et ne voulant plus avoir avec lui aucun rapport, comme s'il avait été un criminel ou un pestiféré. C'est en tout cas de cette façon que Louis interpréta les silences de son oncle lorsqu'il écrivit à ses parents le 4 février 1917 pour se plaindre du : « Secrétaire, probablement perpétuel de la Faculté », pour leur dire qu'il ignorait les mobiles de son silence qu'il qualifiait de « solide impolitesse » et pour protester de son innocence : « N'ayant point, pour ma part, que je sache, forfait aux règles de la plus élémentaire courtoisie n'ayant point compromis sa situation, traîné notre nom dans la boue, ni recelé à la famille quelque denrée corrompue; je vous serais reconnaissant de faire comprendre, que ma complaisance a sur ce sujet des

limites fort restreintes, et ne comporte en aucun cas l'oubli gratuit
des grossièretés. »

Puis suivait un avertissement plus généralement adressé à tous
ses détracteurs, qui montre que déjà à cette époque il n'appréciait
guère qu'on lui marchât sur les pieds et savait foudroyer par la
parole ceux qui s'arrogeaient le droit de le juger : « Du reste, d'une
façon plus générale il me serait agréable que chacun sache, mes
dispositions conciliantes et parfaitement amicales à l'égard de tous
ceux qui se complaisent à mon commerce, et prennent plaisir à me
considérer et me prendre tel que je suis.

» Mais par contre, que ceux, parents ou amis, qui se croiraient
fourvoyés dans ma relation ou à qui ma ligne de conduite n'aurait
point l'heur d'agréer, considèrent et soient définitivement, nettement persuadés que je les emm........; et qu'aucun doute à ce sujet
ne subsiste en leur entendement. »

Louis n'eut en fait aucun ennui et ce ne sont pas des soucis
d'affaires qui l'ont obligé à quitter la colonie, mais des problèmes
de santé; d'autant que son bras le faisait à nouveau souffrir. « Mon
état m'a fait prendre l'avis des docteurs, d'aucuns prétendent que
mon bras blessé est la cause de tout le mal et qu'il faut recourir
à une nouvelle intervention chirurgicale, d'autres parlent de
tuberculose, d'autres enfin de maladie du sommeil.

» Vous voyez que j'ai le choix... », écrivait-il à Simone Saintu
le 1ᵉʳ janvier 1917. En réalité il souffrait principalement de dysenterie et il ne s'en est jamais guéri. Il écrivit en 1946 dans un rapport
sur son état de santé : « Depuis 1917 à la suite d'une *dysenterie*
contractée à l'armée française au *Cameroun* je suis atteint d'Entérite grave qui a résisté depuis 30 ans à tous les traitements[1]. »

Louis sollicita donc son rapatriement et le 10 mars 1917 le
lieutenant-colonel Thomassin, commandant militaire du Cameroun
l'autorisait à rentrer en France, mais son état empira subitement
au point qu'il dut être hospitalisé à Douala, laissant appareiller

1. Voir *infra* pp. 160 et 161-162.

sans lui le *S/S Egori* sur lequel il avait prévu de s'embarquer. Sa feuille d'observation mentionne une « entérite chronique ayant retenti sur l'état général ». Le 2 avril, le docteur Dreneau déclara son état incompatible avec la colonie et conseilla son évacuation immédiate.

Louis embarqua sur le *RMS le Tarquah* de l'African Steam Ship Company en route pour l'Europe. Le 7 avril il fit escale à Calabar au Nigeria du Sud, puis il s'arrêta au Togo, à Lomé. Le 16 avril il relâcha à Freetown dans la Sierra Leone. Le 1er mai Louis était à Liverpool pour trois jours au Midland Adelphi Hotel. Il venait de tourner une nouvelle page de sa vie : quelques jours plus tard il arrivait à Paris et s'installait à nouveau chez ses parents, rue Marsollier.

CHAPITRE XII

Rue Favart

C'est son vice à lui, ça d'abord... Tout
connaître! Foutre son nez dans toutes les
fentes! »

Mort à crédit, p. 955.

Après avoir vécu tant d'aventures, Louis éprouva quelques difficultés à rentrer dans le rang. Il est vrai qu'en trois années, entre
1914 et 1917, il avait rencontré sur son chemin de quoi frapper
l'imagination. A l'âge de vingt ans il avait été le témoin d'une
guerre atroce, avait subi l'épreuve du feu jusque dans sa chair,
connu la souffrance et sans transition l'extase et la débauche, car
ce furent bien « des années pâmoisons » et « Jamais on avait tant
frotté [1]... ». Ensuite il était parti pour l'Afrique à la découverte
d'un autre monde où il avait subi dans la forêt équatoriale, et sous
un climat d'enfer, l'épreuve de la solitude.

Pendant cette même période, chez M. et Mme Destouches, le
temps avait suspendu son vol. Il y retrouva, rue Marsollier, aux
mêmes places les mêmes objets : décor immuable et figé dans
lequel ses parents rejouaient chaque jour la même pantomime.

1. *Guignol's Band* I, p. 82.

Fut-il un instant question que Louis retourne chez Lacloche? Pendant la durée des hostilités, son père était resté en relation avec Fernand Lacloche qui servait au 168e régiment d'infanterie. On a dit qu'après la guerre, poussé par son père, Louis se serait présenté chez son ancien employeur, mais que les frères Lacloche auraient saisi le prétexte de son infirmité pour l'éconduire, soutenant que la gêne de son bras n'était pas compatible avec les exigences d'un commerce de luxe. Rien n'est moins sûr, car si Louis avait eu le désir de poursuivre sa carrière chez Lacloche, il aurait demandé à reprendre sa place dès sa réforme en décembre 1915 ou lors de son retour de Londres. Les lettres qu'il écrivit du Cameroun à ses parents et à Simone Saintu montrent qu'il n'avait en réalité aucune intention de reprendre du service dans une maison de commerce; son « horreur prénatale pour la contrainte [1] », la petite indépendance financière qu'il avait acquise en Afrique et le désir qu'il exprima si souvent de tenter sa chance en Amérique faisaient qu'il avait en tête bien d'autres projets que de s'enliser en France dans un emploi sédentaire.

Le hasard allait placer sur son chemin un personnage tout à fait hors du commun qui lui servit de modèle ensuite lorsqu'il écrivit *Mort à crédit*, donnant naissance au plus formidable héros de toute son œuvre (à l'exception de Bardamu bien sûr) : Roger-Marin [2] Courtial des Pereires. Des hommes comme lui « on en rencontre pas des bottes [3] [...] secrétaire, précurseur, propriétaire, animateur du " Génitron " [4] [...] aéronaute presque de naissance [5] [...] il arrêtait jamais de produire, d'imaginer, de concevoir, résoudre, prétendre... [6] [...] grâce à ses deux cent vingt manuels entièrement originaux, répandus à travers le monde. [... Il] participait péremptoirement et d'une façon incomparable au mouvement

1. Lettre à Simone Saintu du 10 août 1916.
2. Prénom qui lui fut inspiré par son beau-père, Athanase-Marin Follet.
3. *Mort à crédit*, p. 815.
4. *Ibid.*, p. 816.
5. *Ibid.*, p. 817.
6. *Ibid.*, p. 818.

des sciences appliquées[1]. [... Travaillant] sous le signe du grand Flammarion[2] [...] On venait le consulter de Greenwich et de Valparaiso, de Colombo, de Blanckenberghe, sur les variables problèmes de la selle " incidente " ou " souple "? sur le surmenage des billes?... sur la graisse dans les parties portantes?... le meilleur dosage hydrique pour inoxyder les guidons[3]... » et l'on ne peut passer sous silence qu'il aurait obtenu le deuxième permis de conduire de France, qu'il s'intéressait au « ressort kilométrique », au « fromage en poudre », à « l'azur synthétique », au « navire flexible », au « café crème comprimé », aux « poumons d'azote », à « la valve à bascule[4] » et aussi qu'il avait provoqué à Toulon vers 1891 « un début d'émeute par une série de causeries sur " l'orientation tellurique et la mémoire des hirondelles "[5] ».

De Roger-Marin Courtial des Pereires il faudrait aussi mentionner que « Question des " synthèses " c'était on peut le dire sans bobard, un inégalable joyau... une pharamineuse réussite... " L'œuvre complète d'Auguste Comte " ramenée au strict format d'une " prière positive " en vingt-deux versets acrostiches "[6]!... » et « pour cette inouïe performance[7] [...] l'Académie Urugayenne réunie en séance plénière quelques mois plus tard l'avait élu par acclamations " Bolversatore Savantissima " avec le titre additif de " Membre Adhérent pour la vie "... Montevideo, la ville, point en reste, l'avait promu le mois suivant " Citadinis Eternatis Amicissimus "[8] ». Par mille autres détails Céline fit de Courtial des Pereires une sorte de héros fabuleux, épique, légendaire; un monstre.

En découvrant les prodigieuses aventures de ce phénomène les lecteurs de *Mort à crédit* ont dû penser que Céline avait une fois de plus affabulé et que, emporté par son délire verbal, il avait encore

1. *Mort à crédit*, p. 820.
2. *Ibid.*, p. 821.
3. *Ibid.*, p. 822.
4. *Ibid.*, p. 819.
5. *Ibid.*, p. 820.
6, 7 et 8. *Ibid.*, p. 823.

outrepassé les limites du raisonnable en forgeant de toutes pièces ce grotesque démesuré.

C'était bien mal connaître Céline qui n'inventait pratiquement jamais rien mais caricaturait avec une aisance de plume qui valait bien le coup de crayon de Daumier.

C'est sans doute dans une lettre écrite le 7 juillet 1947 à Milton Hindus que Céline a révélé pour la première fois l'existence de celui qui servit de modèle à Courtial : « [...] mon inventeur Courtial des Pereires a parfaitement existé, il s'appelait Henri de Graffigny - ses livres (innombrables) se vendent encore aux petites collections Hachette - Le *Genitron* s'appelait *l'Eurêka* - situé *Place Favart* un entresol devant l'Opéra-Comique à Paris - mais il faut que vous veniez me voir - J'ai cent mille rigolades à vous raconter, je possède la curieuse faculté de les pouvoir orienter dans tous les sens - tragique - semi drôle, pathétique - au choix du client [1] ». Il devait le confirmer à Robert Poulet auquel il déclara : « Le premier bachot, je l'ai passé en 1912, à dix-huit ans. C'est ensuite que je me suis engagé. La guerre arrive presque tout de suite. Blessure, réforme. Ici se place l'aventure Courtial; celle, du moins, à laquelle j'ai donné ce nom dans mon second roman. Un couple pharamineux... L'école fondée par le bonhomme existe encore. Je suis allé la voir avec Lucette. On y met maintenant les enfants de l'Assistance. Qu'est-ce que je faisais là, vers 1916-17? Garçon de course, tout bachelier que j'étais [2]! J'en ai bavé, chez les pseudo-Courtial! Mais il y avait quand même de quoi se tordre [3]... »

S'il est vrai que Céline s'est inspiré principalement d'Henry de Graffigny lorsqu'il a imaginé le personnage de Courtial des Pereires, il fit aussi probablement quelques emprunts à son beau-père, le professeur Follet, qui était petit de taille, s'appelait Marin, et pratiquait la gymnastique tous les matins. Il était aussi remar-

1. *Les Cahiers de l'Herne*, p. 118.
2. Louis Destouches n'a passé son baccalauréat qu'en 1919.
3. Robert Poulet, *Mon ami Bardamu*, Plon, 1971, p. 131.

quablement actif, ne dédaignait pas les honneurs et prit souvent Louis comme confident, sinon comme complice de ses frasques.

Henry de Graffigny s'appelait en réalité Raoul Marquis. Graffigny était son pseudonyme littéraire et le nom de son village natal. En effet, Raoul Marquis avait vu le jour le 28 septembre 1863 à Graffigny-Chemin, petite bourgade de Haute-Marne dans l'arrondissement de Chaumont. Ayant adopté pour la littérature le nom d'Henry de Graffigny, il poussa l'audace jusqu'à user pendant un temps du titre de marquis de Graffigny, ce qui n'était pas totalement inexact puisqu'il était né à Graffigny et s'appelait Marquis... Le *Bottin mondain* des années 1908 et 1909 mentionne bien : « Marquis Henry de Graffigny et Madame. Officier de l'Instruction Publique, Chevalier du Mérite Agricole, Décorations diverses, Ingénieur Civil et Publiciste. Villa Labor route de Joinville 91 à Champigny-sur-Seine et Château de Graffigny-Chemin, Haute-Marne. » La supercherie a dû être rapidement découverte puisque dès l'année 1910 Raoul Marquis disparut définitivement des colonnes du *Bottin mondain*. Quant au château de Graffigny, il s'agissait d'une petite maison qui est toujours debout et que les gens du bourg appellent encore de nos jours « la maison du marquis [1] ».

De l'aspect physique de Raoul Marquis, Céline a donné dans *Mort à crédit* une description assez fidèle : « Il était pas gros Courtial, mais vivace et bref, et petit costaud. Il annonçait lui-même son âge plusieurs fois par jour... Il avait cinquante piges passées... Il tenait encore bon la rampe grâce à des exercices physiques, aux haltères, massues, barres fixes, tremplins... [2] [...] il se teignait les tiffes en noir ébène et la moustache, la barbiche il la laissait grise... Tout ça rebiffait " à la chat " et les sourcils en révolte, touffus, plus agressifs encore, nettement diaboliques, surtout celui de gauche. Il avait les pupilles agiles au fond des cavernes, des petits

1. Il existe bien un château à Graffigny-Chemin mais il n'a jamais été la propriété de Raoul Marquis. Il a été acquis par la commune aux descendants de la comtesse de Thumery en 1850.

2. *Mort à crédit*, p. 817.

yeux toujours inquiets, qui se fixaient soudain, quand il trouvait la malice [1]. [...] En hauteur, Courtial des Pereires, il avait vraiment rien en trop! Il fallait pas qu'il perde un pouce... Il se mettait de très hauts talons, d'ailleurs il était difficile, question des chaussures... Toujours des empeignes de drap beige et petits boutons de nacre [2]... »

Raoul Marquis avait bien cinquante-cinq ans lorsqu'il rencontra Louis Destouches; il était court de taille, portait barbiche et moustaches. Toujours vêtu avec un brin de prétention démodée, c'était un drôle de bonhomme, nerveux, agité et inquiet; en bref, un vrai « charlot ».

Sur le plan du comportement, il faut convenir que c'était un citoyen parfaitement farfelu. On sait assez peu de choses de ses débuts dans la vie; il épousa vers 1890 une jeune fille nommée Blanche Augustine Lenain à laquelle il fit trois enfants. Il la trompa au point qu'elle perdit patience, porta plainte en adultère et obtint la désignation d'un juge d'instruction, un sieur Bourrillon, qui établit sans difficulté la matérialité du délit. Raoul Marquis disparut alors et sa femme se résolut à demander le divorce qu'elle gagna par un jugement de la 4ᵉ Chambre du tribunal civil de la Seine le 30 janvier 1905. La décision fut rendue par défaut car Raoul Marquis, après avoir demeuré à Vincennes, 78, avenue Auber, était sans résidence ni domicile connu. Sa femme obtenait une pension de 50 francs par mois et se voyait confier la garde des trois enfants âgés de 14, 12 et 9 ans dont leur père ne paraît pas s'être soucié davantage.

Raoul Marquis se remaria le 25 août 1908 à Champigny-sur-Marne, avec Marie Mélanie Margot, professeur de coupe, elle-même divorcée d'un sieur Edmond Riehl. Raoul Marquis est indiqué sur les actes d'état civil comme exerçant la profession d'ingénieur civil, fils d'un comptable et demeurant à Champigny, 91, route de Joinville.

Le premier ouvrage publié par Raoul Marquis sous le nom de

1. *Mort à crédit*, p. 825.
2. *Ibid.*, p. 828.

Henry de Graffigny est son *Traité d'aérostation théorique et pratique* qui date de 1891, et en tête duquel il se parait des titres suivants : « Ex-trésorier de l'école aéronautique de Vincennes, ancien rédacteur en chef de *la Maison illustrée,* aérostier au 1ᵉʳ régiment de Génie, membre de plusieurs sociétés aérostatiques, élève de célèbres astronautes et aérostiers militaires. »

Il est exact que Raoul Marquis avait réalisé un certain nombre d'ascensions à des fins qu'il prétendait scientifiques. Ainsi, le 14 juillet 1882, il avait tenté de s'envoler de Nogent en Haute-Marne avec un ballon de 300 mètres qui s'était déchiré au moment du départ, lui occasionnant un début d'asphyxie. Trois jours plus tard il avait été plus heureux puisque, parti seul de Romorantin avec un ballon de 500 mètres, il avait parcouru une distance de 50 kilomètres à 2 000 mètres d'altitude. A l'arrivée, tout près de Châteauneuf, la nacelle avait été violemment traînée sur le sol. Le 12 septembre 1882, à Brive, le ballon creva alors que Raoul Marquis allait prendre l'air avec un nommé Mangin qui dirigeait les opérations. Parti seul de Fougères, le 27 septembre, il n'avait réussi ce jour-là qu'un saut de puce de 18 kilomètres jusqu'à Mont-Romain. Le 3 juin 1883, avec Mangin, il avait volé 80 kilomètres sous un orage, de Caen à Saint-Lô. Le 19 juillet suivant il s'envolait de Caen avec un passager, mais à 48 kilomètres de là le voyage s'était mal terminé : à l'atterrissage, à Bieville-en-Auge, le ballon s'était éventré. Le 14 juillet 1883, la plaisanterie manqua de se terminer en tragédie. Il partit de Coutances avec Mangin, qui était vraiment intrépide, ou complètement inconscient. A peine avaient-ils pris l'air que le vent les poussa sur le clocher de la cathédrale et le ballon crevé acheva son voyage dans un champ à quatre kilomètres de la ville.

Le 22 août 1883, Raoul Marquis fut plus heureux avec un autre aéronaute non identifié et un couple de voyageurs, en réussissant un vol de deux heures et demie à 2 300 mètres d'altitude, puis le 12 mai et le 1ᵉʳ novembre 1886, il entreprit des ascensions apparemment sérieuses avec un nommé Capazza pour un essai des « parachutes lest », et avec le secrétaire de M. de Brazza. Il fit encore en solitaire une sortie réussie le 30 mai 1887 de Saint-Mandé à Arcueil-Cachan pendant plus de deux heures. Il effectua sa dernière ascension le 28 septembre 1888 avec sa première femme. Partis du Champ-de-Mars à Paris ils atterrirent à Ozouar-la-Ferrière à l'issue d'un voyage de deux heures, sans histoire.

Céline n'a donc pas inventé les voyages en ballon de Courtial des Pereires auxquels il n'a certainement pas participé car, en 1917 et 1918, Raoul Marquis avait abandonné la pratique de l'aérostation et s'était lancé dans d'autres aventures.

Céline était également très proche de la vérité quand il fit de Courtial des Pereires un écrivain d'une étonnante prolixité. A l'époque où la vulgarisation scientifique était à la mode, et où chacun voulait apprendre vite comment mettre à profit les nouvelles découvertes de la science, Henry de Graffigny montra qu'il était bien le roi des touche-à-tout en publiant plus de cent quarante ouvrages d'une variété extraordinaire. Ses premiers livres sont surtout relatifs à l'aéronautique, puis il se mit à écrire des guides : le *Guide manuel du motocycliste*, le *Guide pratique du conducteur de machines;* des manuels en quantité : le *Manuel élémentaire de l'horloger*, celui du constructeur et du conducteur de cycles et d'automobiles, le *Manuel pratique du chauffeur wattman*, celui du dessinateur électricien, du télégraphiste et du téléphoniste, le *Petit Manuel de travaux d'amateurs (pliage et découpage du papier, cartonnage, encadrement, reliure, brochage, vannerie, cuirs, etc.);* et trois catéchismes : le *Catéchisme de l'automobile à la portée de tous*, celui de l'aviation à la portée de tout le monde et celui des chauffeurs, des machinistes et des apprentis mécaniciens et chauffeurs. Il publia aussi *le Diamant artificiel, le Menuisier amateur, les Nouveaux Ascenseurs, l'Outillage agricole, les Engrenages, le Tapissier décorateur, la Science à la maison, les Sources et les eaux souterraines, Pour faire du théâtre chez soi, les Cerfs-Volants, la Vie pour rien à la campagne, les Tramways - les chemins de fer de montagne à crémaillère - les chemins de fer sur route, les Automobiles, les Rayons qui tuent et les radiations utiles*, et *les Merveilles de l'horlogerie*. Henry de

Graffigny avait vraiment toujours réponse à tout! C'était un expert universel, et quand il ne pouvait décemment signer lui-même certains ouvrages il les attribuait à la plume de Mᵐᵉ de Graffigny, ainsi du *Livre d'or de la jeune mère — conseils pratiques aux jeunes mamans,* des *Secrets du travail à l'aiguille,* des *Petites Industries de la campagne pour combattre la vie chère,* et de *Tout ce qu'il faut pour se mettre en ménage*[1].

Il faudrait pouvoir citer chaque titre de l'œuvre d'Henry de Graffigny pour se faire une idée de l'éclectisme de cet homme-orchestre, dont l'intérêt se portait plus particulièrement sur l'automobile, les ballons sphériques, les avions et l'électricité sous toutes ses formes. Ce qui dut plaire à Louis Destouches qui s'était très tôt passionné, notamment à Diepholz, pour l'électricité appliquée. Raoul Marquis était intarissable dans ce domaine et il avait publié ou publia ensuite une bonne vingtaine d'ouvrages sur ces questions, de *l'Éclairage électrique dans l'appartement et la maison* aux *Notions sur l'électricité atmosphérique - Comment on la mesure - Comment on la capte - Comment on l'utilise,* en passant par le *Petit Constructeur électricien - Manuel pratique pour construire soi-même piles, accumulateurs...*

S'il était homme de science, Henry de Graffigny n'hésitait pas aussi à se lancer dans la fiction où sa mythomanie pouvait se donner libre cours. La plus célèbre de ses œuvres d'imagination : *les Aventures extraordinaires d'un savant russe,* a été écrite en collaboration avec G. Le Faure, quatre volumes illustrés par L. Vallet-Henriot et préfacés par Camille Flammarion lui-même. Les « affabulations ingénieuses », dont parle Flammarion dans cette préface, étaient bien de nature à séduire Louis, comme cet appel au rêve lancé par Flammarion qui terminait ainsi : « [...] il est agréable de planer dans les hauteurs éthérées, dans la sphère de l'esprit, d'oublier quelquefois les choses vulgaires de la vie, pour voyager quelques instants parmi les inénarrables merveilles de cet

1. Mᵐᵉ de Graffigny n'avait aucune parenté avec Françoise d'Issembourg d'Happon-court, qui écrivit à Londres en 1788 sous le nom de Mᵐᵉ de Graffigny quelques pièces de théâtre et ses quatre volumes de *Lettres d'une Péruvienne.*

Infini dont le centre est partout, et la circonférence nulle part. »

Raoul Marquis écrivit aussi quelques comédies : *les Tracas du Père Cafignon, le Marchand de coups de bâtons, Un mariage d'argent, le Malade récalcitrant*, et des ouvrages fantastiques dont les sujets et les titres rappellent les œuvres de Jules Verne : *Un drame sous la mongolfière, A toute vapeur, le Tour du monde en aéroplane, Un drame à toute vapeur*. Il se fit également une spécialité dans le guignol, signant plusieurs pièces écrites pour le théâtre de marionnettes, avant de devenir lui-même marionnettiste pour la Fondation Rockefeller. C'est peut-être à cette époque que le mot « guignol » se grava dans l'esprit de Louis, comme celui de « féerie » que Raoul Marquis utilisa au moins deux fois dans *le Trésor du pôle, comédie-féerie* en cinq actes, et *Culotte rouge ou les Vainqueurs du Kraden, drame-féerie* en quatre actes et six tableaux.

Lorsque Louis le rencontra, Henry de Graffigny était collaborateur d'*Eurêka, revue de l'invention*, dont les bureaux étaient 8, rue Favart, tout près du passage de Choiseul et de la rue Marsollier; à deux pas de l'Opéra-Comique où quelques années plus tard Lucette Almanzor devait commencer sa carrière de danseuse. Graffigny devint ensuite secrétaire de rédaction de cette revue, fonction qu'il exerça en tout cas entre novembre 1917 et février 1918. Cette jeune revue scientifique mensuelle, fondée au mois de juin 1917 par J.-R. Gault, avait eu la caution de noms aussi prestigieux que ceux d'Édouard Branly et d'Edmond Perrier, directeur du Muséum d'histoire naturelle, membre de l'Académie des Sciences et de l'Académie de Médecine. Raoul Marquis et quelques autres inventeurs fumeux la firent sombrer dans le bricolage infantile et l'exposé de théories de plus en plus abracadabrantes. Elle dut fermer ses portes après seize mois d'existence. *Eurêka* avait eu cependant deux idées qui ont fait leur chemin : la machine à voter et les fusées paragrêle, mais elles avaient été noyées sous un fatras d'extravagances dignes du *Génitron :* l'encre blanche pour marquer le drap noir, les œufs de synthèse à base de viande chevaline, une machine à ramasser la monnaie, un aspirateur destiné aux véhicules automobiles pour leur permettre d'absorber la poussière qu'ils soulèvent, et un dispositif anti-brouillard par immersion de sacs de laine imbibée de pétrole dans les rivières et dans les lacs. Le pétrole, en se dégageant lentement, devait former à la surface une couche isolante propre à empêcher l'évaporation de l'eau.

Et comment douter que l'état-major, en pleine guerre, ne se soit intéressé à la question du dentier auditif pour artilleur : « Si celui-ci se bouche les oreilles, commentait fort gravement Henry de Graffigny, il n'entend plus les commandements. Or on n'entend pas que par les oreilles. On entend aussi par les dents et par les poils de la barbe. Bouchez-vous les oreilles et tenez entre les dents une règle plate, par exemple. Vous comparerez. Pour la barbe, c'est affaire d'observation fortuite et non gratuite. A notre sens, les artilleurs devraient porter toute leur barbe et tenir entre leurs dents pendant la manœuvre un appareil conducteur de son... »

Il est assez difficile de dire aujourd'hui quelles ont été les fonctions exactes de Louis auprès de Raoul Marquis, mais rien ne permet d'affirmer avec certitude qu'il ait été son homme à tout faire, comme il l'a écrit dans *Mort à crédit,* raconté à Robert Poulet et à bien d'autres, et repris ensuite dans *Nord* sous une forme un peu différente. Après y avoir fait l'aveu d'une vie « très très miteusement » gagnée, il affirmait : « [...] aux temps où j'étais employé, livreur, secrétaire chez Paul Laffitte, je cavalais grand galop... alors, bien plus économique, agile, que le métro n° 1, entre Gance, Mardrus, Mme Fraya, Bénédictus, et l'imprimerie de la rue du Temple... et Vaschid, des « lignes à la main », et Van Dongen, Villa Saïd... » parlant un peu plus loin de « ... chercher les épreuves, jamais les perdre, rassembler tout, plus, rédiger un commentaire de style si prenant sorcelant que le lecteur dorme plus, vive plus, d'avoir le prochain " numéro "[1]... »

Dans *L.-F. Céline raconte sa jeunesse,* Claude Bonnefoy[2] rapporte que Céline lui aurait dit avoir été « secrétaire du journal des

---

1. *Nord,* p. 519.
2. *Cahiers Céline* 2, p. 209.

inventeurs *Eurêka* », et Henri Mahé dans *la Brinquebale avec Céline*[1] raconte qu'il aurait été avant « médecine et succès littéraire », le « grouillot » d'Abel Gance. Ce dernier affirme aujourd'hui qu'il ne s'en souvient pas, mais le fait est confirmé par Lucette Almanzor à laquelle Céline a toujours dit qu'il lui avait servi d'homme à tout faire.

Quant à Charles Laffitte, il était officiellement à cette époque « directeur gérant » d'*Eurêka* et le nommé Bénédictus collabora au premier numéro de la revue. C'est certainement le même Bénédictus qui avait été le témoin de son mariage à Londres en 1916[2]. Enfin Van Dongen habitait 29, villa Saïd.

Tous ces renseignements se recoupent et permettent de penser que Louis a effectivement besogné à gauche et à droite, pour les uns et pour les autres, mais sans plus de précisions. Toutefois, sa collaboration à la revue *Eurêka* se trouve matériellement confirmée puisque l'on y trouve dans le numéro 9 de février 1918 un article intitulé « De l'utilisation rationnelle du progrès », rapportant les « Passages les plus saillants d'un message de l'éminent docteur Nutting à l'Associated Engeneering Societies de Worcester Mass. USA. », traduit de l'anglais par Louis Destouches.

La vie et l'œuvre de Raoul Marquis méritaient d'être évoquées longuement. Cet original a certainement marqué Louis, et, grâce à lui, on peut étudier l'art de la transposition chez Céline. On découvre avec stupeur que le personnage de Courtial des Pereires n'était finalement pas beaucoup plus extravagant, ni plus fou, que Raoul Marquis, dit Henry de Graffigny, qui lui servit de modèle.

Qu'est ensuite devenu Raoul Marquis? Employé pour un temps par la Fondation Rockefeller, il a tenté une carrière universitaire de brève durée. En mai 1904, alors qu'il était, semble-t-il, préparateur à la Sorbonne, il avait soutenu une thèse de sciences physiques, *Recherches dans la série du Furfurane*, qu'il dédia à la mémoire de son père. Il la fit éditer chez Gauthier-Villard, 55, quai des

---

1. Henri Mahé, *la Brinquebale avec Céline*. La Table Ronde, 1969, p. 143.
2. Voir la note de Henri Godard dans *Nord*, p. 1173.

Grands-Augustins, honorable maison qui devint dans *Mort à crédit* « chez Berdouillon et Mallarmé[1] ». Selon Graffigny, ce travail avait apporté « une contribution nouvelle à l'étude de la réaction générale du noyau furfuranique », ce dont nous ne saurions douter. Mais ce n'est que pendant l'année scolaire 1928-1929 qu'il devint pour un temps chargé de cours à la Faculté des sciences de Paris où il fit une série de conférences de chimie organique dont il publia l'essentiel ultérieurement[2].

Comme s'il devait accomplir jusqu'au bout le lamentable et singulier destin de Roger-Marin Courtial des Pereires, il se retira en Seine-et-Oise, non pas à « Blême-le-Petit », mais à Septeuil. Il devait y achever sa vie, comme Philippe-Ignace Semmelweis, victime de ses propres convictions, sinon martyr de la science. Il installa tout un réseau électrique dans son potager, espérant obtenir dans des délais stupéfiants des légumes énormes; il n'obtint que des légumes ordinaires. Il avait pourtant écrit très sérieusement dans *Eurêka* un article sur « La culture intensive par l'électricité » qu'il avait achevé en fanfare : « C'est peut-être là le salut de nos campagnes et du pays tout entier; qu'on se hâte donc, l'ennemi est à nos portes! »

L'histoire ne dit pas si, devant l'échec de cette chimérique et ultime entreprise, il s'est fait sauter la cervelle comme Courtial des Pereires. Il est mort à Septeuil le 3 juillet 1934, à l'âge de soixante-dix ans, quelque vingt-huit mois avant la publication de *Mort à crédit*. Peu avant la seconde guerre mondiale, Céline et Lucette Almanzor ont rendu visite à sa veuve. Lucette se souvient d'une femme énorme, presque impotente, qui les reçut dans son lit. Elle subsistait en gardant des enfants de l'Assistance publique. Les voyant maigres et tristes, Céline et Lucette étaient allés au village leur acheter des gâteaux secs et des confitures.

Raoul Marquis et Marie Margot reposent au cimetière de Sep-

1. *Mort à crédit*, p. 821.
2. Il continua en effet à écrire et fit imprimer son dernier ouvrage en 1934, *les Martyrs du pôle*, illustré par Berty.

teuil. Leur tombe était abandonnée et la concession trentenaire venait à expiration en 1974. Je l'ai fait transformer en concession à perpétuité. Ils y sont donc désormais pour l'éternité et je compte bientôt y faire édifier un petit monument à la mémoire de ce titan.

CHAPITRE XIII

Rennes

« ...serai-je éternellement libre et seul ayant
je crois le cœur trop compliqué pour trouver
une compagne que je puisse aimer longtemps ».

Carnet du cuirassier Destouches, dans
Casse-pipe suivi du..., p. 114.

Louis en eut vite assez de cette vie qu'il menait à Paris aux crochets de ses parents et de quelques hurluberlus qui l'employaient à l'occasion; il éprouvait en outre une sensation d'inutilité qui lui pesait d'autant plus qu'il y avait toujours la guerre; la guerre qui n'en finissait pas!

Il est assez difficile de dire avec précision de quelle façon Louis entra au service de la Fondation Rockefeller. Nous ne connaissons sur ce point que l'explication qu'il en a donnée à Robert Poulet, auquel il a déclaré qu'après avoir « indiscrètement lu », dans une lettre à son directeur, que la Fondation recherchait des « propagandistes qualifiés », il se serait proposé avec quelques camarades et aurait été embauché sans hésitation [1]. C'est à peu près la même version qu'il avait présentée à Charles Chassé en 1932 [2], auquel

1. Robert Poulet, *Mon ami Bardamu.* Plon, 1971, p. 132.
2. *Cahiers Céline* 1, pp. 84-90.

il rappela qu'il parlait couramment l'anglais, ce qui lui facilita certainement les choses.

Henry de Graffigny, dont la carrière à la revue *Eurêka* touchait à sa fin, se présenta un peu plus tard et sa candidature fut également retenue comme mécanicien. Lorsque la « Fondation » décida d'ajouter à son arsenal de propagande un « guignol prophylactique », on lui confia tout naturellement sa direction puisque c'était l'une de ses multiples spécialités. Il fut peut-être même l'inventeur de cette curieuse façon d'enseigner l'hygiène et la prévention de la tuberculose... Quoi qu'il en soit, l'expérience fut couronnée de succès et 67 000 enfants applaudirent à ses spectacles [1]. Il faut noter qu'à cette époque les relations entre Graffigny et Louis s'étaient nettement dégradées. Dans une lettre à Milon, qui entra en même temps que lui au service de la Fondation, il parlait avec mépris de « cette vieille épave de Graffigny », et dans une autre lettre, écrite alors qu'il avait déjà quitté la Rockefeller et que Milon s'apprêtait à y entrer à nouveau : « [...] je pense avec toi que les absents à la " Rockefeller " doivent avoir tous les torts, comme partout- Si tu y rentres (j'en doute) fais attention, surtout à Graffigny! Enfin, je te sais assez fin, mais gare aux confidences. Les crapauds sont partout. »

Créée en 1913, la Fondation Rockefeller était une gigantesque entreprise philanthropique, dotée de moyens considérables. Au début de l'année 1917, une commission était venue d'Amérique pour enquêter sur la tuberculose en France. Ses constatations alarmantes provoquèrent l'envoi de la « Commission américaine de préservation contre la tuberculose », plus connue sous le nom de Mission Rockefeller, qui allait faire circuler dans les provinces des « Équipes ambulantes de propagande ». Le docteur Follet, président du Comité départemental d'Ille-et-Vilaine de lutte contre la tuberculose obtint que la première équipe soit envoyée en Bretagne où elle arriva le 10 mars 1918. Louis Destouches en faisait partie [2].

1. *Rapports annuels de la Fondation Rockefeller* 1919, pp. 32-34.
2. Voir Jacques François, *Contribution à l'étude des années rennaises du docteur*

Dirigée par le docteur Livingston Farrand, qui avait pour adjoint le professeur Selskar Gunn, la Mission reçut à Rennes un accueil triomphal. Il est vrai que les Américains étaient entrés en guerre contre l'Allemagne un an plus tôt et qu'ils ne cessaient d'intensifier leur effort de guerre, apportant à nos armées, en argent, en matériel et en hommes un appui qui allait décider de la victoire et leur valait pour l'heure une très grande popularité.

Louis était enchanté de participer à cette kermesse. Il avait de bonnes raisons de l'être, puisqu'il avait quitté Paris et se trouvait pour la première fois de sa vie en Bretagne, sur la terre de nombre de ses ancêtres, pour une grande balade, avec un métier tout neuf et si proche de la médecine pour laquelle il a souvent dit qu'il se sentait attiré depuis l'enfance. Ne portait-il pas aussi l'uniforme? Et pas n'importe lequel, l'uniforme américain! La tenue des soldats du Nouveau Monde, fils de cette Amérique qui le fascinait étrangement et qu'il rêvait depuis longtemps de découvrir à son tour.

C'est le 11 mars 1918 qu'eut lieu au théâtre de Rennes la conférence inaugurale faite par le docteur Bruno qui devait plus tard consacrer sa thèse à la Mission Rockefeller[1]. Le préfet Julliard avait avant lui donné le ton en expliquant « pourquoi l'âme américaine vibrait avec la nôtre depuis La Fayette et Rochambeau »; puis le docteur Follet avait électrisé l'assistance en vantant les mérites de l'université du Colorado dont le docteur Farrand était le président : « Cette merveilleuse université du Colorado où des spécialistes de tous genres travaillent la pensée sous toutes ses formes comme on travaille la poudre et le métal dans nos usines de guerre. » La salle était comble et toutes les autorités du département, civiles, religieuses et militaires, étaient venues à ce grand sabbat donné à la gloire de l'amitié franco-américaine et de la prophylaxie.

Destouches (1918-1924). Thèse dactylographiée. Faculté mixte de médecine et de pharmacie de Rennes, 1967.

1. *Le Rôle de la mission Rockefeller dans l'organisation antituberculeuse en France de 1917 à 1923*. Paris, 1925.

Aucun journal de l'époque ne mentionnait Louis parmi les orateurs, ni même parmi les personnes présentes. Cependant, à Charles Chassé, devant lequel il évoqua ses angoisses de jeune orateur, il a confessé : « Ce que j'ai pu bafouiller les premières fois! Je revois avec terreur la grande séance dans le théâtre de Rennes, tout illuminé, et c'est grand ce machin-là! Tout contre moi, le Général d'Amade et puis le Docteur Follet, qui devait devenir plus tard mon beau-père. Ç'a été épouvantable, et puis, petit à petit, je me suis habitué à parler comme on s'habitue à tout [1]. »

Un article a également été publié à la mort de Céline par *les Petites Affiches de Bretagne* [2] rapportant que Louis serait intervenu ce jour-là. Emporté par son discours, il aurait fait des réflexions très personnelles et émis des jugements sur la situation de l'époque, au point que l'archevêque, bientôt suivi du préfet et des généraux, en bref tous les officiels, auraient quitté la salle ostensiblement. L'histoire est amusante, mais d'autant moins vraisemblable qu'Édith Follet ne s'en souvient pas. Or elle était présente à cette cérémonie, à l'issue de laquelle on fit une quête qui rapporta 934 francs — détail négligeable si Édith n'avait été parmi les quêteuses. C'est donc peut-être ce 11 mars que Louis la vit pour la première fois, avant que leurs regards ne se croisent au cours d'une réception donnée peu après dans le très bourgeois salon des Follet. Louis mit alors quelque insistance à regarder cette jeune fille dans les yeux. Pour elle à la seconde ce fut le coup de foudre.

L'heure n'était pas aux transports amoureux; au contraire, le moment était venu pour Louis de se mettre à l'ouvrage. Sur le chemin de Rennes, à Chartres et à Châteaudun on l'avait rodé. A Milon qui suivait aussi la caravane, il écrivit quelque temps plus tard : « [...] Châteaudun te souviens tu! - La Mazière - notre première conférence - jours bénis, jours de merde, jours de joie! mêlés en fanfare de coups de gueules! notre auto... » Le rôle de Louis consistait à faire deux types de conférences, les unes destinées

1. *Cahiers Céline* 1, p. 87.
2. P. G., « L.-F. Destouches dit Céline est mort », *Petites Affiches de Bretagne*, 7 juillet 1961, p. 6.

aux enfants des écoles, qui n'étaient que de brèves causeries d'une
vingtaine de minutes avec distribution de brochures et de cartes
postales. Peut-être entonnait-il aussi quelques chansons comme
celles-ci : *J'ai du bon soleil dans ma chambrette...* sur l'air de :
J'ai du bon tabac... Les autres conférences étaient faites le soir à
des adultes, toujours des discours-types de trois quarts d'heure
environ.

L'opinion publique de Bretagne avait été mobilisée à grand
renfort d'affiches et de presse. Ainsi, dans le journal *Ouest-Éclair*
du 22 février 1918, les hommes de la Mission étaient annoncés
comme les anges exterminateurs du microbe assassin : « [...] Il faut
aller vite : de grands camions automobiles ont été construits, porteurs de force électro-motrice, de films cinématographiques, de
tableaux démonstratifs, d'expositions complètes constituant les
éléments essentiels de représentations théâtrales; des conférenciers
et des Dames de la Croix-Rouge américaine les accompagnent,
parlant français, ardents apôtres d'une croisade sans précédent,
rompus à cette éloquence spéciale qui va droit au cœur des
foules. [...] Ces " rois de l'hygiène " d'au-delà de l'Atlantique sont
les émules des " rois de l'acier, du pétrole, des chemins de fer,
des mines ". Leurs compatriotes dont les milliards légendaires,
volontairement, rageusement dispersés, retombent en pluie de millions sur l'humanité douloureuse, consolée, reconnaissante. »

La première conférence de Louis dont la presse se soit fait l'écho
eut lieu le 12 mars 1918 au cinéma Omnia devant un auditoire
purement féminin composé des élèves du lycée de jeunes filles, de
l'école normale d'institutrices et de l'école primaire supérieure :
« M. Louis Destouches, présenté en un langage châtié et élevé par
Monsieur Dodu, Inspecteur d'Académie, a fait une conférence
extrêmement intéressante. Il a parlé avec une grande science de
la question et avec un art goûté des plus fins connaisseurs [1]. » Les
articles parus ensuite dans *Ouest-Éclair* et dans *le Démocrate
d'Ille-et-Vilaine* permettent de le suivre à la trace : le 18 mars il

---

1. *Ouest-Éclair*, 14 mars 1918, p. 3.

était à 10 heures à la Halle aux Toiles devant cent garçons de l'école du faubourg de Nantes; à 10 h 30, devant un autre groupe d'enfants de la même école, et à 20 heures, « [...] au Théâtre municipal, une grande conférence aux Syndicats de la Bourse du Travail, présidée par M. Janvier, Maire de Rennes [...] M. Destouches, en un langage clair et précis, indiqua les moyens à employer pour combattre le terrible fléau de la tuberculose. Il recommanda notamment une lutte énergique contre l'alcool, rappelant que c'est le lit où se couche la tuberculose [1]. » Il fut très applaudi, « comme il le méritait », et cette soirée qualifiée d'instructive s'acheva par une partie musicale.

Le 19 mars, Louis était au Ciné-Palace devant les cadres instructeurs de la classe 19, sous la présidence du général d'Amade, commandant la Région militaire. C'est sûrement à cette réunion qu'il pensait lorsqu'il évoqua en 1933 devant Charles Chassé ses terreurs de jeune conférencier, commettant une confusion, volontaire ou non, avec la séance inaugurale au théâtre de Rennes. A 20 heures, le même jour, il était devant les syndicats catholiques dans la salle des fêtes du patronage de la Sainte-Famille et le lendemain à la même heure devant les ouvriers et ouvrières du quartier de la gare. Le 21 à 14 heures il parlait devant deux cents garçons de l'école Quineleu, et à 16 heures devant cent cinquante filles de la même école. Le 22 mars il devait prendre la parole à quatre reprises dans la journée, trois fois devant des écoliers et le soir devant un public d'ouvriers et d'ouvrières du quartier de Brest. La presse, qui commentait chacune de ses interventions, était de plus en plus élogieuse et elle insistait chaque fois sur la densité des applaudissements, l'abondance de l'auditoire, et sur son langage « net et saisissant [2] ». Les journaux notaient qu'il était « toujours sur la brèche [3] » et se dépensait sans compter [4].

La « Semaine antituberculeuse » étant achevée, l'équipe n° 2, à

1. *Ouest-Éclair*, 19 mars 1918.
2. 19 mars 1918 à 20 heures.
3. 25 mars 1918, à l'école de la rue Papu.
4. 19 mars 1918 à 16 heures.

laquelle il appartenait, s'octroya quelques jours pour souffler avant de partir en tournée. Tout au cours de cette semaine de grande agitation, Louis, comme tous les autres membres de la Mission, avait été reçu et fêté partout. De toutes les maisons qui s'ouvrirent à lui, c'est chez les Follet qu'il fut reçu avec le plus de chaleur, non seulement parce que leur fille avait été immédiatement séduite par lui, mais aussi parce qu'un fort courant de sympathie s'était rapidement établi entre Louis et le docteur Follet, qui n'était pas non plus un homme comme les autres.

La « roulotte d'hygiène » visita ensuite la Bretagne un peu dans tous les sens. Céline a raconté cette expédition à Claude Bonnefoy : « On faisait des conférences dans les écoles sur la tuberculose. On en faisait jusqu'à cinq ou six par jour. Les paysans à qui on s'adressait et qui parlaient surtout patois ne comprenaient pas toujours nos explications... Ils écoutaient sagement, sans rien dire... Ils regardaient surtout les films... On voyait des mouches se promener sur le lait... La pellicule cassait toutes les cinq minutes, ou sautait. Ça ne faisait rien... On réparait [1]... »

A Vitré le journal *Ouest-Éclair* salua une fois de plus « le causeur si attachant et déjà populaire qu'est l'hygiéniste Destouches [2]... ». Puis à Montfort-sur-Meu, Louis aurait rencontré Alexis Carrel, fait que le docteur Jacques François tient pour assez vraisemblable, à moins que ce ne soit à Saint-Brieuc « où Carrel et son collaborateur Lindbergh fréquentaient assidûment comme Destouches les librairies [3] ». D'après Marcel Brochard, Louis aurait ensuite échangé une correspondance de caractère scientifique avec le grand homme [4].

Le 27 juin, Louis était à Quimper, le 13 août à Brest, parlant à la Bourse du Commerce et au Foyer du Soldat, avant de s'adresser le 17 aux ouvriers dans la grande salle des fêtes. Il sillonna le pays jusqu'à la fin de l'été. A Retiers il croisa le chemin d'Henri Mahé

1. *Cahiers Céline* 2, p. 214.
2. *Ouest-Éclair*, 1er avril 1918.
3. Jacques François, *op. cit.*, p. 12.
4. *Les Cahiers de l'Herne*, p. 205.

qui se souvint « de ce soldat américain dégingandé qui parcourait le bourg une pile de bouquins sous le bras. Nous, les mômes, nous l'escortions, car il nous faisait rire et nous donnait du chouine-gomme [1]... ». En octobre Louis était dans les Côtes-du-Nord, à Loudéac, à Caulnes, à Évran. Le moral n'avait jamais été meilleur car la guerre s'achevait, l'Allemagne cédait enfin et bientôt ce serait la paix. Le 11 novembre il était à Dinan pour l'armistice. Une formidable explosion de joie salua partout la fin de ce cauchemar et le lendemain à l'Hôtel de Ville « fut servie la première coupe de champagne depuis la mobilisation [2] ». Puis la Mission reprit la route. Le 23 novembre elle était à Erquy, le 3 décembre à Lamballe, où Louis prononça sa dernière conférence de l'année. Il avait en effet décidé de prendre un peu de distance avec l'équipe, qu'il ne suivit ni dans le Morbihan ni en Loire-Inférieure, préférant retourner à Rennes pour mieux préparer le baccalauréat. Il se remit ainsi au latin avec l'abbé Pihan, supérieur de l'Institution de Saint-Vincent.

Destouches rejoignit sans doute la Mission Rockefeller alors qu'elle opérait dans la région de Bordeaux. C'est dans cette ville qu'il présenta la première partie du baccalauréat. Il l'obtint le 2 avril 1919, bénéficiant, il est vrai, des dispositions du décret du 10 janvier 1919 qui avait accordé aux anciens combattants le droit de ne concourir que sur un programme restreint, avec dispense d'épreuves écrites. Voici les notes qui lui furent attribuées dans la série latin-langues :

Explication latine : *Horace*	16/20
Explication française : *Les Pensées* de Pascal	13/20
Première langue vivante	18/20
Deuxième langue vivante	14/20
Géographie : la Champagne	11/20

1. Henri Mahé, *la Brinquebale avec Céline*. La Table Ronde, 1969, p. 215.
2. *L'Union malouine et dinannaise*, 16-17 novembre 1918.

Histoire moderne : L'organisation de la France par la
  Révolution   14/20
Mathématiques : volume de la pyramide   12/20

                                          Total   98 points
                                          Mention Bien

Dans le courant du mois de juin Louis fit de nouvelles conférences, à Castillon, Saint-Émilion et Libourne, annoncées dans
la France de Bordeaux et du Sud-Ouest du 30 mai. Le 2 juillet,
il affrontait à nouveau les examinateurs bordelais qui lui accor-
dèrent la deuxième partie du baccalauréat série philosophie avec
les notes suivantes :

Philosophie : le plaisir et la douleur   13/20
Histoire contemporaine : la République de 1848
  à 1861   18/20
Géographie : l'Irlande   16/20
Sciences naturelles : le rein   14/20

                                          Total   74 points [1]
                                          Mention Bien

Devenu bachelier, Louis pouvait enfin envisager une vie différente de celle qu'il avait menée jusqu'alors et qui avait été pour le
moins désordonnée. La guerre l'avait beaucoup troublé et, ne
sachant de quoi serait fait le lendemain, il s'était habitué à vivre
au jour le jour, multipliant les expériences professionnelles et
sentimentales. La fin de la Grande Guerre et sa rencontre avec la
famille Follet allaient lui permettre de tenter sérieusement de
mettre fin à cette double instabilité.

Édith Follet appartenait par sa mère à une excellente famille

1. La philosophie était notée avec le coefficient 2.

originaire de Lannilis dans le nord du Finistère. L'hôpital de Brest porte du reste le nom de son grand-père, Augustin Morvan, l'ami du commandant Charcot et de Nelaton, chirurgien de Napoléon III et de Garibaldi. Augustin Morvan, médecin de grande renommée et membre de l'Académie de médecine, avait découvert le « Panaris analgésique » et la « Chorée fibrollaire ». Il avait eu la douleur de voir mourir sa femme, comme la plupart des femmes de sa famille, de. la fièvre puerpérale, fléau dont on parlait beaucoup chez les Follet, ce qui a peut-être influencé Louis lorsqu'il eut à choisir un sujet de thèse[1].

La femme du docteur Follet était la fille du grand Augustin Morvan, qui planait sur cette famille un peu comme planait sur la famille de Louis l'ombre du « grand » Auguste Destouches, le professeur de rhétorique du lycée du Havre. Du côté Follet on était de condition beaucoup plus modeste, le père d'Athanase, originaire de Quimper, était sans fortune et avait fait une petite carrière honorable comme sous-économe à l'asile psychiatrique de Breuty dans les Charentes. C'est là que le futur docteur Follet fut élevé au milieu des fous, sinon par eux, car sa mère était servie par des pensionnaires de l'établissement, et l'un d'eux aurait été plus spécialement chargé de veiller sur l'enfant.

Né le 19 juin 1867, Athanase Marin Antoine Marie Anna Follet était un homme remarquablement intelligent; il avait fait ses études de médecine à Paris et avait été reçu à l'internat dès son premier concours, puis il s'était établi à Rennes. Fort du titre d'ancien interne des hôpitaux de Paris, il s'était tout d'abord spécialisé dans la médecine pour enfants avant de s'orienter plus particulièrement vers le traitement de la tuberculose. En 1918, quand il fit la connaissance de Louis, il avait cinquante-cinq ans, était officier de la Légion d'honneur et officier de l'Instruction publique, professeur de clinique médicale à l'université de Rennes, médecin de l'Hôtel-Dieu, chirurgien en chef de « La Sagesse » et

---

1. Sur la vie d'Augustin Morvan (1818-1897), voir la biographie publiée par Georges Desse, *Mort d'un médecin*. La Table Ronde, 1957.

de l'hôpital militaire Ambroise-Paré. Il était encore président de l'Office départemental de défense contre la tuberculose, médecin consultant des chemins de fer de l'État et des Postes et Télégraphes, ainsi que des écoles normales primaires supérieures et des lycées de Rennes.

Sur le plan strictement scientifique, il avait publié en 1901 sur le « sarcome angioplastique » et en 1902 sur le « syndrome de Raynaud ». Il donna également une « observation de la tuberculose cavitaire en vase clos », qui fut le point de départ des travaux de Grasset à Montpellier, et une étude sur l'« évolution du foie dans certaines cirrhoses de Laennec », qui lui valait d'être cité dans de nombreux manuels de pathologie interne.

Mais le docteur Follet n'avait pas que des qualités; on lui prêtait quelques libertés avec la déontologie, de grands appétits d'argent, une certaine légèreté professionnelle et une vie sentimentale qui faisait scandale. Il était littéralement rongé par l'ambition et rien vraiment ne l'arrêtait dans la course aux honneurs. Aucune compromission ne lui faisait peur; on le disait franc-maçon, ce qui ne l'empêchait pas d'être le chirurgien des Filles de la Sagesse et du haut clergé, pas plus que son état de grand bourgeois ne lui interdisait de professer des opinions de gauche. Il soignait aussi le préfet avec d'autant plus de condescendance qu'il fallait passer par lui pour faire carrière dans l'ordre de la Légion d'honneur. Bref, le docteur Follet était détesté par ses confrères qui le jalousaient et répandaient sur son compte les pires horreurs.

Il existe à ce sujet trois textes qui émanent, l'un des propres étudiants du docteur Follet, le second du doyen de la Faculté et le troisième de Louis Destouches lui-même, qui décrivit dans une lettre à Milon par quels subtils détours son beau-père parvint à retrouver les bonnes grâces de Monseigneur l'archevêque :

« A la suite de sa nomination dans sa place de Directeur, l'entourage de S. E. le cardinal Dubourg (de Limoges) dont il était le médecin ordinaire, lui fit voir qu'il était bon de rompre avec un personnage officiel, docte mais compromettant- Son Excellence (qui est ni plus ni moins qu'un vieil Hystérique) se laissa faire la mort dans l'âme- Et le Directeur ne s'en fut plus comme il était coutume, escaladant d'un petit pas bref le raidillon de l'Archevêché-Mais le Diable était là, et le petit père Follet est du dernier bien avec le Diable, comme tu sais. Il y a qq mois, monseigneur pique une crise (que le bon docteur Follet connaît si bien) mais Monseigneur est prisonnier de la politique, son vicaire général veille, les concurrents, Dayot, Marquis, Lautier etc. etc. surveillent font escorte l'entourent, mais voilà, ils ne savent pas soigner mgr, il n'y en a qu'un qui sait... et mgr, le dit, tout bas aux sœurs qui veillent sur son repos perdu-

» " Allez mes sœurs, allez, leur dit-il, rue Duguesclin, n° 3 [1], vous monterez l'escalier sombre, vous irez voir le d^r Follet, et vous lui direz que je suis victime de l'intransigeance de la secte et que je souffre qu'il me donne qq chose, car lui seul sait me guérir, les autres ne savent rien, Allez mes sœurs allez, mais dou-ce-ment..... "

» Et les sœurs furent......

» Et le grand guérisseur les accueillit comme il convient avec des larmes.

» " Je l'aime, mgr, leur dit-il, je sais de quels bas calculs il est l'objet, je sais qu'on ne sait pas son mal, mais mon amour pour lui est plus fort que mon ressentiment, portez-lui ce remède (Qu'il confectionne de façon suivante

Eau	90 %
Bleu de méthylène	1 %
Alcool	9 %
	100 % "

» Et les sœurs revinrent, par les rues secrètes où la pluie tombe depuis des siècles sans interruption.

» Et mgr en voyant la magique potion reprit espoir et la vie, il but et naturellement il fut bien mieux - bien mieux....

» Mais aujourd'hui, il fait grand froid dans l'Archevêché, mgr

1. Cabinet du docteur Follet.

a pris un rhume, mgr a peur du Ciel où l'attend cependant une large place, et cet après-midi une sœur au pas feutré s'en fut rue Duguesclin.

» " Docteur, votre ami le cardinal voudrait vous voir.... "

» Lui, (magnifique).... " Y pensez vous ma Sœur, une maison où on me fit de tels affronts.... qui pullule de ces médicaillons qui s'attachent à mon inviolable réputation... (de plus en plus magnifique) Y pensez-vous.........?

» (plus doucement) " Docteur votre ami le cardinal est prêt à toutes les concessions..... Il vous aime bien...... Il parle de vous... surtout le soir... il... tousse... "

» Lui — " Oui, Oui. évidemment, mais enfin, je voudrais bien le voir... mais ce vicaire général gêne..... "

» La sœur... " oui... monseigneur se doutait,... alors ce matin monseigneur l'a désigné pour d'autres fonctions... vous voyez... vous pouvez revenir. "

» Et voilà comment fut vidé le vicaire général, et pourquoi à l'heure où je t'écris le Docteur Follet vainqueur quand même, monte d'un pas ferme le petit raidillon que tu connais et qui grimpe à l'Archevêché - où il n'était entré depuis deux ans-

» Mais avant de partir il m'a montré ses poches, bourrées d'Instruments aussi inutiles que miroitants avec lesquels il va osculter tous les orifices de monseigneur, et dont " je tirerai dit-il, des consolations concluantes et innombrables.

» " Il m'aime déjà, mais il va m'adorer quand je vais lui promettre une vie éternelle sur la Terre-

» " Les autres n'ont pas réussi, parce qu'ils ne sauront jamais la médecine. Tandis que moi - assure-t-il, je la connais... je la connais... dans tous les coins "

» Voilà un petit fait de la province - J'ai pensé qu'il t'amuserait.

» A bientôt fin mars. Affectueusement [1].

Cette lettre a au moins le mérite de démontrer que le mariage n'avait pas fait perdre à Louis le sens de l'humour. Quant aux étu-

---

1. Rennes le lundi (sans date).

diants du docteur Follet, ils n'en manquaient pas non plus, puisque dans leur journal, appelé *l'A*, du 1ᵉʳ décembre 1921, on pouvait lire l'article suivant intitulé « Le Professeur Follichon »; sobriquet dont Céline s'inspira sans nul doute dans *Voyage au bout de la nuit* quand il donna le nom de Frolichon au médecin préféré de la « Tante à Bébert. » Voici la description de la consultation d'Athanase Follet :

« Les quatre coups à la cloche de l'hôpital... Une foule d'uniformes blancs en deux files... Quelques minutes d'attente... Un petit bonhomme en blouse apparaît, entouré de son grandissime état-major... On dirait Gulliver au pays des géants. Il y en a d'énormes, méphistophélesques, avec un nez à tout fendre, et un bouc infernal, et qui tonitruent, et qui roulent les " r ". D'autres, chimiques, exposent au maître, le résultat de leur cuisine. D'autres enfin, hygiéniques et prophylactiques, méditent leur prochain laïus sur les huîtres de Cancale... Gulliver semble tous les mener par leur appendice nasal. Il est minuscule... Sur la tête une calotte, cerclée blanc et noir, découpée dans un vieux maillot de bain... Sous cette calotte, un visage mat, deux yeux pétillants, seuls orifices par où pénètre l'énigmatique Follichon. Sur la face, un sourire. Sur ce sourire, quelques poils, en une moustache linéaire. Sur le dos, une pèlerine, taille garçonnet...

» La sœur salue, pieusement.

» Monsieur le Directeur fait son entrée.

» Puis ce sont pirouettes, volte-face, glissades sur le parquet ciré. Dans l'ordre exigé par l'étiquette, interne en tête, stagiaire en queue, tout le monde en met pour suivre le rapide Directeur. La sœur, au milieu de cette foule, fait sautiller sa blanche cornette... A toute allure, il tapote un ventre, percute un foie, touche un vagin, ausculte un poumon. Il fignole. Les écoliers, anxieux, retiennent leur souffle pour ne pas gêner le Maître. Soudain, il suspend sa course près d'un lit. Son regard amusé cherche quelques instants, puis désigne un copain. Le supplicié s'avance. Pendant dix minutes, Follichon va se payer sa tête. Il tend son oreille

pointue de diablotin. L'élève a vasé : un sourire. L'élève a rupiné :
un sourire; le même. Qui sait ce que pense le petit crâne de ce
petit homme!... Suivent quelques observations pratiques : le patron
expose la conduite à tenir, dans les cas les plus délicats, pour sau-
vegarder, en outre de la santé du malade, la bourse du médecin.
On ne perd pas de vue, dans le sillage de Follichon, que si le métier
comporte des opérations, elles sont pour beaucoup financières...
» Il semble se ficher de tout, de son " distingué personnel ", de
l'étudiant, de ses confrères : " Voyez, messieurs; le malade ne
supporte pas ce médicament. On ne sait pas pourquoi. Il y a idiosyncrasie. Moi, il est des gens que je ne peux pas voir, et qui me le
rendent bien. On ne sait pas pourquoi. Il y a encore idiosyncrasie... "
» Encore un sourire, encore une pirouette, et la visite continue.
De temps à autre, Monsieur le Directeur parle. Il ne fait pas leçon :
il disserte sur un sujet médical. L'Académie marque son empreinte.
Lentement, en une langue précieuse, fleurie d'astuce et d'images,
parsemée de prose latine, il montre comment on découvre, " dans
le bourbier des symptômes, la pierre précieuse du diagnostic ".
L'on se croirait presque, sans le pâle visage cancéreux enfoui dans
l'oreiller voisin, et sans les nombreuses citations de Musset, dans la
ruelle de l'incomparable Arthénice. Monsieur le Directeur a d'ailleurs une maîtresse : La Muse. L'Afrique l'inspira. Il publia. Il
fut charrié. C'est un poète. Et je vois très bien ce savant, en bur-
nous, partir en guerre, entre deux bosses de chameau, contre toute
la faune microbienne des tropiques...
» La visite est finie. L'Église offre un bonbon à la Science, qui
la croque. Le pontife sort, remorquant tous ses satellites; et il s'en
va, à pas petits, mais rapides, vers la Sagesse[1]... Monsieur le
Directeur est un grand philosophe[2]. »

---

1. Il s'agit de la clinique de La Sagesse où il opérait et qui était située à Rennes 17,
quai d'Ille-et-Rance.
2. Malgré la ponctuation de ce texte, Céline ne paraît pas avoir participé à sa rédaction. Dans ce genre il pouvait faire mieux.

Le docteur Follet n'était peut-être pas un grand philosophe, mais c'était à coup sûr un arriviste et l'affection qu'il témoigna à Louis, au point de lui donner sa fille en mariage, ne fut sans doute pas exempte de calcul. Ce garçon, qu'Édith aimait et dont il avait pu apprécier les qualités d'orateur autant que l'intelligence et la faconde, n'était-il pas le neveu de Georges Destouches? Secrétaire de la Faculté de médecine de Paris depuis quinze ans, ce dernier avait acquis une réelle influence sur le doyen Roger et avait son mot à dire au ministère quand il s'agissait, par exemple, de pourvoir le poste de directeur de l'École de médecine... de Rennes.

Comme la brouille avec son frère Georges n'était pas irrémédiable, Fernand, qui avait reçu à Paris la visite du docteur Follet, accepta d'intervenir en sa faveur. Il obtint effectivement le poste. Un an plus tard, soit en 1920, Athanase Follet fut nommé membre correspondant de l'Académie de médecine. La famille Destouches avait tenu ses promesses!

Lorsque les professeurs de la Faculté se réunirent, comme il est d'usage, pour accueillir leur nouveau directeur, Athanase Follet put constater qu'il y avait apparemment entre eux une idiosyncrasie... Voici le texte du compliment qui lui fut servi par le doyen du corps enseignant :

« Monsieur,

» C'est la première fois que vous nous réunissez à l'École depuis votre nomination de Directeur.

» Il est juste que les Professeurs signataires des protestations de juin 1918 vous souhaitent la bienvenue.

» En ma qualité de doyen d'âge, mes collègues m'ont désigné pour vous lire ce document que nous vous prions de déposer aux archives de l'École.

» Vous êtes entré dans la maison par la porte des intrigues personnelles et des plus tristes compromissions, manquant à la parole donnée pour vous dresser d'une façon qu'on a peine à qualifier contre le vœu formel émis par vos collègues. Vous êtes d'ailleurs de ceux pour lesquels un engagement, fût-ce un chiffon de papier, est toujours sans valeur, et vous devez vous souvenir, comme tous ceux qui vous connaissent, ce qu'ont été vos premiers pas dans la carrière médicale.

» Notre protestation, exempte de la haine et de la jalousie auxquelles vous vous êtes efforcé de faire attribuer notre attitude, se présente ce soir aussi ferme et aussi énergique qu'au premier jour où elle fut formulée et insérée dans la presse rennaise.

» Veuillez y voir l'expression indignée de notre conscience blessée par tous vos procédés, et le légitime souci de l'honneur toujours respecté jusqu'ici d'une École que votre présence ne peut que diminuer moralement et matériellement.

» Nous restons tous en un seul bloc irréductible respectueux des intérêts supérieurs de l'enseignement auquel nous consacrons toutes nos forces, mais gardant la volonté si hautement affirmée de nous libérer de celui qui n'a ni notre confiance ni notre estime.

» Nous lutterons sans arrêt jusqu'au jour qui nous donnera l'homme digne de nous représenter, de prendre en des mains insoupçonnées et inattaquables les destinées de l'École. Si vous avez encore le moindre sentiment de dignité, donnez maintenant votre démission, Monsieur. Ce sera peut-être, quoique déjà tard, un moyen de vous réhabiliter dans l'esprit de tous les médecins de la région. Vous avez entendu le soulagement de notre conscience indignée, nous allons maintenant tourner nos yeux vers l'École à laquelle nous restons profondément et fidèlement attachés, contribuer à la mise au point des nouveaux programmes de l'enseignement. »

Athanase Follet écouta sans broncher, puis, laconique, il laissa tomber : « Messieurs, conformément au règlement, je classerai cette pièce dans les archives de l'École. »

Pour Édith Follet, les intrigues paternelles étaient secondaires. Née le 12 mai 1899, elle n'avait pas encore vingt ans. Elle avait été élevée loin du monde et du bruit, et de la façon la plus conventionnelle que l'on puisse imaginer, dans l'appartement de ses parents au n° 6 du quai Richemont. Elle était jolie, très douce, un peu romantique, et s'était éprise de ce jeune homme aux allures très modernes et libres qu'elle avait vu entrer un soir dans le salon de ses parents. Impeccablement sanglé dans son uniforme d'officier américain, Louis était beau et avait infiniment de charme. Édith l'évoque aujourd'hui comme un « grand diable, large d'épaules, avec des yeux bleus de couleur très changeante »; elle se souvient aussi de son visage, qui s'animait étrangement quand il parlait à toute vitesse pour dire, sans en avoir l'air, des choses extraordinaires.

Quand Louis avait dû quitter Rennes avec la Mission Rockefeller, Édith et lui ne se connaissaient que depuis quinze jours, mais il revint quai Richemont à l'occasion de permissions et lui écrivit souvent pour lui donner de ses nouvelles, puis pour lui parler de leurs projets. Le docteur Follet y était favorable pour les raisons que l'on sait, et qui n'étaient pas toutes désintéressées. De son côté, Fernand Destouches était assez flatté de voir Louis entrer dans une famille aussi honorable, dont la situation de fortune était sans commune mesure avec la sienne. Honnête et naïf comme il l'était, il crut de son devoir d'avertir le futur beau-père de son fils de toutes ses aventures passées, au risque de faire échouer l'entreprise. Athanase Follet fut mis au courant de tout, y compris du mariage anglais. Fernand lui aurait même déclaré qu'à sa place il ne donnerait pas la main de sa fille à un garçon aussi aventureux. Mais Follet n'était pas homme à se troubler pour si peu. Il fit tout de même un saut à Londres, par acquit de conscience, et promit sa fille à Louis à la seule condition qu'il reprenne sérieusement ses études pour devenir à son tour médecin.

Louis ne voulut pas d'un mariage à Rennes, qui aurait obligatoirement entraîné des mondanités dont il n'avait que faire. Athanase Follet le redoutait aussi, se sachant critiqué et détesté par une bonne partie de la société. Il fut donc décidé qu'Édith et Louis se marieraient dans les Côtes-du-Nord, à Quintin, où résidait une cousine germaine de Mme Follet qui avait épousé le notaire Delaporte. C'est lui qui fut naturellement chargé de la rédaction du contrat de mariage signé en son étude le 4 juillet 1919, par lequel les futurs époux adoptèrent le régime de la communauté de biens réduite aux acquêts. Pour permettre aux époux de vivre décemment pendant la durée des études de Louis, le docteur Follet et sa femme constituèrent en dot à leur fille « une rente en pension viagère incessible et insaisissable de 12 000 francs par année payable en deux fractions par semestre [1] ».

Le mariage civil et religieux fut célébré le 19 août 1917, sans aucun apparat. Édith était en blanc dans une robe mi-longue très simple et Louis portait un complet sombre, dont le pantalon était trop court, une cravate grise, un mouchoir en pochette et des souliers qui auraient été du goût d'Henry de Graffigny. A la mairie, Louis Guillou, parrain du marié, Joseph Delaporte, Charles et Auguste Morvan servirent de témoins, et à l'église Notre-Dame de la Délivrande, ce fut un vieux prêtre, l'abbé Auffray, qui officia. Le mariage civil se déroula sans histoire, mais, d'après le docteur Jacques François qui a recueilli à Quintin des témoignages de première main, la cérémonie religieuse aurait été émaillée de quelques menus incidents : Louis aurait été tout à fait absent, comme dans la lune; puis personne n'ayant pensé à apporter les alliances, Mme Follet dut aller les chercher à la maison; quant au père de la mariée, « Émotion? Distraction? plutôt inexpérience des lieux, le Docteur Follet resta couvert de son canotier [2] » jusqu'à la fin de la messe, ce qui pourrait être aussi interprété comme une simple manifestation d'anticléricalisme.

La messe fut suivie d'un déjeuner. Au menu : « Langoustes à la Parisienne, Croustades Favorites, Jambon d'York Mortemart, Canetons à la Jaca, Poulardes du Mans Truffées, Salade Isabelle, Cèpes nouveaux Forestière, Parfait de Foies Gras de Nancy, Meringues à la Grignan, Petits Fours et Fruits Glacés, Fruits Variés. » Le tout fut arrosé de Xérès, de Château Yquem Lur

---

1. C'est uniquement pour les besoins de la cause que Louis figure sur les actes comme étant domicilié à Quintin où il n'a jamais demeuré, sauf pour de brefs séjours à l'occasion de visites chez les Delaporte.
2. Jacques François, *op. cit.*, p. 23.

Saluces, de Château Léoville, de Corton, de Clos du Roy et de Montebello.

Le lendemain, M. et Mme Louis Destouches étaient à Paris pour leur « voyage de noces ». Mais comme Édith n'attachait pas plus d'importance à ces usages que Louis qui prenait carrément plaisir à les piétiner, quelques jours plus tard ils étaient de retour à Rennes. Louis put alors mesurer l'ampleur du changement de décor qu'il venait de s'imposer en troquant sa panoplie de conquistador contre « [...] des pantoufles, une robe de chambre à brandebourgs, un salon enfoui sous des housses [1]... »

1. Robert Poulet, *op. cit.*, p. 133.

CHAPITRE XIV

Quai Richemont

« Moi encore j'ai la vague excuse d'avoir
une espèce de vocation du malheur. »

Lettre à N..., le 3 [septembre 1932]. *La Nouvelle revue française,* mars 1975, p. 63.

Louis paraissait avoir oublié les propos acides qu'il avait tenus
sur le mariage en maintes occasions, et plus précisément lorsqu'il
écrivait du Cameroun à ses parents pour leur exprimer son impé-
rieux besoin d'aventures. Il s'était installé dans le mariage avec
une aisance qui dénote ses remarquables facultés d'adaptation.
Le docteur Follet n'était pas un homme ordinaire, et de son côté
Édith était assez large d'esprit, mais Louis entrait tout de même
dans un cadre provincial et bourgeois. Il pouvait paraître d'autant
plus étroit que Louis allait devoir étudier sous la direction de son
beau-père, et que le jeune ménage s'installait au rez-de-chaussée
du 6, quai Richemont, où les Follet lui avaient aménagé une
chambre et un salon. Louis obtint aussi le droit d'utiliser la bibliothèque du premier étage dont il prit petit à petit possession. Il y installa son cabinet de travail, dont les membres de sa belle-famille
furent rapidement exclus.

Édith et Louis avaient beau prendre leurs repas avec M. et Mᵐᵉ Follet, l'emprise de ces derniers resta discrète. Une lettre, sans date, écrite à Milon, donne une idée de ce que fut sa vie à Rennes et comment il combina la poursuite de ses études avec les exigences de la vie de famille, et sa mentalité d'homme du peuple avec son nouvel état de bourgeois : « Je travaille comme un cheval, je suis né peuple, et les aisances de la vie veloutée n'entament point ma constitution décidément plébéienne- Le matin, tel le vertueux Achille, je vois se lever l'Aurore et l'astre des Nuits m'accompagne bien avant dans mes studieuses veilles- De ma femme, je vois peu de chose, car je suis aussi solitaire qu'indépendant et déteste la contrainte même sous sa forme la plus affectueuse- C'est au prix de la plus large indépendance que le mariage m'est possible et bien heureusement la Liberté est comprise à sa plus haute puissance par toute la famille. Nous faisons ici strictement ce que nous voulons et pouvons sans nous froisser passer des semaines sans nous voir- Il m'arrive souvent de tourner autour du Quai que tu connais pendant une heure dans un sens cependant que le Dʳ Follet tourne dans le sens opposé- S'il nous plait de tourner ensemble libre à nous, sinon, c'est aussi bien...- Ma femme accomplit son pèlerinage - au milieu d'un confort qui me fait songer à tant d'autres que le sort moins favorable, laisse sur leurs deux jambes douloureuses, errer dans les trains de Banlieue, ou en vendeuses des grands magasins!! Mais la misère n'est concevable que pour ceux qui l'ont tatée- et le cœur des bourgeois est quelque chose d'inconcevablement terne et d'insensible à la misère des autres- Je ne dis pas cela pour Édith qui est charmante quoique l'altruisme ne soit pas sa qualité dominante (où l'aurait-elle apprise?) mais pour cette bande d'Hideux égoïstes dont j'aperçois au hasard des rues les gueules rondes et fermées- Oui, mon vieux, j'ai gravi et successivement descendu déjà bien des échelons de l'échelle sociale et je reste confondu de l'incompréhension des cloisons étanches qui existent entre les hommes- Il y a foutrement plus de différence entre un bourgeois français et un pauvre gaulois qu'entre riche François et un opulent Teuton- Je me livre aux délices des estudes - j'y jouis - pleinement

- par tous les bouts - il suffit de s'y mettre- Mais j'ai toutes les ambitions- et c'est vers les découvertes que j'oriente mes pensées- La tête particulièrement, depuis toujours, m'attire et me polarise- La mienne est grosse, tu le sais, c'est peut être pour cela, et puis aussi, il me semble que j'ai des lueurs toutes particulières sur des problèmes si fallacieux qu'un crocodille en perdrait l'appétit- »

Louis passa avec succès le 26 mars 1920 les épreuves du P.C.N., examen préliminaire aux études de médecine, qui se préparait à la Faculté des sciences, et dès le 1er avril il prit sa première inscription à l'École de médecine. Dans la thèse qu'il a consacrée à la vie de Céline à Rennes, le docteur François révèle que Louis n'a nullement escamoté une partie de ses études comme certains se plaisaient à le dire. Il a simplement profité comme beaucoup d'autres étudiants des dispositions légales qui lui permirent d'effectuer entre le 1er avril 1920 et le 9 novembre 1922, c'est-à-dire en deux ans et demi, ce qui aurait demandé quatre années à un étudiant suivant le cycle normal des études.

Louis était du reste parfaitement conscient que ses études se trouvaient facilitées par sa qualité d'ancien combattant. Il s'en ouvrit dans une lettre, non datée, écrite de Rennes à son ami Milon, dont le sort le préoccupait. Il ne cessait de lui donner de bons conseils que l'autre ne suivait d'ailleurs pas toujours, acceptant par exemple d'entrer sur ses instances à la Fondation Rockefeller, mais refusant de le rejoindre au Cameroun comme Louis en avait eu l'idée. Pour l'heure Louis s'était mis en tête d'en faire un notaire. Il s'en était entretenu avec Maître Delaporte et rien ne lui paraissait plus facile : « On ne demande aucun diplôme d'entrée - je crois qu'avec la guerre, des clauses spéciales sont créées pour les démobilisés, les études doivent durer un an. » Après lui avoir vanté les avantages de cette profession, il lui confiait : « En tout cas n'aie point peur des examens toute indulgence en ton cas t'est garantie de la part des jurys. » Il semble en fait que le seul appui dont Louis ait bénéficié au cours de ses études de médecine ait été son passé militaire. Connaissant son impopularité, le docteur Follet paraît s'être gardé d'intervenir en faveur de son gendre.

Voici quelles sont les appréciations qui figurent sur le seul dossier actuellement accessible :

1er examen : *(7 avril 1921)*

Anatomie (moins l'anatomie topographique) Épreuve pratique de dissection	BIEN
Anatomie (moins l'anatomie topographique) Épreuve orale	ASSEZ BIEN

2e examen : *(22 juillet 1921)*

Histologie, Physiologie y compris la physique biologique et la chimie biologique	BIEN

3e examen : *(16 novembre 1922)*

Médecine opératoire et anatomie topographique (épreuve pratique)	BIEN
Médecine opératoire et anatomie topographique, pathologie externe et accouchements (épreuve orale)	BIEN
Épreuve pratique d'anatomie pathologique	BIEN
Pathologie générale, parasites, animaux, végétaux, microbes, pathologie interne (épreuve orale)	BIEN

Par décision du 5 décembre 1922, Louis fut autorisé à quitter l'École de médecine de Rennes, qui n'avait pas alors pleine compétence, pour poursuivre et achever ses études à la Faculté de médecine de Paris où il obtint les résultats suivants :

4e examen : *(15 février 1923)*

Thérapeutique Matière médicale Pharmacologie avec les applications des sciences physiques et naturelles	MAL

Hygiène   MÉDIOCRE

Médecine légale   BIEN

Louis ayant été ajourné présenta à nouveau, avec succès cette fois, l'examen de thérapeutique, matière médicale et pharmacologie le 10 avril 1923 et il obtint alors la note BIEN [1], puis il réussit les épreuves du cinquième examen aux dates et dans les conditions suivantes :

3 mai 1923 Clinique interne   BIEN

27 juin 1923 Clinique externe   BIEN

29 juin 1923 Clinique obstétricale   MÉDIOCRE

Le 5 juillet 1923, il sollicitait de son oncle Georges un certificat de scolarité « pour un nouveau remplacement », et le 19 octobre, l'autorisation d'exercer la médecine avant d'avoir soutenu sa thèse, ce qui était de pratique courante. Au cours de l'été 1923 il effectua deux remplacements : du 1er juin au 31 août il tint, 5, quai Lammenais à Rennes, le cabinet du docteur Porée qui fut tout à fait satisfait de ses services; et du 18 août au 31 octobre, celui de son beau-père. Il se chargea, notamment, de « La Sagesse » — responsabilité dont il se serait sans doute bien passé si l'on en croit ce qu'en rapporte Robert Poulet : « Livré à moi-même, avec cette grande baraque sur le dos, je m'ennuyais [2]. » L'année suivante (du 23 janvier au 23 février) il retrouva la clientèle du docteur Porée, à laquelle il donna satisfaction, malgré son peu d'intérêt pour les cas bénins.

Comme tous les étudiants en médecine, Louis consacra aussi une bonne partie de son temps aux activités hospitalières. Avant même d'être inscrit à la Faculté de Paris il avait effectué, du 1er octobre au 16 décembre 1922, un stage à la maternité Tarnier, située à l'angle de la rue d'Assas et de la rue des Chartreux, dans le service

---

1. L'examinateur avait mis dans un premier temps MÉDIOCRE puis il raya le mot médiocre pour écrire le mot BIEN.

2. Robert Poulet, *Mon ami Bardamu*. Plon, 1971, p. 133.

obstétrical du professeur Brindeau qui lui aurait un jour déclaré :
« Vous avez ce qu'il faut pour écrire des romans », appréciation
rapportée ensuite par Henri Mondor qui la tenait probablement de
Brindeau lui-même [1]. Il semble que ce soit Brindeau qui l'ait beaucoup poussé à choisir un sujet de thèse à caractère plus littéraire
que scientifique. Il lui aurait même suggéré une biographie de Semmelweis dont les recherches relevaient de sa spécialité. En tout cas,
il accepta d'être son président de thèse après lui avoir accordé,
peut-être sans illusion sur ses talents d'accoucheur, une mention
Bien à l'issue de son stage. Dans *Féerie pour une autre fois,* il se
souvint de son passage à Tarnier : « Tous les vagissements me
passionnent... pensez, des années à Tarnier!... Brindeau, Lantue-
joul... les premiers cris... le premier cri!... Tout gras et glaires...
mon affaire!... les toutes petites tronches, écarlates, bleues, stran-
gulées déjà!... si j'ai aidé des êtres à naître!... Comme ils arrivent!...
Vous me remettez dans les souvenirs! " Poussez, ma petite dame!
Poussez!... " J'ai entendu bien des cris... je suis un homme
d'oreille [2]... »

Le séjour dans la capitale, à partir de janvier 1923, se poursuivit
en clinique chirurgicale chez le professeur Delbet à l'hôpital
Cochin. Durant ses études à Rennes, Louis avait été tout naturellement placé dans le service du professeur Follet « dont j'étais
l'interne », écrivit-il à Albert Paraz [3], en forçant un peu la vérité. Il
ne fut jamais interne ni à Paris ni au Centre hospitalier de Rennes.
Il résulte des recherches effectuées par le docteur Jacques François,
que fort de la bienveillance de son « patron » qu'il lui savait acquise
pour les raisons que l'on sait, Céline ne fut pas toujours très assidu
à l'hôpital. Il négligea en tout cas ce qui ne l'intéressait qu'à moitié au profit de la partie clinique de ses études. Certains se souviennent encore à Rennes de la facilité avec laquelle il établissait

1. Avant-propos de l'édition de *Voyage au bout de la nuit* et de *Mort à crédit,* p. IX. Le
propos est confirmé dans une interview de Céline par Jean Guénot (*Cahiers Céline* 2,
pp. 147-148).
2. *Féerie pour une autre fois* I, pp. 182-183.
3. 19 juin 1957. *Les Cahiers de l'Herne,* p. 178.

le contact avec les malades qu'il ne cherchait pas à éblouir par ses connaissances. Il savait leur parler comme on parle à des êtres qui souffrent, leur expliquant des choses simples dans un langage qui leur était accessible.

Athanase Follet, qui avait été si fortement critiqué lors de sa nomination comme directeur de l'École, avait courageusement fait front et les remous autour de sa personne s'étaient nettement calmés depuis le 8 juin 1920, date de son élection — au premier tour — comme membre correspondant de l'Académie de médecine. Malgré les railleries de ses étudiants qui le caricaturaient encore dans leur journal en décembre 1921, Athanase Follet était un excellent professeur. Formé pendant son internat à Paris par les professeurs Quenu et Gaucher, il avait une grande expérience professionnelle, et manifestait beaucoup d'intérêt et de curiosité scientifique pour les nouvelles techniques. Il avait du reste créé un petit laboratoire où l'on pratiquait des analyses et des examens courants. Si tout le monde n'avait pas le droit d'entrer, Louis fut, par protection, l'un de ceux qui y avaient accès, et il s'y livra à des expériences un peu mystérieuses qui faisaient sourire beaucoup de ses condisciples.

Louis aimait la recherche scientifique dans laquelle il voyait l'avenir de la médecine; sans doute y trouvait-il aussi un parfum d'aventure. C'était pour lui partir à la découverte de l'inconnu, et, à cette époque, il aimait encore ne pas savoir de quoi serait fait l'instant suivant. Il se lança pour commencer dans l'étude des vertus curatives du « sirop d'escargot », qu'il espérait pouvoir utiliser pour le traitement de la tuberculose. Puis ce furent les questions posées par la survie du bacille typhique dans le vide : « Un tube contenant une culture de bacille d'Eberth était scellé... à l'air libre, et placé ensuite sous une cloche à vide. Il y restait assez longtemps pour que tous ceux qui passaient par le laboratoire puissent venir contempler ce qu'ils appelaient " le tube de Destouches ", et repartir avec un sourire[1]. » Il s'intéressa ensuite à la géologie de l'île de Pâques et à l' « ostaciculture », écrivant à Milon que s'il ne voulait pas être notaire, il y avait encore pour lui une petite chance de ce côté-là : « Je vais te soumettre un projet d'ostaciculture — d'ostacus qui signifie écrevisses, ceci avec de la culture du cresson. »

Ses travaux sur la longévité des chenilles ont été plus sérieux en apparence. Sans doute espérait-il en tirer des enseignements à l'usage des êtres humains. On voit mal, sans cela, l'intérêt de prolonger la vie de la teigne des ruches qu'il croyait dépendre de la température du milieu ambiant. Il en avait, paraît-il, entretenu Alexis Carrel dans une correspondance, aujourd'hui disparue, dont Édith Follet affirme qu'elle contenait en germe une véritable théorie de l'hibernation artificielle. Edmond Perrier, qui avait contribué naguère au lancement d'*Eurêka,* accepta de parrainer son travail qui parut le 18 avril 1921 dans les comptes rendus de l'Académie des sciences sous le titre « Prolongation de la vie chez les *Galleria Mellonella* ».

Nous devons au témoignage d'André Lwoff, prix Nobel de médecine 1965, de savoir dans quelles conditions Louis entreprit des recherches sur la physiologie des *convoluta*[2]. Le professeur Lwoff se souvient de l'avoir rencontré au cours de l'été 1920 à la station biologique de Roscoff, alors dirigée par le professeur Delaye. Ce centre de recherches accueillait de nombreux étudiants et chercheurs, certains venus de l'étranger, dont le prince Cantacuzène accompagné d'un groupe d'étudiants de l'Université de Bucarest. Le professeur Lwoff nous apprend aussi que : « Le convoluta n'est autre qu'un vermicule qui héberge des algues symbiotiques et s'en trouve coloré en vert. » Louis avait observé que le *convoluta,* dont les déplacements sont rythmés par les marées, assimilait l'acide urique. Officiellement, il versait de l'urée sur les *convoluta* et obser-

---

1. Jacques François, *Contribution à l'étude des années rennaises du docteur Destouches (1918-1924).* Thèse dactylographiée. Faculté mixte de médecine et de pharmacie de Rennes, 1967, p. 39.
2. *Le Figaro littéraire,* 7-13 avril 1969, pp. 4-5.

vait leur comportement. A Édith, il avouait en termes moins pédants que son travail consistait principalement à uriner dans les bacs où se trouvaient les *convoluta*. En fait il allait surtout à la station biologique pour éviter d'avoir à rester sur la plage avec Édith à ne rien faire, se contentant de la retrouver le soir à l'hôtel. Il y allait aussi pour rencontrer des hommes de science avec lesquels il prenait plaisir à s'entretenir. André Lwoff conserve le souvenir de sa conversation « faite de phrases courtes », « semée de formules saisissantes, de rapprochements et de jugements inattendus ». Entre les conversations, il allait évidemment surveiller ses *convoluta* et il finit par rédiger une communication : « Observations physiologiques sur *convoluta Roscoffensis* — Note de M. Louis Destouches — présentée par M. Edmond Perrier », publiée dans les comptes rendus des séances de l'Académie des sciences à la date du 26 octobre 1920. André Lwoff, qui y voyait beaucoup de hâte et une forte dose de naïveté, se plaisait à rappeler les propos tenus par Céline dans *Voyage au bout de la nuit :* « Le savant [...] déposait encore un petit quelque chose d'écrit dans un coin du livret d'expériences, timidement, comme un doute, en vue d'une communication prochaine pleinement oiseuse, [...] corvée qu'il faudrait bien se décider à effectuer tout de même avant longtemps devant quelque Académie infiniment impartiale et désintéressée[1]. »

Un jour, pendant l'été 1921, René Wurmser, alors assistant à la Sorbonne, vit monter dans le train qui le menait à Roscoff un homme qui vint s'asseoir en face de lui au wagon-restaurant. C'était Louis Destouches, monté dans le train à Rennes, à destination, lui aussi, de Roscoff. René Wurmser fut immédiatement frappé par sa beauté, et par la spontanéité avec laquelle il se mit à lui parler. Dans un langage et avec une verve extraordinaire, il évoqua sa vie rennaise, le milieu médical, sa belle-famille et l'arrivisme de son beau-père. Après un quart d'heure il savait tout de la vie de cet homme qu'il rencontrait pour la première fois. Aujourd'hui, quelque cinquante ans plus tard, le professeur Wurmser, membre

---

1. *Voyage au bout de la nuit*, p. 278.

de l'Académie des sciences, n'a rien oublié de cette conversation.

Édith Follet et André Lwoff affirment tous deux que Louis serait revenu travailler à Roscoff en 1921, ce qui n'est pas tout à fait exact car son nom ne figure pas sur les registres de la station cette année-là. En réalité, Édith et Louis ont passé une partie de l'été 1921 à Aber-Vrach, tout près de Lannilis dans le Finistère où M. Morvan, oncle d'Édith, avait une propriété. Comme Lannilis n'était pas loin de Roscoff, Louis rendit plusieurs fois visite à ses amis de la station d'un coup d'Indian, moto qu'il avait achetée aux surplus américains et qui disposait d'un side-car. L'une de ses grandes distractions à l'époque était de « randonner » à toute vitesse sur les petites routes de Bretagne. Il emmenait parfois Édith qui aimait aller avec lui dans le side-car. Il est donc certainement allé à Roscoff, mais sans y travailler comme il l'avait fait au cours de l'été précédent. Du reste, Louis a beaucoup circulé pendant l'été 1921; en août il est parti seul avec un ami, Francis Vareddes [1], journaliste au *Démocrate d'Ille-et-Vilaine* pour un petit voyage dans les Pyrénées. Une sorte de congrès de la Fondation Rockefeller avait servi de prétexte pour revoir Germaine T... dont le mari avait lui aussi travaillé à Roscoff en 1920. Édith n'ignorait rien, pas même que le mari s'intéressait à Louis, mais sans succès. André Lwoff, dans son article du *Figaro littéraire*, se souvient aussi de ce couple « surprenant » et rapporte que « si la femme était " attirante " ce fut hélas! le mari qui prit les devants » et jeta sur lui son dévolu. Un peu plus tard dans la saison, en septembre, Édith et Louis devaient encore passer quelques jours de détente non loin de Rennes, à Paimpont, où Louis prit infiniment de plaisir à faire de grandes excursions à pied dans la forêt de Brocéliande, sur les pas de l'Enchanteur Merlin et de la Fée Viviane.

Édith et Louis s'étaient organisé une vie agréable facilitée par l'absence de soucis matériels. Louis travaillait beaucoup, mais il était détendu et prenait des loisirs, s'initiant au tennis et montant volontiers à cheval. Son bras ne le faisait pas trop souffrir et

---

1. Pseudonyme de René Thiel.

la guerre paraissait n'être plus pour lui qu'un mauvais souvenir dont il évitait de parler. Il conseillait à ceux qui voulaient savoir ce qu'elle avait été de lire *le Feu* d'Henri Barbusse auquel il disait n'avoir rien à ajouter.

Louis voyait très peu ses collègues et il s'était constitué un tout petit noyau d'amis autour de Francis Vareddes et de Marcel Brochard qui venait d'épouser Denise Ertaud, la meilleure amie d'Édith. Vareddes lui avait aussi présenté Germaine Constans. Louis lisait énormément et se passionnait surtout pour les classiques et la philosophie. Il dévora parmi d'autres Rabelais, Ronsard, Du Bellay, Petrone, Dickens, de nouveau Bergson, Tallemant Des Réaux et Remy de Gourmont qu'il affectionnait particulièrement.

Athanase Follet avait aussi une passion pour Rabelais, et à table les deux hommes y revenaient très souvent. Il y avait sur ce point entre le professeur et son gendre une sorte de complicité pour se renvoyer la balle dans l'intention délibérée de choquer leurs femmes. Si Marie-Louise Follet tombait souvent dans le piège, Édith s'en amusait plus qu'elle ne s'en formalisait. Louis était devenu pour bien des choses le confident et l'allié de son beau-père, qui lui racontait ses multiples aventures, car ce petit homme était lubrique et infatigablement coureur. Son épouse avait fini par accepter son infortune, même lorsqu'il avait courtisé, presque sous ses yeux, la gouvernante allemande de leur fille. Puis il eut une maîtresse attitrée, en la personne de Marie Le Bannier, qu'il entretint dans un petit hôtel de Rennes avant de l'installer dans un appartement à Saint-Malo et de lui léguer une partie de sa fortune. Tout Rennes connaissait l'histoire, et on alla jusqu'à dire que Louis partagea pour un temps ses faveurs.

Louis pourtant paraît avoir été assez sage à Rennes, où sa femme donna le jour, le 15 juin 1920, à une fille. Colette naquit sans histoire malgré les appréhensions de Louis qui avait prédit une grossesse et un accouchement difficiles. Elle fut baptisée sans cérémonie [1],

1. Elle porta ce jour-là une robe qui avait appartenu au Roi de Rome et qui faisait partie de la collection de dentelles de Marguerite Destouches (Marcel Brochard, *les Cahiers de l'Herne*, p. 204).

son père ayant interdit par avance toute effusion et toute manifestation de sensiblerie : « Il est résolument inutile de faire préparer plus de dix boîtes de dragées. D'ailleurs Mme Follet sera marraine avec papa. Les choses se passeront très simplement, sans repas spécial — ni grand-mère — je n'irai pas à l'église et Édith restera couchée. Ce sera donc une formalité », écrivit-il à ses parents, leur faisant aussi part des dispositions arrêtées pour l'éducation de l'enfant : « Le dr. est à Paris. La petite progresse sans heurts. J'espère qu'elle saura prendre le rythme de la maison, tout de concorde et d'abstinence des grands bruits, la grand-mère est tenue par mes soins soigneusement éliminée des attouchements qui lui feraient grand plaisir, mais pour lesquels je suis sans indulgence. Il serait pitoyable que cette enfant ne parvienne à pousser en ayant tout comme les princesses un membre d'Académie à son chevet perpétuel. »

Édith et Louis ne sont jamais beaucoup sortis, préférant passer leurs soirées quai Richemont. Louis travaillait et lisait, tandis qu'Édith pratiquait le dessin. Elle avait un excellent coup de crayon et travaillait même à l'occasion « à la pige » pour *la Semaine de Suzette*. Louis, qui dessinait mal, était en admiration devant sa facilité comme il le fut toujours devant ceux qui possédaient une technique ou avaient « du métier ». Cette vie n'était coupée que de quelques brèves escapades, généralement vers Paris. Édith et Louis, qui logeaient à l'hôtel ou rue Marsollier, aimaient alors sortir le soir au théâtre ou à des concerts, ceux, par exemple, qui étaient régulièrement donnés par le Quatuor Poulet. Ces voyages étaient facilités par la gratuité des transports dont leur faisait profiter le docteur Follet, médecin officiel des chemins de fer. Mais Louis prit peu à peu l'habitude de les faire seul. Quant aux vacances, Édith aimait les passer en Bretagne au milieu des siens, à Erquy dans la propriété de ses parents, et surtout au bord de la mer, à Roscoff en 1920, à Aber-Vrach en 1921 et à Saint-Malo en 1922 et 1923. Louis vint toujours l'y rejoindre pour quelques jours, mais il préférait s'échapper sans elle.

Édith se rendait bien compte que Louis avait besoin de liberté et elle fit de son mieux pour concilier ses appétits de mouvement et une vie familiale qu'elle voyait s'effriter de jour en jour. « Louis ne savait pas être heureux », dit-elle aujourd'hui, comme pour excuser l'échec de leur union. Il serait plus juste de dire qu'il ne sut pas se contenter de ce qu'elle était en mesure de lui apporter, car il était toujours en quête de renouvellement, lancé dans une espèce de course au bonheur qu'il ne pouvait que perdre. Louis, qui s'analysait avec beaucoup de lucidité et parfois avec un peu de complaisance, en était bien conscient. Il expliquait volontiers cette insatisfaction par les difficultés de sa jeunesse. Ainsi, dans une lettre écrite à Lucienne Delforge en 1936 : « Tu me vois toujours impossible parce que tu vois je suis né tout petit dans une ambiance de cauchemar et de misère et qu'il y a eu la guerre, et puis tant d'autres effroyables épreuves et l'habitude hélas bien explicable d'escompter le pire et puis cette espèce d'acharnement à refuser les dons d'une vie que je hais. »

Pendant toute l'année 1923, Édith Follet et Louis Destouches parvinrent à préserver leur image de couple heureux. Ses études, comme sa recherche sur Semmelweis donnaient à Louis de sérieuses raisons de venir souvent à Paris. Il consacra en effet le plus clair de son temps à la rédaction de sa thèse, travaillant son texte avec acharnement et le lisant au fur et à mesure à Édith, à son beau-père et à Marcel Brochard.

On sait les raisons qui ont poussé au choix de ce sujet de thèse, au premier rang desquelles il faut placer l'insistance un peu froide de Brindeau et les conseils nettement plus chaleureux du professeur Follet. Une fois lancé dans cette entreprise, Louis se prit d'affection pour l'homme qu'il avait choisi de ressusciter et dont les théories scientifiques et les idées généreuses s'étaient heurtées à l'ignorance et à l'imbécillité de ses contemporains. Louis découvrit ainsi au travers du destin tragique et solitaire de Semmelweis la toute-puissance de la bêtise et de la méchanceté. Il s'identifia certainement à son modèle, en disant de Semmelweis comme il aurait pu dire de lui-même : « Il voulut enfoncer toutes les portes rebelles, il s'y blessa cruellement [1]. » Et sans doute était-il encore plus près de la vérité lorsqu'il écrivit : « Où Semmelweis s'est brisé, il fait peu de doute que la plupart d'entre nous auraient réussi par simple prudence, par d'élémentaires délicatesses. Il n'avait pas, ou négligeait, semble-t-il, le sens indispensable des lois futiles de son époque, de toutes les époques d'ailleurs, hors desquelles la bêtise est une force indomptable.

» Humainement c'était un maladroit [2]. »

Ajoutant encore, comme s'il avait écrit dans un miroir, « Si ces vérités n'étaient que trop urgentes, cependant il était puéril de les proclamer sous cette forme intolérable [3]. »

Louis dédia sa thèse en premier au professeur Brindeau, auquel il témoignait sa reconnaissance pour « son appui moral et son indulgence critique ». Il la dédia aussi, selon l'usage, aux autres membres de son jury, à son beau-père, lequel eut droit au « témoignage de son affectueuse admiration »; au professeur Gunn de la Fondation Rockefeller avec l'expression de sa « profonde gratitude »; et à Monsieur Henri Maréchal, chef de clinique à la Faculté de médecine de Paris « pour son inépuisable bienveillance et l'appui si précieux qu'il nous a toujours prodigué ». C'est devant eux, presque en famille, qu'il soutint sa thèse le 1er mai 1924, et ce sont eux qui lui décernèrent une mention « très bien » et un renvoi à la commission des prix de thèses qui lui attribua une médaille de bronze lors de la séance du 22 janvier 1925.

La thèse de Louis fut assez bien accueillie par le monde médical qui s'apitoya sur le sort cruel de Semmelweis, martyr de la science moderne [4]. Romain Rolland, alors au faîte de sa gloire, lui écrivit : « Je croyais connaître la stupidité humaine et sa malfaisance, mais décidément elle est sans borne [5]. » Louis avait fait imprimer sa

1. *Semmelweis*, Rééd. *Cahiers Céline* 3, p. 30.
2. *Ibid.*, Rééd. *Cahiers Céline* 3, p. 37.
3. *Ibid.*, Rééd. *Cahiers Céline* 3, p. 68.
4. Jean Bernard, *l'Homme changé par l'homme*, Buchet-Chastel, 1976, p. 175.
5. Cité par Louis Destouches dans « les Derniers Jours de Semmelweis ». *Cahiers Céline* 3, p. 82.

thèse chez Francis Simon à Rennes et il semble qu'il se soit réservé un assez grand nombre d'exemplaires d'hommage. Le 25 juin 1924, il en donna une contraction dans *la Presse médicale* sous le titre « Les derniers jours de Semmelweis [1] ». Elle devait lui attirer une réplique du docteur Tiberius de Győry, parue le 10 septembre dans le numéro 73 de la même revue. Après avoir loué la noblesse et la chaleur de son écriture, ce spécialiste hongrois de Semmelweis dénonçait quelques approximations, beaucoup d'erreurs de dates et une certaine façon qu'il avait eue d'enjoliver, surtout dans le tragique. Louis Destouches avait donc vu Semmelweis avec les yeux de Louis-Ferdinand Céline :

« " Les séries mortuaires de 96 pour 100 chez Klin " (recte : Klein), c'est une énorme exagération. La vérité — comme l'a dit, du reste, M. Pinard [2] — est que " la mortalité atteignit le chiffre de 16 et de 31 pour 100 ". Il faut se contenter de ces horribles chiffres.

» On doit aussi corriger la grande erreur " que les compatriotes de Semmelweis aimaient auparavant se tourner contre lui ". C'est le contraire! Semmelweis dit lui-même dans sa lettre, ajoutée à un exemplaire d'hommage de son grand ouvrage, à l'Académie hongroise, qu'il était forcé de l'écrire " non en langue hongroise, car personne dans ma patrie ne repoussait jamais mes enseignements, mais en allemand, la langue des pays où je voulais me faire écouter ".

» M. Destouches écrit ensuite que Semmelweis " acheva de se rendre intolérable en allant lui-même afficher sur les murs de la ville des manifestes " dont il cite un passage. C'est une double erreur. Semmelweis n'affichait jamais rien et le passage, mot à mot, se trouve simplement à la fin de sa lettre publique à tous les professeurs d'obstétricie de l'année 1862.

» Il faut aussi modifier tout ce qui a trait aux derniers jours de

1. Il l'avait provisoirement intitulée « La vie, Pasteur, Semmelweis et la mort ».
2. *Discours d'inauguration du monument de Semmelweis*, Budapest, 1906. Ouvrage pourtant mentionné dans la bibliographie figurant à la fin de la thèse de L. Destouches. Voir *Cahiers Céline* 3, p. 79.

Semmelweis. Toute la scène autour du cadavre est de pure imagination. La vérité est que Semmelweis apporta avec lui dans la maison des aliénés une petite blessure presque indécouverte provenant de la table d'opération et dont la conséquence fut la fièvre de résorption, la pyoémie, le même mal contre lequel il avait combattu toute sa vie. »

Ayant achevé le cycle complet de ses études de médecine, le docteur Louis Destouches était à la croisée des chemins. Sur le plan professionnel comme sur le plan personnel et sentimental, il lui fallait choisir. Allait-il s'établir à Rennes? Se rapprocher d'Édith et concurrencer son beau-père sur son propre terrain? Le professeur Follet, qui l'avait incité à entreprendre ses études, ne souhaitait guère en 1924 le voir s'installer à Rennes pour prendre ensuite sa succession. Non seulement il ne l'aida pas, mais il fit de son mieux pour l'en dissuader. Quand Marcel Brochard affirma dans *les Cahiers de l'Herne* se souvenir du cabinet de Louis, place des Lices à Rennes, il commit une confusion dont il est ensuite convenu. Il est bien établi aujourd'hui que Louis n'a jamais exercé à Rennes dans son propre cabinet. Il n'envisageait pas en tout cas de reprendre un jour la clientèle de son beau-père : « Je n'ai aucune envie de reprendre La Sagesse et la rue Duguesclin, moi tout seul, d'ailleurs pas plus qu'avec n'importe quel autre voleur (ils le sont tous) mais j'aurais volontiers tenté l'affaire avec toi. Et tu sais que c'est une affaire! (200.000 [1]) [...] »

En fait, Louis paraît avoir beaucoup hésité entre les différentes carrières médicales qui s'offraient à lui. Il fut ainsi tenté par l'Institut Pasteur où il se fit recommander par le professeur Follet, qui connaissait Émile Roux (dont il fit ensuite le professeur Jaunisset). Grâce à cet appui, il fut introduit auprès de Serge Metalnikov, « [...] savant russe à deux cents pour cent [2] » qui servit de modèle à Parapine dans *Voyage au bout de la nuit*. Metalnikov n'était sans doute pas aussi fumeux que Parapine ni aussi extravagant que

1. A Milon (sans date).
2. *Le Figaro littéraire,* 7-13 avril 1969, p. 4.

le « savant russe » dont Henry de Graffigny a raconté *les aventures extraordinaires*. Louis ne s'entendit guère avec lui et détesta d'emblée l'esprit qui régnait à l'Institut Pasteur. Sous le nom d' « Institut Bioduret Joseph », il en fit un pastiche qu'André Lwoff juge plus vrai que nature. Contrairement à ce qu'il écrivit [1], ce séjour éclair à Pasteur ne date pas de 1921, mais de novembre 1923. Louis avait d'abord envisagé de venir travailler à l'Institut du cancer de Villejuif, formant le projet de s'installer à Paris avec Édith ainsi qu'il l'écrivait à Milon : « Peux-tu me trouver pour le 15 novembre une chambre meublée à Villejuif ou proximité - propre et aéré - j'irai jusqu'à 250 f.- (et moins aussi!) [...] Figure-toi que ma femme a vu l'appartement qu'on nous réservait c'est sur une cour, je n'en veux pas le luxe m'indiffère, mais propre et aéré - j'y tiens- Tu comprends pourquoi, passant mes journées dans la pourriture de l'Assistance Publique. Je mangerai chez mes parents et ferai de la bicyclette et puis avec le petit Vareddes je vous ferai bien rigoler [2]. » Quelques jours plus tard il avait changé d'avis; c'est à Pasteur qu'il allait et il n'était plus question, semble-t-il, d'emmener Édith avec lui. « J'ai retenu un logis en meublé 16 rue Stanislas (Ce n'est pas un bordel) A cause de la proximité de Pasteur où je suis interne à partir du 6 novembre [3] ». Non seulement il ne fut pas interne, mais il ne prit même pas le soin de s'inscrire au cours de microbiologie. Il déserta l'établissement aussi vite qu'il y était entré, au point que, furieux d'avoir été sollicité pour un dilettante, Émile Roux se brouilla avec le professeur Follet.

Louis fut tenté par plusieurs spécialités. Il songea pour un temps à la psychiatrie, affirmant par exemple à Claude Bonnefoy : « Mon désir était de devenir psychiatre [...] Le travail m'aurait plu [4]. » A la pédiatrie aussi ce dont il s'ouvrit à Milon : « Sans doute me spécialiserai-je dans les enfants. » Il aurait aussi aimé être médecin de paquebot et prépara le concours de médecine sanitaire

1. *Le Figaro littéraire*, art. cité.
2. Rennes (sans date).
3. Rennes (sans date).
4. *Cahiers Céline* 2, p. 215.

maritime qu'il passa avec succès à Paris du 23 au 25 juin 1924. Par un arrêté du 8 septembre 1924, il fut reconnu « apte aux fonctions de médecin sanitaire maritime et à ce titre inscrit au tableau prévu à l'article 138 du décret du 26 novembre 1921 ».

En réalité il avait toujours en tête l'idée de découvrir le monde, et plus particulièrement l'Amérique. Il n'avait jamais coupé les ponts avec la Fondation Rockefeller et conservait un excellent souvenir du temps où il avait travaillé avec les Américains. L'évocation de la Fondation apparaît dans les lettres qu'il écrivait à Milon qui s'y trouvait de nouveau après une brève tentative dans l'épicerie : « [...] dis-moi où tu seras dans le cours de janvier et j'irai te retrouver précédé d'un télégramme J'aurai plaisir à entendre une de ces conférences dont j'ai vécu pendant deux ans il me semble pourtant la savoir encore un petit peu (Messieurs et Mesdames, les Américains... fenêtres ouvertes... crachats... portes plumes etc. Oh! que j'en pourrais faire une magnifique maintenant. Toute neuve, parfaitement originale et dans la forme et dans le fond. Mais maintenant j'ai deux ans de plus, il n'est plus temps!... Tu as bien fait de raccrocher la Rockefeller. Le Temps passe — sois plus attaché à ta besogne, attentif aux comptes et vis bien, sagement avec pondération, parle du passé aux jeunes, dis-leur ma sympathie pour un métier que j'ai tant aimé[1]. » Louis avait conservé les meilleures relations avec le professeur Gunn et il avait participé, en l'absence de Milon, mais avec Francis Vareddes, à un congrès organisé par la Fondation à Pau, probablement en août 1921[2]. Ni Vareddes ni lui ne paraissent avoir suivi, en cette occasion, les conseils qu'il donnait volontiers à Milon sur un ton un peu paternel. Voici en tout cas la relation qu'il lui en fit : « Oui j'ai vu la môme Villain. Elle m'est apparue acidulée de ce mauvais esprit de compétition qu'on rencontre à la Mission. Et puis tu sais vraiment, elle est désespérément bête. J'aime de moins en moins les gens bêtes. Je manque de patience, à présent. Oui, je fus dans les Basses-Py - à   Eaux-chaudes - Pau - Eaux-bonnes,   Etc...   J'avais

1. Rennes, (sans date).
2. Voir *supra*, p. 234.

écrit à la Mission - pas de réponse! Vareddes était avec moi. Il a violé moultes fillettes basquaises - il y en a de bien mignonnes - Crédié! - Je comprends Henri IV d'être aussi cochon. Je me sens tout Henri IV... »

Il ajoutait un peu plus loin quelques mots qui montrent l'intérêt qu'il prit aux travaux et l'estime dans laquelle il tenait les participants : « [...] Je n'ai joué aucun rôle au Congrès, il y avait là, la plus belle assemblée de cons qu'on puisse rêver, non point de ces cons ingénus et sympathiques qui forcent l'indulgence, mais de beaux cons cultivés et largement épanouis, un joli parterre te dis-je, et qui parlèrent trois longs jours, tous ensemble [...] »

C'est grâce au professeur Gunn qu'il put faire la connaissance à Paris du docteur Ludwig Rajchman, directeur de la Section d'Hygiène de la Société des Nations à Genève. Les négociations n'avaient pas traîné, comme en témoignent deux lettres de cette époque. La première est du 14 mai 1924, tout juste deux semaines après sa soutenance de thèse :

« Cher Directeur et Confrère,

« Voici un article pour *la Presse médicale* [1] qui résume assez bien ce que je pense à tous égards et tourne autour des sujets que nous avons effleuré au cours de notre entrevue à Paris. J'ai cru qu'il vous serait agréable conjointement à ma thèse de mieux connaître l'esprit d'un collaborateur éventuel.

» D'ailleurs, nos élections vont rendre à notre pays son véritable [2] dans le monde et la S.D.N. une place prépondérante dans nos affaires qu'elle n'avait pas encore. Comme entendu, je serai à Genève dans quatre semaines environ.

» Vous serez assez aimable de prévenir M. Gunn de la date à laquelle vous désirez que j'arrive.

» Croyez-moi, cher Monsieur Rajchman, bien dévoué [3]. »

1. « Les Derniers Jours de Semmelweis », *Cahiers Céline* 3, pp. 81-94.
2. Il manque ici manifestement un mot.
3. Archives de l'O.M.S. à Genève.

La seconde lettre est datée de Rennes le 12 juin. Louis ne manquait pas de suite dans les idées :

« Mon cher Directeur et confrère

» Merci infiniment pour votre très aimable lettre. Il est tout à fait entendu que je me tiens entièrement à votre disposition et que je vous laisse absolument libre d'ordonner mon séjour comme vous l'entendrez ainsi que ma nomination éventuelle et définitive.

» D'autre part vous n'oubliez pas la proposition ferme du Pr Gunn en ce qui concerne mon séjour aux États-Unis. Peut-être y aurait-il lieu que je bénéficie de cette offre pour le temps que vous jugerez opportun. Peut-être après mon premier séjour à Genève? Avant ma nomination définitive si elle devait avoir lieu? Autant de questions que je laisse à votre jugement?

» Dans tous les cas, je serai à Genève, comme convenu, fin juin.

» D'ailleurs je passe le concours de médecine sanitaire maritime à Paris du 23 au 25 juin. Non point dans le désir de remplir jamais un de ces postes, mais pour avoir un titre d'hygiéniste qui peut-être, vous aidera, dans une certaine mesure, à pousser ma candidature. Ci-joint le programme. Je vous écrirai vers le 15 juin. Vous serez assez aimable pour me dire alors la date exacte que vous donnez à mon arrivée.

» Croyez-moi je vous prie, reconnaissant et très dévoué [1]. »

Louis avait quitté Rennes le 21 juin. Apparemment rien ne ressemblait moins à une rupture car il avait été convenu qu'Édith et Colette le rejoindraient à Genève dès qu'il s'y serait un peu organisé. Il tourna en fait ce jour-là, peut-être sans le savoir mais irrémédiablement, une nouvelle page de sa vie.

1. Archives de l'O.M.S. à Genève.

CHAPITRE XV

Genève

« Et puis après, j'étais à la Société des
Nations, alors, là, j'étais fixé, j'ai vu vraiment
que le monde était gouverné par le Bœuf, par
Mammon! Ah, pas d'histoire! là alors, impla-
cablement. »

Interview recueillie par Jean Guénot et
Jacques Darribehaude (*Cahiers Céline* 2,
p. 163).

Deux originaux, tous deux hommes de science et petits de taille,
dévorés l'un comme l'autre par une ambition qui, chez Henry de
Graffigny, confinait au délire, et chez Athanase Follet se tradui-
sait par une inlassable manie des honneurs, sont donc successivement apparus dans la vie de Louis. Amusé et séduit dans un premier temps par les deux hommes, il fut rapidement déçu par Henry
de Graffigny qui n'était que guignol, pirouettes et baudruche, et
en vint assez vite à se lasser de son beau-père, dont les appétits
étaient difficilement compatibles avec ses propres « espérances ».

C'est alors que le docteur Ludwig Rajchman surgit à son tour
dans son existence; petit homme, lui aussi, par la taille, mais dont
le palmarès était cette fois éclatant. Agé de quarante-trois ans il

était issu d'une famille d'intellectuels polonais, dont le nom se trouve lié à la découverte que fit l'un de ses oncles : la gastrosucchorée, plus connue sous le nom de Syndrome de Rajchman. Le nouveau patron de Louis, dont le père avait été directeur de la Société philharmonique de Varsovie, avait fait de solides études à la Faculté de médecine de Cracovie où il avait été reçu docteur. Il était ensuite venu étudier à Paris à l'Institut Pasteur, puis, de 1910 à 1918 à Londres, au Royal Institute of Health, au King's College et à l'école de médecine avant de prendre la tête du Laboratoire central d'Études de la dysenterie. De retour en Pologne, sitôt après la guerre, il était devenu directeur de l'École nationale d'hygiène et de l'Institut central polonais d'épidémiologie, alors qu'une épidémie de typhus exanthématique ravageait le pays. Nommé membre de la commission des épidémies à la S.D.N., il fit preuve d'autant de dévouement que d'efficacité pour enrayer le fléau. Son exemple incita sir Eric Drummond, secrétaire général de la Société des Nations, à créer un organisme international d'hygiène dont il lui confia la direction le 1er novembre 1921.

Après avoir été quelque temps conseiller du gouvernement chinois, Ludwig Rajchman s'illustra après la seconde guerre mondiale comme fondateur du Fonds international de secours à l'enfance (FISE-UNICEF) et le professeur Robert Debré, dans *l'Honneur de vivre,* a dit tout le bien qu'il pensait de ce « Polonais patriote, français d'adoption, ami des hommes et généreux citoyen du monde [1]. »

Il faut évidemment ajouter à ce profil que Ludwig Rajchman était juif. Dans *l'Église,* il apparut sous le nom de Yudenzweck et dans *Bagatelles pour un massacre* sous celui de Yubelblat. Bien des traits de ce dernier auraient pu s'appliquer tout aussi bien à Henry de Graffigny qu'au professeur Follet : « Il était infatigable en ses pirouettes, prestes échappées, trapèzes... colloques furtifs, mystères et passe-passe internationaux, le frêle Yubelblat. Toujours en " coléanisme ", en voltige, vertiges, entre deux câbles,

---

1. Stock-Hermann, 1974, p. 334.

deux télégrammes, deux rappels. Toujours en train de se relancer un peu plus loin, dans la pagaïe, dénicher encore d'autres trames, d'autres filins plus embrouillés, raccrocher le tout en énigmes, et puis défendre toutes ces intrigues par des petites trappes bien occultes. Il arrêtait pas... On le voyait... on le voyait plus... Il me rappelait du Zoo de Londres, cet animal extravagant l'ornithorynx qu'est si habile, le faux castor incroyable, qu'a un bec énorme d'oiseau, qu'arrête pas aussi de plonger, de fouiner, de revenir... Il disparaissait imprévisible la même chose Yubelblat... Plaf!... Il enfonce, plonge dans les Indes... on le voit plus!! Une autre fois c'est dans la Chine... dans les Balkans... dans les ombres du monde... dans la profondeur... Il revenait à la surface... tout éberlué, clignotant... Il était habillé tout noir comme l'ornithorynx... et puis aussi l'énorme tarin, exactement aussi marrant... cornu comme l'ornithorynx... Il était souple à l'infini... extraordinaire à regarder, mais au bout des poignes par exemple, il avait aussi des griffes... et des vénimeuses comme l'ornithorynx... Il fallait déjà le connaître depuis vraiment un bon moment pour qu'il vous les montre... la confiance c'était pas son faible... Enfin je vais pas prétendre que je m'ennuyais sous ses ordres... Ça serait mentir... Tel qu'il était il me plaisait bien... J'avais même pour lui de l'affection... Bien sûr il oubliait pas de m'arranger de temps à autre... de me faire déguster une vacherie... Mais moi, je ne me gênais pas non plus... Y avait une petite lutte sournoise [1]. »

Par quels cheminements ce petit homme, méticuleux à l'excès, a-t-il été amené à recruter un tel collaborateur? Comment lui, si pointilleux, si précis, a-t-il pu prendre comme adjoint Louis Destouches, dont la désinvolture allait surprendre les moins traditionnels et choquer franchement les autres? Rajchman a sans doute été séduit, par son charme et par son intelligence. Peut-être fut-il aussi apitoyé par ses origines modestes, sa vaillante conduite pendant la guerre, et par son ascension solitaire. Le docteur Rajchman, qui sympathisait à gauche, avait le cœur généreux et la sensibi-

1. *Bagatelles pour un massacre*, p. 102.

lité des gens de sa race. Il accueillit Louis avec un enthousiasme qui tranchait fort sur la courtoisie guindée de style britannique qui était de mise à la S.D.N. Il lui ouvrit chaleureusement son foyer et lui présenta sa femme qui aimait parler de littérature et fut éblouie par sa conversation.

L'amitié quasi inconditionnelle du professeur Gunn facilita aussi grandement les choses. Louis s'en fait l'écho dans l'euphorie de son arrivée à Genève : « Gunn évidemment fut mon père - Il sera dit que la Rockefeller remplira ma vie. » Il est vrai qu'il tempère aussitôt son allégresse de propos plus amers : « Mais vois-tu, rien n'est mieux que la jeunesse - Tout le reste est vide et la beauté des jours est faite d'espérance. Enfin le bonheur est paraît-il dans la servitude. Je sens qu'à la fin de mes jours je redeviendrai militaire. C'est bien qu'on en dise un bel état [1]. » Gunn avait été d'autant plus efficace que Louis n'avait pas été engagé par la S.D.N., mais mis à sa disposition par la Rockefeller, qui subventionnait en partie la Section d'Hygiène. C'est ce qui explique et justifie cette réplique de Bardamu au secrétaire de la Fondation Barell : « Vous allez écrire à la Société des Nations qu'on me balance parce que vous la subventionnez, la Société des Nations, et que vous n'êtes pas anglo-saxon pour des prunes [2]. »

Louis entra en fonctions le 27 juin 1924 comme « médecin de la Section d'Hygiène Classe B » avec un traitement mensuel de 1 000 francs suisses. Son contrat, prévu pour une assez longue durée, devait expirer le 31 décembre 1927. Il stipulait que pendant une période de six semaines à deux mois il préparerait des mémoranda et des rapports avant d'être envoyé comme boursier de la Rockefeller à New York, ce qui lui faisait écrire à Milon : « On m'envoie en mission en octobre aux États-Unis. » En fait, son départ fut différé et ce n'est qu'en février 1925 qu'il eut enfin la joie de découvrir l'Amérique.

Jusqu'à la fin de l'année 1924, Louis, hormis une brève mission

1. Lettre à Milon. Genève, le 2.
2. *L'Église*, p. 106.

en Hollande à la mi-novembre, ne quitta pas Genève. Il s'était installé à La Résidence, confortable hôtel situé sur la rive gauche, 9 et 11, route de Florissant, où Édith et Colette vinrent plusieurs fois le rejoindre. Chaque fois Édith sentit qu'elle était de trop et rentra à Rennes quelques jours plus tard. Après le divorce [1], Colette vint à Genève à plusieurs reprises. Elle y passa notamment un mois d'hiver sous la surveillance de Germaine Constans.

Pensant pouvoir enfin donner sa mesure, Louis connut à Genève quelques semaines de grande exaltation. Il écrivait alors à Milon : « Vois-tu - C'est ici que se trouve ton vieux Louis - Ici, dans la ruche internationale - Entêté je le suis, tu le sais - me voilà - Cette fois j'embrasse les problèmes d'hygiène de belles envergures et mon dieu, j'aime cela- » Il ne tarda pas à déchanter, car on ne lui demanda pas de reconstruire le monde. Il dut s'initier dans un premier temps à des tâches administratives parfaitement rébarbatives, parmi lesquelles figurait évidemment l'art du compte rendu, vénéré à Genève comme dans toutes les grandes administrations internationales. Il était exclu à la S.D.N. de prendre une décision ou de régler un problème sans qu'il ait été examiné par une commission. Celle-ci avait alors pour première mission de répartir le travail entre plusieurs sous-commissions, lesquelles déléguaient et subdéléguaient à l'infini... Enquêtes, contre-enquêtes, procès-verbaux et comptes rendus, batailles de procédure et questions protocolaires se succédaient, et conduisaient dans la meilleure des hypothèses à la rédaction d'un « rapport ».

Louis n'éprouvait pas une attirance innée pour cette magie des formes et se révéla médiocrement doué pour la liturgie : « Yubelblat, il a essayé, c'est un fait, de me rendre parfaitement " technique ", diplomatique et sagace, et puis aussi, et puis surtout, que je devienne à ses côtés un parfait administrateur. Il m'avait en sympathie, malgré mes petits défauts... ma tête de cochon... Il voulait que je m'initie à tous les maniements de ficelles, les grosses goupilles du métier, les fines astuces, qui font marcher les Assem-

1. Voir *infra*, pp. 270 et suiv.

blées, les Commissions, 2ᵉ, 3ᵉ, 4ᵉ, 5ᵉ... les têtes de pipes et les Finances... surtout les Finances [1] »

Après avoir raconté comment son patron lui faisait recommencer : « trois fois... dix fois... quinze fois de suite... vingt fois, un beau jour... », pour des « broutilles » et des « finesses circonlocutoires », il avouait avoir fini par s'y mettre : « A la fin il m'avait dressé, je rédigeais, super-malin, amphigourique comme un sous Proust, quart Giraudoux, para Claudel... Je m'en allais circonlocutant, j'écrivais en juif, en bel esprit de nos jours à la mode... dialecticulant... elliptique, fragilement réticent, inerte, lycée, moulé, élégant comme toutes les belles merdes, les académies Frangoncourt et les fistules des Annales [2]... »

L'antisémitisme de Céline est-il né à Genève, dans ce milieu international où, venus des quatre coins du monde, les Israélites étaient nombreux? Est-il issu d'un conflit de style et de mode de pensée? La lecture de *l'Église,* et plus encore de *Bagatelles pour un massacre,* conduit au moins à se poser la question.

Il est vrai que Céline s'est trouvé à Genève au contact d'une réalité nouvelle pour lui et aberrante par bien des côtés. Il y découvrit ce que les hommes étaient en train de faire d'une paix qui avait été si chèrement gagnée. Les inconséquences de l'après-guerre, dont il fut le témoin direct au sein de ce vivier qu'était la Société des Nations, allaient lui ouvrir les yeux. Il ressentit alors un mélange confus de pitié, de colère et de mépris qu'il traduisit dans son œuvre par des propos tour à tour désabusés, aigris, déchirants et grotesques, souvent proches du délire.

Il vit se consumer à Genève ses dernières images d'Épinal et les illusions qu'il pouvait avoir encore sur l'homme et la nature humaine : « L'Homme il est humain à peu près autant que la poule vole. Quand elle prend un coup dur dans le pot, quand une auto la fait valser, elle s'enlève bien jusqu'au toit, mais elle repique tout de suite dans la bourbe, rebecqueter la fiente. C'est sa nature, son

---

1. *Bagatelles pour un massacre,* p. 104.
2. *Ibid.,* p. 111.

ambition. Pour nous, dans la société, c'est exactement du même. On cesse d'être si profond fumier que sur le coup d'une catastrophe. Quand tout se passe à peu près, le naturel reprend le galop. Pour ça même, une Révolution faut la juger vingt ans plus tard [1]. »

Le cuirassier Destouches, qui avait été prêt à donner sa vie pour l'Alsace-Lorraine, a trouvé le contact un peu rude en découvrant des hommes principalement occupés à satisfaire leurs ambitions personnelles. Ses espérances se sont alors heurtées à l'inébranlable absurdité du monde et il s'est retrouvé parfois, comme Semmelweis, aux portes de la déraison.

A ce réveil de l'après-guerre qui lui fut cruel, et pour lequel il a tenté de rechercher des responsabilités, il faut ajouter les sentiments éprouvés à Genève au contact des Juifs. En travaillant avec eux il paraît s'être senti fondamentalement différent, même s'il s'entendit fort bien avec beaucoup d'entre eux, dont certains furent ses amis et plus nombreux encore ses fervents admirateurs. Le paradoxe trouve peut-être son explication dans *Bagatelles pour un massacre* lorsque, au sujet du « cafouillage » des Commissions, Céline énonçait : « Plus vous les trouverez élevés, considérés séparément dans le domaine de l'esprit, de la création, plus ineptes ils deviendront une fois qu'il seront tous ensemble... Voici une règle, un théorème, une loi de l'esprit... L'esprit n'aime pas les rassemblements [2]. »

A la vérité, l'expérience genevoise n'est pas la seule origine de son antisémitisme. Les causes sont à rechercher autant dans le contexte politique des années 30 que dans le milieu traditionnellement antisémite où Louis a été élevé, à une époque où une bonne moitié de la France estimait que le capitaine Dreyfus devait finir ses jours au bagne, moins parce qu'il était coupable que parce qu'il était « juif ».

Certaines allusions de la correspondance échangée depuis l'Afrique avec Simone Saintu prouvent que, dès 1916, neuf ans avant de travailler à Genève sous les ordres de Ludwig Rajchman,

1. *Mea culpa*, p. 25.
2. *Bagatelles pour un massacre*, p. 107.

Céline n'éprouvait guère de sympathie pour les Juifs, pris collectivement. Louis rapportait un jugement d'Urbain Gohier [1] : « La littérature française de demain devrait être purement française, c'est-à-dire vive, saine, gaie, réconfortante. » Il y ajoutait ce commentaire : « Elle sera plus juive que jamais, c'est-à-dire morbide, mercantile, hystériquement patriotique pour exploiter le dernier filon- Et la fausseté de l'inspiration sera d'autant plus choquante qu'elle déformera des sentiments plus délicats [2]. » Ses déclarations à Robert Poulet confirment le profond enracinement de l'antisémitisme chez Céline. Il lui affirmait n'avoir plus d'opinion politique, se méfiant trop depuis l'enfance : « [...] Mon père m'a trop étourdi de grands discours au moment de l'Affaire Dreyfus [3]. » Céline avait du reste tenu des propos identiques à Emmanuel Berl qui les a rapportés à Patrick Modiano : « Mon père ne vendait plus rien passage Choiseul, [...] Alors il disait que c'était la faute aux jésuites et aux juifs. » Et il avait ajouté, peut-être pour faire plaisir à Berl : « Crois-tu qu'il était con [4]. » Deux ans plus tard, il publiait *Bagatelles*.

Le séjour de Louis à la Société des Nations a sans nul doute réveillé ce sentiment dont l'enracinement était profond. Il s'en est ouvert assez clairement à Jean Guénot et à Jacques Darribehaude qui lui posaient la question de savoir si son antisémitisme s'était greffé sur l'impression d'être du « bétail » qu'il avait éprouvée dans son enfance et pendant son service militaire : « A la Société des Nations, là, j'ai bien vu que c'est par là que ça se goupillait. Et plus tard, à Clichy, dans la politique, j'ai vu... [...] j'ai vu tout ce qu'il fallait [5]... »

Dans l'immédiat, Louis ne demeurait pas inactif. Du 19 au

---

1. Urbain Gohier, journaliste et écrivain français né en 1862, qui a mené une violente campagne pour la révision du procès Dreyfus et contre les pouvoirs exorbitants de l'armée et du clergé.
2. Lettre à Simone Saintu du 25 octobre 1916.
3. *Mon ami Bardamu*. Plon, 1971, p. 121.
4. Emmanuel Berl, *Interrogatoire* par Patrick Modiano. Gallimard, 1976, Collection Témoins, p. 126.
5. *Cahiers Céline* 2, p. 164.

21 janvier 1925, il accompagna le docteur Rajchman à Paris où il envisagea, avec le directeur de l'exploitation télégraphique, de faire émettre par la station Bordeaux-Lafayette un message épidémiologique hebdomadaire. Il assista également aux entretiens que Rajchman eut avec le professeur Brumpt de la Faculté de médecine, en vue d'un échange de personnel sanitaire destiné aux colonies africaines. Personnellement cette fois, Louis fut chargé d'entrer en rapport avec le docteur Abbatucci, sous-directeur du service de santé du ministère des Colonies. Il devait le convaincre de stimuler l'action des gouvernements « par le moyen d'un échange de noyaux sanitaires existant dans les différentes colonies anglaises, françaises et portugaises qui s'échelonnent de la Mauritanie à la Guinée espagnole ». A ce titre, il lui demanda « de constituer une monographie sur l'organisation et le fonctionnement des services d'hygiène dans les colonies françaises ».

Au ton qu'il employa pour rendre compte de ces conversations, on peut mesurer à quel point il avait assimilé les bons principes de la « princesse du Léman », ainsi qu'il appelle la S.D.N. dans *Bagatelles*. A lire ces lignes, on croirait Rajchman corrigeant les premiers comptes rendus de Louis Destouches : « [...] le Dr Abbatucci venait précisément de préparer un mémoire sommaire pour éclairer le Ministre sur l'organisation de l'hygiène dans le domaine colonial de la France, nous avons vu ce mémoire, il nous a paru, pour notre usage, trop bref, et pas assez technique, mais indéniablement, il nous parut témoigner de la part de l'auteur, des qualités de clarté, d'ordre, de méthode qui, je le pense, sont précisément celles dont nous avons besoin pour notre monographie. [...] Sans m'engager officiellement, j'ai donné au Dr Abbatucci une idée de nos exigences, je lui ai demandé donc d'enrichir les documents qu'il présentait [1] [...] »

Plus tard, après son retour des États-Unis, le 4 juillet 1925, il prit encore plus de hauteur et de suffisance pour juger le malheureux Abbatucci qui était poliment renvoyé à ses études :

---

1. *Lettre à Rajchman*. Archives de l'O.M.S. à Genève.

« Mon cher Confrère et Ami,

» Sous pli séparé, je vous retourne le manuscrit de votre livre. Commencez donc, je vous en prie, par les corrections dont nous avons parlé ensemble et puis je passerai vous voir vers le 17 juillet et nous pourrons alors conclure définitivement quant à son impression [1]. »

Dès le 3 novembre 1924, Ludwig Rajchman avait proposé Louis comme accompagnateur d'un groupe de médecins latino-américains pour un périple d'information de cinq mois, en majeure partie aux États-Unis. C'était le grand rêve à portée de la main, mais il lui fallut encore attendre quelques semaines avant d'être certain de pouvoir partir pour cette Amérique qui exerçait encore sur lui, en 1924, la même fascination que lorsqu'il était enfant.

Le 14 février 1925, il s'embarquait enfin à Cherbourg, à bord du *Minnetonka*, à la découverte du Nouveau Monde.

---

1. *Lettre à Rajchman.* Archives de l'O.M.S. à Genève.

CHAPITRE XVI

New York

> « En Afrique, j'avais certes connu un genre
> de solitude assez brutale, mais l'isolement
> dans cette fourmilière américaine prenait
> une tournure plus accablante encore. »
>
> *Voyage au bout de la nuit*, p. 203.

Louis descendit à New York à l'hôtel McAlpine, du nom d'un puritain écossais du XVIe siècle dont il fit dans *Voyage* l'hôtel Laugh Calvin, associant le mot « rire » à celui de « Calvin », à la recherche d'un effet qui ne concerne sans doute pas Jean Calvin de Genève, mais plus probablement Calvin Coolidge, président des États-Unis. Il avait accédé à la magistrature suprême en 1923 à la suite du décès du président Harding, et il allait être élu à la Maison-Blanche le 4 mars 1925, battant le démocrate Davis. Or Coolidge n'avait justement rien d'un « drôle ». C'était, au contraire, un puritain du Massachusetts que les Américains appelaient « Silent Cal » et dont le faciès dénué d'expression était d'une tristesse comparable à celle du masque de Buster Keaton. En période d'élection, c'était un sujet d'inépuisables plaisanteries.

Louis découvrit New York en pleine tempête électorale, au plus fort des « Années folles » et quelle que fût l'idée qu'il avait pu se faire de l'Amérique, il reçut un choc auquel il ne s'attendait pas. « Nous sommes arrivés après toutes sortes de délais et de contre-marches - brouillard, mauvais temps etc., écrivit-il à Rajch-man. J'irai voir les Rockefeller demain, et puis Cumming et puis La Havane-

» Tout ce que je vois ne ressemble à rien, c'est insensé comme la guerre [1]- »

D'abord il découvrit comme il le raconte dans *Voyage,* et comme le découvrent tous ceux qui arrivent à Manhattan par la mer : « [...] une ville debout [...] pas baisante du tout, raide à faire peur [2]. » Puis, quand il fut dedans, il eut l'impression d'être écrasé par cette ville dans laquelle il eut à se débattre, ahuri par la foule, par la crasse, par le bruit et par l'angoisse. Plus tard, il a brossé de New York un tableau sans complaisance, conforme à l'image qu'il en avait gardée, assez proche de la vision qu'ont donnée du Nouveau Monde dans *l'Amérique* un Franz Kafka, qui n'y était jamais allé, et dans *les Lumières de la ville* un Charlie Chaplin, qui a littéralement incarné l'homme au bout de la nuit. Céline devait écrire ensuite : « J'étais aux prises ici pour ma part avec un torrent de sensations inconnues. Il y a un moment entre deux genres d'humanité où l'on en arrive à se débattre dans le vide [3] [...] Tout dans ces moments vient s'ajouter à votre immense détresse [4]. »

Il fut choqué et déçu, sauf peut-être sur le chapitre des femmes, encore que ce premier séjour à New York ait été trop court pour qu'il ait pu en profiter pleinement. Subjugué par les Américaines et surtout par leurs jambes, « [...] longues et blondes et magni-fiquement déliées et musclées, des jambes nobles [5] », il y voyait le signe de la véritable aristocratie humaine, faisant dire à Bardamu

---

1. Hôtel McAlpine, New York. New-York the 24 [février 1925]. Archives de l'O.M.S. à Genève.
2. *Voyage au bout de la nuit,* p. 184.
3. *Ibid.,* p. 198.
4. *Ibid.,* p. 214.
5. *Ibid.,* p. 227.

dans *l'Église* : « [...] j'aime les Américaines; vous êtes belle, vous avez du muscle, vous dansez, hein? » avant de lui prêter cette tirade destinée à Véra : « Enfin, vous êtes pour moi la femme idéale. Vous avez aussi cette forte vacherie anglo-saxonne, qui va bien aux femmes quand elles sont jolies. » A-t-il pensé à Elizabeth Craig en écrivant cette phrase? La suite, en tout cas, paraît avoir été écrite pour elle : « Vivent les Américaines qui méprisent les hommes [1]! » compliment que Véra lui retourne à l'acte IV, comme Elizabeth Craig aurait elle-même pu le faire : « Ah! Ferdinand... tant que vous vivrez, vous irez entre les jambes des femmes demander le secret du monde [2]! »

En fait, ce premier séjour à New York ne dura pas plus d'une semaine, coupée d'un aller-retour à Washington pour régler les derniers détails du voyage avec M. Cumming, « Surgeon general of the United States Public Health Service ». Louis trouva que « Surgeon général » ferait « un beau nom pour un poisson [3] ».

Dans l'affolement du départ de Genève il avait oublié, non seulement une bonne partie de ses effets personnels, mais aussi l'adresse des banques où était déposé l'argent du voyage : quatre établissements dans lesquels se trouvaient les fonds pour payer les hôtels et les indemnités de subsistance allouées aux médecins qu'il avait mission d'accompagner, soit 4 000 dollars à La Havane, 2 850 dollars à La Nouvelle-Orléans, 3 200 dollars à New York et 1 950 dollars à Toronto.

Pour Rajchman, que Louis avait alerté par télégramme et qui commençait un peu à le connaître, ce ne fut qu'une demi-surprise : « J'ai été nullement surpris d'apprendre que vous aviez laissé à " La Résidence " certaines parties essentielles de votre garde-robe, mais je ne croyais jamais que vous auriez oublié l'adresse de la Banque où votre fortune devait être déposée. » Puis sur le mode sarcastique : « Envoyez-nous donc un long câblogramme conte-

---

1. *L'Église*, pp. 117-118.
2. *Ibid.*, p. 223.
3. *Voyage au bout de la nuit*, p. 188.

nant tous les divers oublis que vous avez dû classer dans un fichier de poche [1][...]. »

Le 1er mars 1925, Louis débarquait à La Havane qui avait été choisie comme point de départ du voyage pour ne heurter aucune susceptibilité. Cuba disposait en outre, sur le plan social et sanitaire, d'une organisation d'avant-garde. Ce fut donc à Cuba qu'il fit la connaissance de ses compagnons de voyage, les docteurs Alba du Mexique, Alvarez de Cuba, Garira du Venezuela, Gubetich du Paraguay, Lerdes de San Salvador, Mattos du Brésil, Schiaffino de l'Uruguay et Valega du Pérou.

Louis fut aussitôt pris dans un véritable tourbillon de réceptions, de conférences et de visites techniques auprès desquelles la tournée en Bretagne, effectuée six ans auparavant avec la Rockefeller, faisait figure de promenade de santé [2] :

Lundi 2 mars : le matin, réception au secrétariat de la Santé publique par son directeur, le docteur Lopez del Valle, puis visite des différents départements; l'après-midi une conférence du docteur Le Roy y Casa, chef de la Démographie sanitaire nationale, sur la statistique démographique, puis visite d'un service d'hygiène infantile, d'un centre de dératisation, de désinfection urbaine et anti-moustiques.

Mardi 2 mars : le matin, visite de l'hôpital « Las Aminas », conférence sur l'épidémiologie, visite du Laboratoire national des sérums et vaccins et conférence sur la lutte anti-typhoïde; l'après-midi visites d'hôpitaux et du centre antituberculeux.

Mercredi 4 mars : le matin, visite de l'aqueduc Albear et du réservoir du Palatino, puis conférence sur le Service des Eaux; l'après-midi, visites de maisons de santé.

Jeudi 5 mars : visite aux environs de La Havane d'un service de santé communal et de logements ruraux.

Vendredi 6 mars : visite du centre d'immigration le matin et du centre de prophylaxie antivénérienne l'après-midi.

---

1. Lettre du 26 février 1925. Archives de l'O.M.S. à Genève.
2. Voir annexe III, détail du voyage à Cuba, aux États-Unis et en Italie.

Samedi 7 mars : visite du lazaret de Mariel.

Dimanche 8 mars : le matin, visite de la sucrerie centrale Hershey et de logements ruraux hygiéniques; l'après-midi, réception au Cercle médical cubain.

Ils quittèrent Cuba le 9 mars, et après trois jours de mauvaise traversée, contrariée par le brouillard dans le golfe du Mexique, ils arrivèrent en vue de La Nouvelle-Orléans tard dans la soirée du jeudi 12 mars. De là ils devaient se lancer dans un périple harassant de 4 000 kilomètres en trois semaines à travers la Louisiane, le Mississippi et l'Alabama. Ces trois États, qui avaient à lutter contre le paludisme, présentaient un réel intérêt pour des médecins d'Amérique du Sud dont les pays respectifs devaient lutter contre les mêmes fléaux avec des moyens plus réduits.

La mission que Louis pilotait visita des usines, des mines, des écoles, des hôpitaux, à une cadence telle que les Sud-Américains, habitués probablement à une vie moins rude, donnaient des signes de fatigue et d'énervement. « Voyage trop rapide et point assez technique », notait Louis dans une lettre qu'il adressait au docteur Rajchman. Plus tard, dans *Bagatelles* il ironisa sur ses voyages avec des échangistes : « Comme j'en ai vu des hôpitaux, comparé des laboratoires! épluché les comptes des nurseries... vu fonctionner des belles casernes! cavalé dans les abattoirs! admiré tant de crématoires! expertisé tellement de laiteries, des " modèles " et des moins propres... de la Gold Coast à Chicago! et de Berg-op-Zoom à Cuba [1]! » Pour se faire une idée de la course que fut ce voyage il suffit d'en parcourir l'itinéraire [2] :

Partis de La Nouvelle-Orléans le vendredi 13 mars, ils visitaient en cinq jours : Houma, Morgan City, New Iberia, Lake Charles et Schreveport. C'est du côté de Schreveport que l'une des voitures de l'expédition versa dans un fossé. Louis, qui n'avait été que légèrement contusionné, écrivit le 27 mars à son directeur : « Je me méfie des automobiles et je n'en prends depuis la Louisiane

---

1. *Bagatelles pour un massacre*, p. 99.
2. Voir Annexe III, programme détaillé du voyage.

qu'en cas d'absolue nécessité non point à cause de la mort mais pour le ridicule [1]. »

Du 18 au 21 mars ils restaient à La Nouvelle-Orléans; le 21, ils reprenaient la route pour Jackson, Gulfport, Montgomery, Andalousia et Birmingham; puis ils montèrent vers le Nord, voyageant pendant deux jours presque sans arrêt. Le 5 avril ils couchaient à New York et le 6 ils arrivaient à Washington. Ils furent accueillis par Cumming au Département fédéral de la Santé et l'assistant surgeon général Long leur fit un exposé sur les pouvoirs et les devoirs de ce département.

Le 10 avril 1925 fut le grand jour, en tout cas le jour le plus mémorable de ce voyage. Après une conférence sur le contrôle des maladies vénériennes aux États-Unis et la visite du building de la Panamerican Union, ils furent reçus en fin de matinée à la Maison-Blanche par le président Coolidge lui-même, l'homme à la triste figure qui venait d'être élu président des États-Unis. « [...] L'escamotage fut absolu. Je fus présenté le dernier et j'attendais avec amusement l'énoncé de mes titres officiels, mais je fus déçu car on ne donna ni nationalité, ni titre, mon nom simplement. J'ai dû passer pour Sud-Américain [2]!... » Le même jour ils découvrirent aussi les intrigues et les basses manœuvres au cours d'un déjeuner que leur avait offert M. L.S. Rowe. Directeur de la Panamerican Union, rivale de la S.D.N., Rowe, ayant profité de son toast pour critiquer assez vertement l'honorable institution genevoise, Louis dut calmer les esprits qui s'étaient échauffés.

Le 13 et le 14 avril ils étaient à Baltimore, et le lundi 20 de nouveau à New York pour huit jours. Outre la visite de divers services administratifs, d'un égout collecteur, de trois abattoirs, de divers marchés et de l'inspection vétérinaire, ils eurent le droit de visiter Staten Island et la statue de la Liberté. Ils virent aussi le poste de contrôle de l'émigration d'Ellis Island, qui fut décrit dans

1. Lettre du 16 mars 1925. Archives de l'O.M.S. à Genève.
2. Lettre au Dr Rajchman, citée par Philippe Huon de Kermadec dans sa thèse, *Contribution à la biographie de Louis-Ferdinand Céline : les années Destouches.* Université René-Descartes, Paris, 1976, p. 53.

Voyage au bout de la nuit, et assistèrent au Pier n° 8 de Brooklin à une démonstration des méthodes de fumigation employées pour la dératisation des navires.

Le 29 avril ils quittaient New York pour Bridgeport, Waterbury, Hartford, et le 5 mai arrivaient à Detroit où ils visitaient le lendemain le service sanitaire des usines Ford. Le 7, ils gagnaient Pittsburgh pour étudier l'organisation du service sanitaire de la Compagnie Westinghouse. Chez Ford, Louis put voir les effets d'une politique de mécanisation systématique, doublée d'une politique sociale qui consistait à faire servir les machines par un sous-prolétariat dégénéré qui marchait à petits salaires, trop content d'avoir été embauché. Chez Westinghouse, au contraire, le personnel était trié sur le volet et associé au succès de l'entreprise.

Louis avait vu à New York le monde pitoyable que Charlie Chaplin allait illustrer quelques années plus tard dans *les Lumières de la ville.* A Detroit, il vit sur leurs machines des milliers de « Charlot » qui allaient inspirer, en 1935, *les Temps modernes.* De ces deux brefs séjours — moins de quatre jours à Detroit et à Pittsburgh — Louis tira un certain nombre d'enseignements personnels qu'il résuma dans deux rapports : « Note sur l'organisation sanitaire des usines Ford à Detroit » et « Notes sur le service sanitaire de la compagnie Westinghouse à Pittsburgh », qui parvinrent à la Section d'Hygiène les 18 et 25 mai. De sa première « Note », refondue, il tira une communication pour la Société de médecine de Paris le 26 mai 1928. Elle fut reprise dans *Lectures 40* les 1er et 15 août 1941[1].

Plus tard, Céline raconta à qui voulait l'entendre qu'il avait été médecin chez Ford, et parmi d'autres à Jean Guénot et à Jacques Darribehaude, à Robert Poulet, à Henri Mondor, qui affirma que Céline avait été « à la solde des Usines Ford, autant dire du super-capitalisme[2] ». A Ernzt Bendz il écrivit sans hésitation : « J'ai été

---

1. Ces différentes versions ont été reprises dans les *Cahiers Céline,* 3, pp. 119 et 140.
2. Avant-propos de l'édition de la Pléiade de *Voyage au bout de la nuit* et de *Mort à crédit,* p. IX.

vous le savez 4 ans médecin aux U.S.A. [1] », montrant, sur ce point comme sur bien d'autres, qu'il prenait quelque plaisir à la mystification et entretenait volontiers sa propre légende.

La tournée aux États-Unis des médecins sud-américains s'acheva le 9 juin aux chutes du Niagara, d'où ils passèrent au Canada. Le soir même ils couchaient à Toronto et y séjournaient jusqu'au 12, visitant différents organismes sanitaires, les laboratoires Connaught et l'université. Du 13 au 15 mai, ils visitèrent à Ottawa différents services gouvernementaux, dont celui des eaux, et la Faculté de médecine. Ils longèrent ensuite le Saint-Laurent de Montréal jusqu'à Québec avec des arrêts à Trois-Rivières et à Grand'Mère.

La presse locale avait bien souvent évoqué leur passage et rapporté les détails de leur emploi du temps ainsi que les propos tenus à l'issue des banquets. A Québec un discours de Louis fut ainsi relaté : « M. le docteur Destouches, secrétaire général de la section d'hygiène de la Ligue des Nations, fils du secrétaire de la faculté de médecine de Paris et lui-même un médecin renommé, prit la parole au nom des visiteurs.

» — "Nous voilà arrivés, dit-il, à la dernière étape de notre voyage et à l'extrémité d'un continent qui, pour ma part, m'était inconnu [...]" Faisant allusion aux visites qu'il avait faites, au cours de la journée, dans quelques hôpitaux de Québec, le Dr Destouches déclara qu'il avait été heureux de constater que de grands efforts ont été faits, ici, dans le domaine de l'hygiène. Il ajouta que le milieu latin, en général, n'est pas un milieu où fleurit l'hygiène et qu'on pense à enrichir et à développer l'esprit sans songer aux moyens de protéger son corps. Il ajouta même, au grand amusement des convives, que l'art médical français réussit mieux dans les choses difficiles que dans les choses faciles [2]. » Ce fut en effet la dernière étape de leur voyage sur le continent américain. Le 22 mai, ils s'embarquèrent à Québec pour l'Angleterre.

Le *Mont Royal* toucha Liverpool dans la matinée du 30 mai

1. *Les Cahiers de l'Herne*, p. 151.
2. *L'Événement* [Québec], 22 mai 1925. *Cahiers Céline*, 3, pp. 136-137.

et les voyageurs se rendirent immédiatement à Londres où Louis était attendu par sa femme et par le captain Johnston-Watson, gestionnaire de la Section d'Hygiène. Il y trouva Édith « dans une maison de santé, fiévreuse, grippée,... je crois ». C'est du moins ce qu'il écrivit le 31 mai au docteur Rajchman, alors qu'Édith Follet se souvient aujourd'hui parfaitement qu'elle avait été hospitalisée pour les oreillons. Elle était malade aussi de savoir que Louis s'échappait de plus en plus et qu'il ne lui reviendrait pas, mais elle était assez forte pour ne rien montrer de sa détresse. Sitôt remise, elle accepta par exemple d'accompagner Louis très naturellement à un déjeuner qui leur fut offert par Johnston-Watson. Celui-ci était venu à Londres afin d'éclaircir avec Louis certaines obscurités de sa comptabilité. Et plus particulièrement l'usage qu'il avait fait des fonds qu'il aurait dû pouvoir mettre de côté à la suite de la défection d'un Sud-Américain.

De Londres, Louis fit un saut à Genève pour y rendre compte des incidents de Washington. Le docteur Rajchman se déclara très satisfait de la manière dont il avait conduit le voyage et obtint qu'il soit augmenté de 250 francs par mois. Louis fut l'objet d'un excellent rapport dans lequel Rajchman le décrivait comme « a very intelligent and enthusiastic man », insistant sur le fait qu'il avait renoncé aux perspectives d'une carrière lucrative pour se consacrer entièrement à la cause de la santé publique.

Louis reprit le train pour La Haye où l'attendaient les Sud-Américains. Du 18 au 24 juin, ils se perdirent un peu à Amsterdam dans d'inutiles digressions sur le rôle des femmes dans la société américaine, avant de passer en Belgique où ils séjournèrent du 25 juin au 4 juillet, visitant des dispensaires et se penchant plus particulièrement sur le problème des habitations à bon marché. Alors que le programme initial prévoyait un séjour en France, les délégués rejoignirent directement Genève pour participer aux travaux d'un groupe venu de Yougoslavie, ce qui bouscula aussi quelque peu le programme prévu pour la Suisse. Le groupe ne resta qu'un seul jour à Berne, ce qui lui laissa tout de même le temps de visiter le 9 juillet le Service fédéral de l'Hygiène et le Bureau fédéral des Statistiques démographiques. « Le séjour à Berne s'est déroulé dans les meilleures conditions possibles », écrivit Louis au docteur Rajchman le 10 juillet, « quant à Bâle... ils avaient préparé un programme interminable qui commençait à 8 heures du matin. J'ai écourté tout cela — d'accord avec un collaborateur d'Huntziker [1]- Je pars à Paris à 11 heures, car je veux voir Lanux et Evro [2], avant de partir pour Lille et les bureaux seront fermés samedi après-midi. J'ai pu parler avec le Dr Park (Australie) de la question océanienne. Je crois que je sais à présent à peu près tout ce qu'on peut savoir à distance [3] ». Il préconisait ensuite un certain nombre de mesures parmi lesquelles la prohibition, la constitution de centres d'enseignement populaire de l'hygiène et la création d'une fabrique de citernes pour toutes les îles de l'Océanie.

Louis passa la journée du 11 juillet à Paris avec mission de recruter, par le truchement du ministère des Colonies, un médecin susceptible de conduire un voyage au Japon et d'assurer ensuite la direction du bureau d'épidémiologie qui avait été installé à Singapour en raison de la puissance de son émetteur radio qui couvrait la majeure partie de l'Asie. Le 12 juillet il rejoignit les Sud-Américains à Lille pour un véritable marathon de cinq jours au cours duquel on leur montra vraiment tout : l'Institut Pasteur, l'usine de filature de la Société Le Blanc et Cotonnière lilloise, les centres antituberculeux, l'école des visiteuses d'hygiène sociale, la station d'épuration des eaux, les abattoirs, les cités-jardins de la Délivrance et d'Aniche — sans oublier une excursion au préventorium de Wormhoudt, près de Dunkerque, et au sanatorium de Zuydcoote. La visite fut couronnée par un banquet grandiose offert par la municipalité au Royal Hôtel.

A Paris, que la délégation visita ensuite, on mêla escapades tou-

---

1. Directeur du Bureau d'Hygiène de Bâle.
2. Lanux : responsable de l'antenne parisienne de la Section d'Hygiène, rue Vernet. Evro : secrétaire du Pr Léon Bernard.
3. Archives de l'O.M.S. à Genève.

ristiques et visites d'institutions antituberculeuses, sans oublier le four crématoire du Père-Lachaise, les Halles, les abattoirs de Vaugirard et les égouts de la place du Châtelet.

Le rythme ne se relâcha pas davantage à Lyon où, du 23 au 25 juillet, on ne leur fit grâce d'aucun détail. Il leur fallut donc courir de l'Institut d'Hygiène à l'Institut bactériologique, de la nourricerie de Vinatier à l'hôpital de la Charité. Après le tour, désormais rituel, des dispensaires, l'école d'infirmières, la Fondation franco-américaine, le préventorium de Cuire, celui de Charly, l'hôpital de la Grange Blanche, etc., la délégation était « sur les genoux » et n'en pouvait vraiment plus. Aussi Louis, qui sentait monter l'orage, jugea-t-il prudent d'avertir le docteur Pantaleoni qui les attendait à Turin : « [...] Ils doivent quitter Lyon le 26, et de là se rendre à Turin, lentement, à leur gré. Ceci en vue de les ménager car il m'a semblé qu'ils avaient vraiment besoin d'un petit temps de repos, ceci d'ailleurs dans l'intérêt même des études, or vous savez ce que veut dire le débarquement immédiat d'un train par un groupe d'échangistes absolument vidés d'attention et aussitôt projeté dans la chaleur d'une réception à laquelle ils ne répondent que par une lassitude trop évidente. J'ai peur de ces moments-là, de part et d'autre au lieu de se rapprocher on prend ses distances, on se méfie, et l'échange commencé dans la fatigue finit dans l'hostilité presque avouée. [...] Toujours dans le même esprit, voulez-vous spécifier aux organisateurs italiens qu'ils veuillent bien prendre mon conseil avant d'arrêter le programme dans tous ses détails, faute de cette précaution, nous avons eu à Lille des ennuis bien inutiles. Voulez-vous leur dire aussi que j'ai l'argent nécessaire au règlement des différents frais administratifs mais qu'il convient aussi de me demander mon avis (raisons économiques) Bien entendu je ne veux me servir de ces pouvoirs qu'avec grande délicatesse mais cependant je crois qu'il serait bon de le spécifier, toutefois je me fie à vous, cher ami, car j'ignore absolument le milieu italien et vous me direz l'attitude administrative convenable. Nous voilà parvenus à la fin presque de ce très long voyage, je sens l'énervement un peu partout et je voudrais éviter l'incident [1]. »

Il ne leur restait donc plus qu'à parcourir une partie de l'Italie, du 28 juillet au 8 août 1925, avec un programme allégé. Ainsi à Turin, où ils restèrent deux jours, on ne leur infligea qu'une réception à la préfecture et une visite de la fabrique de quinine. Les 30 et 31 juillet furent consacrés aux grands travaux hydrauliques de Ferrare, et le 1er août à une visite des « bonifications hydrauliques » de Ravenne. Le 2 août ils étaient de nouveau à Ferrare pour une conférence du professeur Ottolenghi de l'université de Bologne.

Les vœux des échangistes et les recommandations de Louis n'ont pas toujours été suivis d'effets :

« A Ferrara - et
» A Ravenne malgré tous mes avis, ils se sont entêtés à faire des départs à 6 h du matin et des promenades inutiles jusqu'à 9 h du soir! à travers monts et vallées- Voyant qu'il n'y avait aucune possibilité de remédier à cette frénésie j'ai sauté à Rome où j'ai vu Messéa ce matin- Là aussi le programme était gonflé à en crever - j'ai du l'allonger d'une journée - jusqu'au 9 au soir - pour faire tout tenir sans accident.
» Décidément les organisateurs sont incorrigibles [...]
» Nous voyons hélas! l'Italie dans les plus mauvaises conditions - notre pouvoir d'admiration bien diminué par six mois de « sightseeing » - chaleur saharienne - Dans mes brefs moments lucides, j'entrevois des choses admirables, autant de joies auxquelles j'ai pris le parti de renoncer, après tant d'autres hélas! chaque jour plus nombreuses [2]. »

Installés à Rome à partir du lundi 3 août, la première journée fut strictement officielle. Une réception au ministère de l'Inté-

---

1. Archives de l'O.M.S. à Genève.
2. Hôtel Excelsior Roma. Le 3 (août 1925). Archives de l'O.M.S. à Genève.

rieur par le directeur général de la Santé publique précéda deux
audiences importantes. La première était accordée par Mussolini
lui-même; la seconde par le président du Conseil.

Le travail reprit le lendemain : visite de l'école de malarialogie
de Nettuno, de la station sanitaire antimalarique d'Accarella et
du centre diagnostique de la Croix-Rouge à Terracina. Le 5 août
la délégation se promena dans les marais Pontins où on leur montra, dans le cadre des grands travaux entrepris par Mussolini, les
stations sanitaires et les services de médecine scolaire, ainsi qu'à
Terracina une tour destinée à l'élevage des moineaux.

Le jeudi 6 août, les Sud-Américains visitèrent à Ostie la station
sanitaire, l'hôpital de la marine et les travaux d'assainissement.
Leur voyage touchait à sa fin; le 7, ils voyaient encore à Fiumicino
le service antimalarique des chemins de fer et la station sanitaire,
puis le même jour, au lac Trajan et à Bocca di Leone, les grands
travaux d'assainissement. Le samedi 8 août, la colonie agricole de
Grottaferrata. Le voyage était achevé. Il avait été trop long, aussi
le groupe se disloqua-t-il sans regret.

Louis retourna à Genève où il se retrouva de nouveau un peu
prisonnier de l'administration centrale. Occupé pendant un temps
par l'organisation d'un congrès des médecins des ports de la mer du
Nord et de la Baltique, il s'intéressa beaucoup plus à la préparation
d'un voyage auquel il devait participer l'année suivante en Afrique.
A cette fin il vint deux fois à Paris fin 1925, puis de nouveau en
janvier 1926, ainsi qu'à Bruxelles et à La Haye.

Fin décembre il avait quitté l'hôtel de La Résidence pour s'installer de façon plus permanente 35 d, chemin de Miremont, à
Champel, sur la rive gauche, dans un rez-de-chaussée de trois
pièces au loyer de 1 200 francs par an. Il avait déjà la nostalgie de
son voyage avec les Sud-Américains : « [...] Crois bien que je
regrette, mon cher ami, ce temps presque lointain déjà où nous
avions les horaires de chemin de fer pour Bible et la Vérité pour
maîtresse [1] [...] »

1. Lettre au Dr Mattos, 12 janvier 1926.

De nouvelles aventures le guettaient. Du reste il savait bien les provoquer quand il en ressentait le besoin! Il ignorait peut-être encore que c'est dans sa vie privée et dans ses affections que se préparaient les plus grands bouleversements.

CHAPITRE XVII

L'Afrique

« Revoici l'Afrique où je reviens plus vieux, moins pauvre, moins ardent, plus cochon... »

Carte postale à Milon. Dakar, sans date [1926].

Édith était de bonne composition, mais elle commençait tout de même à perdre patience et ne savait plus que répondre à son père qui la poussait au divorce avec une conviction égale à celle qu'il avait manifestée quelques années plus tôt pour favoriser son mariage.

Elle avait eu avec Louis des conversations pénibles à Londres et à Paris, au cours desquelles elle l'avait supplié de l'emmener vivre avec lui à Genève; elle avait aussi tenté de l'attendrir en lui parlant de sa fille qui avait déjà plus de cinq ans. Louis supportait mal cette insistance affectueuse et réagissait brutalement; et plus Édith persistait, plus il s'écartait d'elle, et plus la vie de famille lui devenait insupportable. Il était pourtant formellement opposé à l'idée d'un divorce, par égard pour ses parents peut-être, et plus sûrement par un vieux réflexe bourgeois, survivance des bons principes de son enfance. N'ayant aucun projet de remariage, il ne souffrait guère d'une situation dont il était responsable et où il avait la part belle.

Comme Édith le relançait tendrement par lettres, il eut l'impression qu'elle s'accrochait à ses basques, qu'elle en voulait à sa liberté. Il lui écrivit alors des lettres atroces : « Il faut que tu découvres quelque chose pour te rendre indépendante à Paris, quant à moi, il m'est impossible de vivre avec quelqu'un- Je ne veux pas te traîner pleurarde et miséreuse derrière moi, tu m'ennuies, voilà tout - ne te raccroche pas à moi. J'aimerais mieux me tuer que de vivre avec toi en continuité - cela sache-le bien et ne m'ennuie plus jamais avec l'attachement, la tendresse - mais bien plutôt arrange ta vie comme tu l'entends. J'ai envie d'être seul, seul, seul, ni dominé, ni en tutelle, ni aimé, libre. Je déteste le mariage, je l'abhorre, je le crache; il me fait l'impression d'une prison où je crève. »

Quand elle reçut cette lettre Édith comprit que c'était bien fini. Elle se résigna à suivre son père chez ses hommes de loi, maître Thomas, avocat, et maître Perrier, avoué, qui préparèrent une requête en divorce qu'elle présenta au palais de justice de Rennes le 9 mars 1926. Le lendemain on faisait citer Destouches quai Richemont, comme s'il y habitait encore, pour la tentative de conciliation, fixée au 19 mars. Tout cela n'était qu'à moitié régulier, mais on l'avait prévenu par téléphone. Il avait alors fait un voyage éclair à Rennes et devant la résolution d'Édith, il lui avait fait savoir qu'il ne se défendrait pas. De retour à Genève il avait écrit à Milon : « Je dus partir de manière brutale Excusez moi-tous - un coup de téléphone m'a appris que ma femme m'intentait un divorce, logique mais imprévu - » Il avait jeté à la suite, comme pour expliquer tout ce gâchis : « Tu sais que mon action désavoue ma pensée - ainsi fut-il fait [1]. »

Quand Édith se présenta devant le président du tribunal civil de Rennes, Louis était en mer, en route pour l'Afrique. Après avoir constaté son absence, le magistrat confia la garde de Colette à sa

1. Sans date.

mère et décida que la pension de 12 000 francs prévue au contrat de mariage serait désormais versée par le professeur Follet directement entre les mains de sa fille.

La procédure suivit normalement son cours et le tribunal, après avoir rappelé les termes de la lettre de Louis, estima que la manifestation de tels sentiments était éminemment injurieuse pour Mme Destouches alors surtout que son mari ne formulait aucun grief contre elle. Louis, qui s'était pourtant fait représenter par un avoué, ne fit valoir aucun moyen et accepta le divorce à ses torts, tel qu'il fut prononcé par un jugement du 21 juin 1926.

C'est à cette époque, un soir alors qu'elle était seule avec Colette qui dormait, qu'après les avoir relues, elle brûla toutes les lettres de Louis. Par ce geste, identique à celui de Madeleine Gide, elle détruisit toutes ses lettres d'amour : celles qu'il lui avait écrites de Bretagne quand il appartenait à la Mission Rockefeller, les petits mots qu'il lui avait adressés ensuite à l'occasion de ses déplacements, les lettres de Genève, celles d'Amérique, et celles qu'il lui fit parvenir, coupantes, brutales, pour tenter de rompre leurs dernières attaches.

Aujourd'hui Édith Follet ne regrette rien, et surtout pas d'avoir connu Louis Destouches et de l'avoir aimé. Elle l'aime encore à sa façon, et si sa vie pouvait être refaite, c'est encore avec lui qu'elle voudrait la recommencer. Elle garde aussi, très secrètement, les lettres qu'il lui écrivit à la fin de sa vie, de Meudon, où ils se sont revus plusieurs fois. Tendres lettres par lesquelles Céline lui exprima son affection et ses remords.

Le 14 mars 1926 Louis Destouches s'embarqua à La Pallice sur le *Belle Ile* en partance pour Dakar où il arriva le 20 mars pour prendre la tête d'une nouvelle délégation « d'échangistes » : trois Anglais, trois Belges, deux Espagnols, quatre Français, un Guatémaltèque, deux Portugais et un Sud-Africain. Avec eux, pendant deux mois, il allait étudier les organisations sanitaires des pays de la côte Ouest de l'Afrique, du Sénégal au Nigéria, avant d'aller débattre à Freetown de l'opportunité pour la S.D.N. d'établir un bureau d'hygiène en Afrique occidentale.

Le docteur Lasnet, inspecteur général du service de santé des colonies, estima que le voyage avait été mal préparé et dans ses lettres à Rajchman il en attribuait la responsabilité à Destouches. Il rendait cependant hommage à sa débrouillardise qui lui avait permis de se tirer tant bien que mal de toutes les situations.

Il fallut surtout résoudre des questions d'intendance, scinder la délégation par économie et décider que les uns verraient la Gambie, d'autres la Guinée portugaise, tandis que le groupe principal conduit par Louis visiterait le Soudan et la Guinée. C'était la part du lion, un voyage en tout cas qui fleurait bon l'aventure. Il y avait près de 1 500 kilomètres à parcourir en train jusqu'à Bamako par le Dakar-Niger, puis 300 kilomètres de piste en automobile de Bamako jusqu'à Kouroussa, et enfin le « train-hôtel » jusqu'à Conakry. Le 10 avril la jonction s'opéra avec les autres groupes venus par bateau.

La mauvaise organisation des compagnies maritimes les contraignit encore à sauter complètement le Libéria et à ne passer qu'un jour en Côte d'Ivoire. Ce n'est qu'à partir d'Accra qu'ils parvinrent enfin à respecter les itinéraires et les horaires : huit jours en Gold Coast, onze jours à travers le Togo et le Dahomey, une semaine au Nigéria avant de remonter à Freetown. Là, le 18 mai la conférence plénière s'enlisa dans de vaines discussions. Les Français tiraient d'un côté pour l'établissement dans l'île de Gorée d'un bureau de la S.D.N. que les Britanniques n'envisageaient qu'avec réticence, tandis que le délégué du Cap, résolument panafricain, égarait la conférence dans la politique.

Louis détestait les palabres et s'ennuyait à périr. Du reste, il n'avait plus la foi et commençait à comprendre qu'à Genève on travaillait dans le vide. Il n'avait plus envie de faire de zèle et ne voulait plus rédiger de rapport. Peut-être songeait-il déjà à la bonne farce qu'il allait leur jouer à tous en les singeant dans *l'Église*. Nous ne savons pas quelle fut la réaction de Rajchman, mais nous savons que dans *l'Église* Yudenzweck dit à Bardamu, sur un ton plutôt amical qui était bien dans sa manière : « Voyez-vous, vous voilà tout entier, Bardamu. Je vous aime bien, mon vieux, mais vous êtes invraisemblable. Comment voulez-vous que j'occupe une Commission technique avec un petit papier grand comme ça? » Puis suivaient les conseils, comme si Bardamu avait eu besoin de leçons d'affabulation : « Si vous n'aviez rien vu, ça se raconte, mon vieux, ça se raconte longuement [1]. »

De retour à La Rochelle le 9 juin, après un voyage sans histoire sur le steamer *Eubée,* Louis assista le 19 juin à Paris à la première séance de la 7e session du Comité d'hygiène. Il y fit un rapport verbal sur le voyage qu'il venait d'effectuer [2]. Il restait aux échangistes à parcourir l'Europe selon un itinéraire à peu près semblable à celui qui avait été suivi l'année précédente par les Sud-Américains; les Pays-Bas, Bruxelles, puis de nouveau Paris et trois jours à Chartres pour une visite des formations antituberculeuses d'Eure-et-Loir. Louis les connaissait bien pour avoir participé à leur mise en place en 1918 quand il était à la « Rockefeller » dans les équipes du professeur Gunn.

Après un passage à Lyon, du 8 au 10 août, la délégation se rendit à Genève, puis à Berne, à Zurich, à Bâle, à Leysin. Le 25 août au Palais des Nations, une table ronde sur « l'Assurance sociale dans ses rapports avec l'hygiène » mit un point final à ce voyage.

Louis avait été déçu par cette tournée. Il en revenait fatigué et rebuté par la manie paperassière de la Société des Nations autant que par la lourdeur de cette immense machine administrative. Pensant de plus en plus sérieusement à la médecine, il confiait à Milon : « Bientôt je prends ma retraite S.D.N. dans le cours de l'année prochaine. Connais-tu aux environs de Paris une clinique accidents du travail à vendre ou une pouponnière, ou une spécialité maladies des Enfants [3]? »

C'est probablement à la fin de 1926 ou au début de 1927 qu'il mit *l'Église* en chantier. Malgré ce que Céline a dit à Max Des-

1. *L'Église,* pp. 167-168.
2. Voir Philippe Huon de Kermadec, *Contribution à la biographie de Louis-Ferdinand Céline : les années Destouches, op. cit.,* p. 57.
3. Genève, sans date.

caves [1] et ce qu'il a écrit dans la préface, l'œuvre n'a certainement pas été écrite dix ans avant sa publication par Denoël [2]. Elizabeth Craig et la S.D.N. y sont trop présents pour qu'elle ait été commencée en 1923 alors que Louis Destouches poursuivait encore ses études de médecine.

Céline était donc dans le vrai lorsqu'il déclara en 1933 à Pierre Ducrocq venu l'interviewer à Clichy que *l'Église* avait été écrite six ans auparavant [3].

Dans sa préface Céline affirme n'avoir pas changé grand-chose en la donnant à Denoël : tout juste « trois lignes tout à fait à la fin » pour mettre un revolver dans la main de Janine. La pièce paraît au contraire avoir subi de sérieuses retouches. En mars 1933, Céline avait annoncé à Max Descaves « une sorte de Revue Aristophanesque en trois actes et plusieurs tableaux ». Le 1er juillet dans *l'Intransigeant* il avait parlé de quatre actes. En septembre 1933, *l'Église* avait cinq actes.

Max Descaves lui demanda également pourquoi il avait choisi ce titre. « Parce qu'il me semble assez bien résumer la S.D.N., répondit Céline. Une église, quoi! avec ses dirigeants, son personnel », précisant qu'il avait situé l'action en 1922, qui correspondait pour lui à la grande époque de la S.D.N. « Celle de la religion internationale du rapprochement des peuples, enfin l'époque Briand. »

Dès octobre 1927, Louis Destouches présenta *l'Église* chez Gallimard, qui la refusa. La fiche de lecture mentionne simplement : « De la vigueur satirique, mais manque de suite. Don de la peinture des milieux très divers [4]. » Jugement sommaire, mais qui n'était pas dénué de fondement.

Avant d'envoyer chez Gallimard un manuscrit dont nous ne connaissons pas l'état, Louis avait eu la très mauvaise idée de le montrer à Ludwig Rajchman. « Un jour qu'il m'avait laissé comme

1. *Cahiers Céline* 1, p. 67.
2. Septembre 1933.
3. *Cahiers Céline* 1, pp. 74-77.
4. Archives des éditions Gallimard.

cela trop longtemps à Genève, dans les boulots imbéciles, à mariner sur les dossiers, j'ai comploté dans mon genre une petite pièce de théâtre, c'était assez inoffensif " l'Église ". Elle était ratée, c'est un fait... mais quand même y avait de la substance... Je lui ai fait lire à Yubelblat. Lui qui se montrait dans la vie le plus éclectique des youtres, jamais froissé de rien du tout, ce coup-là quand même, il s'est mordu... Il a fait une petite grimace... il a jamais oublié... Il m'en a reparlé plusieurs fois. J'avais pincé la seule corde qu'était défendue, qu'était pas bonne pour les joujoux. Lui il avait nettement compris. Il avait pas besoin de dessin [1]... », ce qui permit à Céline aussi de railler la pesanteur des aryens qui en de semblables circonstances n'auraient à coup sûr rien compris : « Quel est l'animal, je vous demande, de nos jours plus sot?... plus épais qu'un Aryen? Quel Zoo le reprendrait?... Le Paradis [2]?... »

L'Église produisit sur Ludwig Rajchman et sur sa femme un effet déplorable. Les premières difficultés « administratives » de Louis avec la S.D.N. datent du reste de cette époque. Milton Hindus rapporte dans *L.-F. Céline tel que je l'ai vu* que Louis se vantait de son « manque de prudence, de discrétion et d'arrière-pensées [3] » et se posait en martyr des Lettres françaises pour avoir perdu son poste à la suite de cet acte de courage. Déjà, dans *Bagatelles*, il avait ironisé à ce sujet : « [...] c'est sur un coup d'héroïsme que j'ai quitté la S.D.N. Je me suis sacrifié, au fond, je suis un martyr dans mon genre... J'ai perdu un bien joli poste, pour la violence et la franchise des Lettres Françaises [4]... »

Derrière cette boutade se cache au moins une vérité car Céline avait bien l'art de mettre fin à des situations que beaucoup d'autres auraient acceptées, fût-ce au prix de platitudes et de compromissions. Il feignait ensuite de les regretter, comme lorsqu'il écrivit à Paraz le 19 juin 1957, commentant en ces termes sa rupture avec la famille Follet : « [...] cinq cent mille francs or de rentes par an

1. *Bagatelles pour un massacre*, pp. 102-103.
2. *Ibid.*, p. 103.
3. Éditions de l'Herne, 1969, p. 76.
4. *Bagatelles pour un massacre*, p. 73.

et autant en clientèle! Ma folie d'indépendance m'a fait secouer ce havre où je n'avais qu'à laisser venir... moi né si miteux. Là je suis impardonnable... les cons ne savent rien [1]!... » Louis savait bien que cette « folie d'indépendance » lui était chevillée au corps. Il ne pleura jamais que pour la forme le confort bourgeois qu'il avait connu à Rennes et à Genève, et qui n'était pas vraiment dans sa nature.

Il existe également un essai théâtral de Céline écrit probablement en 1927. Il s'agit d'une « farce en trois tableaux et petits divertissements » de cinquante-quatre feuillets dactylographiés, intitulée « Périclès » [2]. Sur le manuscrit qui nous est parvenu, le titre original est corrigé en « Progrès » de la main même de Louis.

Les personnages de cette farce sont directement empruntés à l'entourage de Louis Destouches. On y retrouve sa mère, sous le visage de Marie : « elle n'est pas belle, elle est gentille, *elle boite un peu*, elle est douce et pleine de bons sentiments, mais lucide cependant ». On y retrouve aussi sa grand-mère sous les traits de Mme Punais : « [...] 50 ans, sombre vêtue, pas triste, marchande à la toilette autrefois, elle est devenue avec la gentille prospérité antiquaire. » Mme Punais qui n'aime pas les intellectuels ne supporte pas son gendre Gaston : « 30 ans, mari de Marie, irritable, impuissant et passionné, employé d'assurance émotif. » Comme Fernand Destouches, Gaston se pique de politique et vitupère : « [...] on a un ministère Cropichon. Je le disais au bureau ce matin! c'est fait! c'est le comble de la honte! c'est un ministère Cropichon! et les francs maçons sont partout! l'Armée; les administrations tout! la finance, tout! Chez nous Larpentin, le chef du contentieux! vénérable! Sacharrn l'archiviste, avancement formidable! j'aurais dû m'en douter! vénérable! parbleu! M. Palotin des loges, c'est clair : grand dignitaire! »

Au troisième tableau de « Progrès », qui se passe l'après-midi dans une maison de rendez-vous du centre de Paris, apparaît une Américaine, qui aguiche les hommes sans se laisser toucher :

1. *Les Cahiers de l'Herne*, pp. 178-179.
2. Texte retrouvé récemment par Jean-Pierre Dauphin.

« Cliente, 25 ans - danseuse très belle, riche, musclée, harmo-
nieuse. » Les voyeurs se régalent, tandis que l'Américaine laisse
tomber : « [...] le jour où les femmes seront habillées de muscles
seulement... et de musique... que de phrases en moins [1] [...] »

A Genève, comme si l'on avait voulu dégoûter Louis définitivement, on lui donna moins de travail et des tâches de plus en plus
rébarbatives. On l'envoya tout de même encore à Paris du 22 avril
au 6 mai 1927 pour assister à une série de conférences sur la rage.
Puis on lui accorda un congé de maladie qu'il demanda à prendre
après ses vacances. Au début du mois de septembre, le professeur
Léon Bernard lui ordonna quatre mois de repos « à la suite d'as-
thénie et d'orthénie consécutives au paludisme ». Sentant qu'à
Genève le vent avait brusquement tourné, Louis avait posé sa
candidature au poste de médecin-conseil du bureau parisien de la
section d'hygiène. On le lui refusa, malgré l'amitié que lui témoignait encore son protecteur, qui ne tarda pas à devenir « cette peau
de fesse de Rajchman », responsable de tous ses malheurs.

Le paludisme de Louis était réel, mais le congé qui lui fut accordé
arrangeait bien tout le monde et sa durée fut calculée de telle
façon qu'il prenne fin en même temps que le contrat qu'il avait
signé en juin 1924 et qui venait à expiration le 31 décembre 1927.
Louis ne fut donc pas congédié de la S.D.N.; il ne partit pas non
plus en claquant la porte comme il l'affirma dans *Bagatelles* [2], ou
comme il le dit à Robert Poulet [3]. Faute de renouvellement, son
contrat prit fin normalement avec le dernier jour de l'année 1927.

Louis ne retourna pas à Genève, où il laissa le souvenir d'un
homme extravagant, et quelques dettes... Au tapissier Egly il devait
106 francs, à la maison Bornet 63 f 75, et 204 f 80 de papier peint;
sans compter les déménageurs qui n'avaient pas été payés non plus,
et le traiteur Chateaubriand, chez lequel il avait également une
« ardoise ». Tous s'adressèrent à la S.D.N. et ce fut encore à
l'excellent Rajchman de s'entremettre. Louis prétexta qu'il n'avait

1. Portrait évident d'Elizabeth Craig, voir *infra* p. 278.
2. *Bagatelles pour un massacre*, p. 111.
3. *Mon ami Bardamu*. Plon, 1971, p. 138.

pas reçu son salaire de décembre, puis petit à petit il paya tout le monde. De Clichy il avait écrit à Rajchman : « J'envoie aujourdui à Favre 200 f suisses, je ne peux pas lui en envoyer plus. Je n'ai rien de plus. Je lui dis que je paierai le reste dans 2 mois et qu'en tout cas les objets sont chez moi, 36 rue d'Alsace à Clichy, et que je peux les lui envoyer s'il le désire. Il ne risque donc rien [1]. »

A Genève on parla encore beaucoup de Louis, et d'autant plus facilement qu'il n'était plus là. On expliquait sa déconfiture par ses folies, ses achats inconsidérés, ... un cabriolet Citroën 5 CV flambant neuf!... un service de cristal pour effacer le souvenir des pots de confiture dans lesquels on l'avait fait boire quand il était enfant! Germaine Constans qui vécut avec lui à Genève pendant un mois eut l'impression qu'il jetait un peu l'argent « par les fenêtres ». Il achetait des meubles, des tapis, des bibelots, des objets de prix. Il recevait aussi beaucoup de jolies femmes.

C'est sur les bords du Léman, à la fin de l'année 1926 ou au début de 1927, qu'il fit la connaissance d'une jeune fille américaine, une danseuse qui visitait la Suisse avec ses parents. Elle était belle, petite, rousse. Elle avait vingt-quatre ans. Elle s'appelait Elizabeth Craig.

---

1. Sans date. Archives de l'O.M.S. à Genève.

CHAPITRE XVIII

Clichy

> « Pauvre banlieue parisienne, paillasson de-
> vant la ville où chacun s'essuie les pieds, crache
> un bon coup, passe, qui songe à elle? »
>
> Céline, préface de *Bezons à travers les âges*
> d'Albert Serouille. *Les Cahiers de l'Herne*,
> p. 33.

Louis Destouches avait conservé de son enfance une crainte quasi obsessionnelle de la misère. S'il appréhendait ce qu'il appelait volontiers « le retour aux nouilles », il n'accepta jamais d'entrer dans un système au prix de son indépendance et de sa liberté. Il savait pourtant qu'en sacrifiant un peu aux usages il aurait eu, comme d'autres, sa place au soleil. Il savait aussi que c'était de l'intérieur qu'il fallait ronger le fruit plutôt que de l'attaquer de front, mais il réservait aux autres les bons conseils qu'il se gardait bien d'appliquer lui-même. « La seule façon de dominer les bourgeois c'est d'être avec eux, au milieu même de leurs grimaces d'honnêteté- », écrivait-il de Marseille à Erika Irrgang le 10 juillet 1932. « Enfreindre leurs règles imbéciles c'est leur donner d'autres armes contre vous- Ils en ont déjà assez[1]. »

1. *Les Cahiers de l'Herne*, p. 63.

Après avoir quitté Genève, cette « Babel » où il avait vu pratiquer le culte du Veau d'Or, Louis se retrouva dans une situation difficile. Sans attendre l'expiration de son congé, il s'était installé assez chichement 36, rue d'Alsace à Clichy, sur le même trottoir que Notre-Dame-Auxiliatrice, fondée par l'abbé Fontaine — le confesseur de Huysmans, qui reçut les dévotions de Claudel et de Mauriac. Près de la porte en bas il avait fait apposer une plaque, « Docteur Louis Destouches Médecine générale, Maladies des enfants 1er gauche. » Son appartement, qui comportait trois pièces, une cuisine et une salle de bains, était situé juste au-dessus de la boucherie Fouilloux, à l'angle de la rue des Bois, devenue aujourd'hui rue Henri-Barbusse; très sommairement meublé, on y remarquait surtout des objets africains tristement égarés dans cette banlieue.

Le cabinet du docteur Destouches ne vit jamais défiler que de pauvres gens, des enfants misérables, des tordus de toute nature et des vieillards sans lendemain. Il les voyait si malheureux, si seuls, aux prises avec la maladie autant qu'avec l'injustice, qu'il n'osait pas souvent leur demander d'argent. Bien des fois c'était lui qui les dépannait. Il avait avant tout le souci de les comprendre et de les aider, s'entretenant avec eux des choses de leur vie, écoutant patiemment le récit de leurs misères.

Beaucoup de médecins qui ont connu Louis dans l'exercice de sa profession ont critiqué ses manières et quelquefois son incompétence, mais tous ont rendu hommage à son humanité et à son désintéressement. Au don aussi qu'il avait de savoir parler à ses malades pour leur dire dans leur langage les mots qu'ils espéraient.

Le soir, quand il rentrait déprimé de ses tournées à travers cette banlieue lugubre, « Abrutie d'usines, gavée d'épandages, dépecée, en loques, ce n'est plus qu'une terre sans âme, un camp de travail maudit, où le sourire est inutile, la peine perdue, terne la souffrance [1]... »; le soir donc, dans son petit logement de la rue d'Alsace, il a dû bien souvent éprouver le sentiment de son impuissance et le désir de tout abandonner : « J'en ai bien marre des égrotants... En

_____

1. Albert Serouille, *op. cit. Les Cahiers de l'Herne*, p. 33.

voici trente emmerdeurs que je rafistole depuis tantôt... J'en peux plus... Qu'ils toussent! Qu'ils crachent! Qu'ils se désossent! Qu'ils s'empédèrent! Qu'ils s'envolent avec trente mille gaz dans le croupion!... Je m'en tartine [1]!... »

En réalité Louis Destouches aimait ceux qui avaient besoin de lui, les enfants et les vieillards principalement, auxquels sont venus s'ajouter ensuite, sous l'influence de Lucette Almanzor, les animaux, auxquels il a dédié *Rigodon* après avoir dédié *Féerie* « Aux animaux, aux malades, aux prisonniers. » Il expliqua dans *l'Église* cette attirance qu'il éprouvait pour les malades par la méchanceté des bien portants : « Voilà! J'aime mieux les rapports avec ceux qui sont malades. Ceux qui sont bien portants, sont si méchants, si bêtes; ils veulent avoir l'air si malins, aussitôt qu'ils tiennent debout, que tout rapport avec eux est presque aussitôt malheureux [2]. » A Clichy, en tout cas, il fut infiniment touché par la misère, par la douleur, par les souffrances qu'il voyait s'étaler partout comme une gangrène, et par la mort qui emporta devant lui tant de pauvres gens, et contre laquelle, bien souvent, il ne pouvait rien.

Au début de l'année 1928, Louis présenta sa candidature à la Société de médecine de Paris. Au cours de la séance du 24 mars 1928, le rapporteur, M. Georges Rosenthal, conseilla à ses collègues de faire « bon accueil à la candidature du Dr Destouches, en raison de ses titres militaires comme civils ». Il affirma qu'il désirait étudier les questions d'organisation du travail des malades et des ouvriers et conclut : « Il est de toute évidence que l'orientation du Dr Destouches est tout à fait spéciale, sa vie nous garantit qu'il sera l'homme d'initiatives hardies et de progrès d'hygiène sociale : il a sa place marquée à notre Société. » Et de fait, Louis fut élu membre adhérent de cette société le 13 avril 1928, par 21 voix sur 22 suffrages exprimés [3].

Après quelques mois de pratique, Louis se trouva au bord de la

1. *Mort à crédit*, p. 503.
2. *L'Église*, p. 172.
3. *Bulletins et Mémoires de la Société de médecine de Paris*, n°s 5 et 6, pp. 170 et 234. Cité dans les *Cahiers Céline* 3, p. 138.

déconfiture. Sa situation financière était si lamentable que, malgré son amour-propre, il appela Ludwig Rajchman au secours. Sur sa recommandation, le professeur Léon Bernard l'accueillit dans son service à l'hôpital Laennec. « [...] ce gros rabbin médical, parfaitement prétentieux et nul [1] [...] », était en fait un grand patron qui représentait la France à la Section d'Hygiène et dirigeait de Paris la lutte antituberculeuse sur l'ensemble du territoire. Son adjoint, Robert Debré, vit un jour arriver Louis Destouches dans un imperméable délavé. Il eut tout de suite l'impression d'avoir en face de lui un homme malheureux, qui avait dû souffrir et avait l'air battu par la vie. Louis s'intégra immédiatement à l'équipe de Laennec. Le professeur Debré atteste aujourd'hui qu'il y a beaucoup travaillé, justifiant tout le bien que Rajchman avait dit de lui et forçant littéralement l'estime de ses confrères. Il se souvient aussi que Louis revint ensuite le voir à Laennec accompagné parfois d'Elizabeth. Il lui parut alors accablé par tout ce qu'il voyait à Clichy, par la misère ouvrière qu'il côtoyait quotidiennement et par la tuberculose dont il constatait chaque jour les ravages.

Ce stage à Laennec lui avait permis de s'initier sérieusement à la médecine de dispensaire. La Direction de la médecine d'hygiène populaire lui offrit, pour 2 000 francs par mois, une vacation quotidienne de médecine générale, de 17 heures à 18 h 30, au nouveau dispensaire du 10, rue Fanny, à Clichy. Il y entra dès son ouverture aux tout premiers jours de 1929.

Comme il eut surtout à soigner à Clichy des tuberculoses et des maladies vénériennes, Louis travailla en liaison avec l'Institut prophylactique, 36, rue d'Assas, fondé en 1916 par le docteur Émile Chautemps et par le docteur Arthur Vernes, grâce à la générosité de Frank Jay Gould. Il se lia d'amitié avec le docteur Vernes et vanta l'excellence du procédé qu'il avait inventé pour dépister et traiter les maladies vénériennes [2]. C'est au cours d'un déjeuner rue d'Assas

---

1. *Bagatelles pour un massacre*, pp. 100-101.
2. Voir infra p. 304. *Essai de diagnostic et de thérapeutique méthodiques en série sur certains malades d'un dispensaire*, qui fut commenté par Marcel Léger dans *Archives de l'Institut Prophylactique*, tome II, nº 2, 2e trimestre 1930, Masson et Cie, p. 261.

que Louis Destouches fit la connaissance de Florence Gould, qu'il retrouva par la suite dans les milieux littéraires.

Les témoignages que l'on peut recueillir sur Louis Destouches, médecin à Clichy, sont d'une grande variété. Mais ceux qui l'ont connu à cette époque semblent surtout avoir conservé le souvenir d'un original qui ne manquait ni de personnalité ni de fantaisie. Ainsi demeurent ses bouffonneries, ses réactions fantasques, des réflexions à l'emporte-pièce qui ont nourri bien des conversations. Elles ne peuvent donner qu'une image incomplète du médecin qui exerça pendant neuf ans au dispensaire de Clichy.

On le décrit étrangement ficelé dans de drôles de tricots, dans des complets mangés par les mites dont il prenait la défense en disant qu'il fallait bien qu'elles « bouffent ». On dit qu'il se faisait fort de guérir la tuberculose en quinze jours par des vaporisations dans la bouche et l'on se souvient de ses boutades : « une balle dans le ventre, ça ne fait pas un héros, mais une péritonite ». On se rappelle aussi ses prescriptions. Il les donnait en hygiéniste plus qu'en médecin, au point qu'on l'avait surnommé « pas de café — pas de vin ». Céline donnait également beaucoup de surnoms, il appelait Henri de Montherlant « Henri-le-Torréador », puis, dans *Rigodon*, « Buste à pattes »[1] et Malraux « Dur-de-mèche ». De Maurice Thorez il disait, « Garçon d'honneur congestionné par le succès » et du docteur Ichok, médecin-chef du dispensaire de Clichy, il fit « Pertes blanches ».

Le hasard voulut que Louis soit encore placé à Clichy sous les ordres d'un Juif. Né officiellement en Lituanie, à Mariampolé, le 22 avril 1892, Grischa, dit Grégoire Ichok, était le fils d'Abraam Ichok et de Nahama Reizlé St-Alanskaite[2]. Après avoir fréquenté le gymnasium de Mariampolé, il avait entrepris ses études de médecine. Il avait d'abord étudié pendant l'hiver 1912-1914 à Königsberg[3], puis à partir du 15 avril 1912 à Leipzig. Le 15 novembre 1913 il s'était inscrit à Heildelberg où il était resté

1. *Rigodon*, p. 926.
2. Son nom s'écrivait aussi Rosa Stolomskaje.
3. Aujourd'hui Kaliningrad.

jusqu'à l'été 1914. Surpris par la guerre alors qu'il traversait l'Allemagne pour rejoindre sa famille, il avait été interné dans un camp à côté de Berlin, mais au bout de trois mois, atteint de graves hémorragies, il avait été libéré et avait pu gagner la Suisse. Inscrit à la faculté de Zurich jusqu'en avril 1916, il avait ensuite poursuivi ses études de médecine à Bâle et il s'inscrivit également à la faculté de philosophie historique où il demeura jusqu'en 1918. En 1917 il avait fait la connaissance de Salomon Grumbach dans un sanatorium où ils étaient tous deux traités pour la tuberculose. Venu ensuite poursuivre ses études en France, Ichok fut reçu au baccalauréat le 25 juin 1925 et entra dès le mois de septembre à la Faculté de médecine de Paris où son diplôme suisse lui permit d'être dispensé à titre onéreux du P.C.N., des quatre premières années de scolarité et des trois premiers examens de quatrième année. Il fréquenta donc moins de deux ans la faculté et y acheva ses études en mai 1927, après avoir soutenu sa thèse *Sur la question des « Chambres d'allaitement »*. Bien que Lituanien on lui décerna un diplôme d'État, ce qui n'était pas tout à fait régulier, puisqu'il ne devint français que l'année suivante par décret du 6 mars 1928.

Dès l'ouverture du dispensaire de Clichy, Ichok en fut nommé médecin-chef et Louis Destouches ne comprit jamais qu'on lui ait préféré ce Juif qu'il disait n'être ni français, ni médecin... et certains affirment qu'il en fit un abcès de fixation.

En dehors de ses fonctions à Clichy, Grégoire Ichok était conseiller technique au ministère de la Santé publique et professeur à l'Institut statistique de Paris. C'était un grand homme de type germanique, raide dans ses manières, neurasthénique et renfermé. Céline lui prêtait de sérieux appuis politiques et le soupçonnait d'appartenir aux services secrets de l'Union soviétique. On sait qu'il avait de petites ambitions littéraires. C'est lui qui tenait la rubrique « Hippocrate vous dit » dans *le Prolétaire de Clichy;* il publia aussi quelques rapports sur la santé publique, une étude sur la mortalité à Paris, une autre sur le travail des malades et des infirmes et des articles dans des revues médicales diverses.

Crématiste convaincu, membre de la Société pour la propagation de l'incinération, il était également membre actif de la L.I.C.A. (Ligue internationale contre l'antisémitisme), présidée par Bernard Lecache, et lecteur assidu du journal *le Droit de vivre*, dans lequel Lecache et Philippe Lamour se sont déchaînés contre Céline lors de la publication de *Bagatelles pour un massacre*.

Ichok avait peu d'amis, mais des amis de qualité : Marc Chagall, Julien Caïn, administrateur général de la Bibliothèque nationale, Charles Gombault de *France-Soir*, Pierre Comert, directeur de la presse au Quai d'Orsay et surtout Salomon Grumbach, dont il fit son héritier, et qui était président de la Commission des Affaires étrangères à la Chambre des députés... Des amis de choix pour un espion!

Grégoire Ichok était aussi fidèle et chaleureux en amitié que tenace et obstiné contre ses ennemis. Louis Destouches, qui appartenait à la seconde catégorie, lui témoigna rapidement une haine que l'autre lui rendait bien. Comme Ichok était, lui aussi, un peu maniaque de la persécution, les deux hommes s'épiaient, se détestaient et se soupçonnaient mutuellement de complot, sinon d'intention homicide.

Sans être ouvertement communiste, Ichok était un homme de gauche. En 1936, il avait du reste pu retourner en Russie, où sa sœur, Frida Rubiner, traductrice [1] et poétesse, exerçait, paraît-il, des responsabilités importantes au sein du Parti. Il fallait être de gauche ou avoir cette réputation pour exercer une fonction quelconque au dispensaire de Clichy. Louis, qui se rendit aussi en U.R.S.S. en 1936, parvint à s'y maintenir, malgré la publication de *Mea Culpa* [2], jusqu'à la sortie de *Bagatelles pour un massacre* [3]. C'est le 10 décembre 1937 qu'il présenta sa démission à la municipalité de Clichy qui l'accepta dès le lendemain en le remerciant de la collaboration qu'il avait apportée « pendant de si nombreuses années ». Après avoir écrit de façon aussi peu nuancée ce qu'il

1. Elle traduisit notamment une importante monographie sur Marc Chagall, *Die Kunst Marc Chagall*, von Efros und Tugenhold, autorisierte Übersetzung aus dem Russichen von Frida Ichok-Rubiner, éd. Gustav Kiepenhever, Potsdam, 1921.
2. Mis en vente fin décembre 1936.
3. Mis en vente le 28 décembre 1937.

pensait de la Russie soviétique et des Juifs, il lui aurait été difficile de continuer à travailler dans un dispensaire qui dépendait d'une municipalité de gauche et sous la direction d'un Israélite.

Céline a raconté tout cela assez confusément à Robert Poulet qui l'a rapporté dans les *Entretiens familiers* [1] :

« En général, d'après ma façon d'écrire, on me considérait comme un homme de gauche, voyez Barbusse. Pourtant mes admirateurs les plus chauds se situaient à droite. Au dispensaire municipal, sur lequel je m'étais rabattu, je vis arriver un certain Idouc, Lithuanien ou Valaque très bizarre, imposé par les dirigeants communistes. En 1939 cet Idouc devait finir de manière inattendue : convoqué, comme suspect, par les services du général Héring, gouverneur militaire de Paris, l'homme se suicida aussitôt en avalant du cyanure. Probablement un " œil de Moscou ", et qui jouait un rôle beaucoup plus important qu'on ne le croyait. La direction du dispensaire, confiée à ce médecin, probablement faux, n'était sans doute qu'un camouflage.

» [...] Je me démis aussi de mes fonctions au dispensaire à cause d'Idouc, et parce que mes confrères me battaient froid, comme " médecin-littérateur ". Les cocos (et c'était pour moi un troisième motif de m'en aller) me regardaient avec méfiance, depuis que j'avais refusé de collaborer à *la Pravda* [2]. »

Pendant l'été 1939, Ichok était allé aux États-Unis où vivait son frère, ancien correspondant de l'Agence Tass et de *la Pravda*. Il avait pour un temps songé à s'y établir lui-même, mais il avait préféré rentrer à Paris. Peu après la déclaration de la guerre, en pleine dépression, il avait quitté son appartement du 1, rue Gervex pour s'installer à Ville d'Avray chez Salomon Grumbach. Le 10 janvier 1940, après avoir pris une ampoule de cyanure dans la pharmacie du dispensaire, il s'était installé à la terrasse du Café des Sports, place Maillot. A midi, il absorba le poison et succomba

1. *Mon ami Bardamu.* Plon, 1971, pp. 91-92.
2. Voir aussi une lettre à Albert Paraz du 18 mai 1951, *les Cahiers de l'Herne*, p. 172, et une lettre de Céline au *Cri de Paris. Le Cri de Paris*, 7 janvier 1950.

immédiatement. A Marmottan, où il fut transporté, on ne put que constater le décès. Son corps fut incinéré au crématoire du Père-Lachaise le 17 janvier 1940 à 15 h 30, en présence d'une nombreuse assemblée. Un petit orchestre d'amis joua trois lieds de Schubert et des extraits de Benvenuto Cellini, puis Gustave Barrier, ancien président de l'Académie de médecine, et Charles Auffray, maire de Clichy, retracèrent la carrière du défunt. Dans l'assistance on notait la présence du médecin-colonel Thomas, représentant le ministre de la Santé publique, de Gustave Roussy, et de plusieurs députés. Chagall avait envoyé des fleurs.

Charles Auffray donna dans son discours la version officielle des causes de sa mort : « Le sort fut dur pour notre Directeur. Son imagination slave amplifia l'intensité des déceptions ou réelles ou imaginaires qu'il éprouva tout le long du chemin. Peut-on dire qu'il vivait trop dans le rêve? Or, la réalité nous domine, nous presse, nous assiège de tous côtés, et force notre esprit à redescendre sur terre. Nous nous voyons appelés à passer une vie précaire, au sein d'une société où l'on coudoie tour à tour le bon et le méchant. Celui-ci, plus violent, entend faire, par tous moyens, prédominer ses intérêts, ses passions ou ses folies. Contre lui, il faut être armé d'une même violence. Malheur aux timides, aux doux, aux pacifiques, aux cœurs loyaux et francs! »

Au sentimentalisme slave, d'autres ont ajouté la crainte de l'invasion germanique et de la déportation. Or le 10 janvier 1940, c'était encore la « drôle de guerre », les Allemands étaient loin de Paris, Ichok aurait pu fuir. Nul ne pouvait penser qu'Hitler exécuterait ses rêves de fou, en massacrant comme il l'a fait des millions de Juifs dans les camps de la mort.

Au dispensaire, tout le monde savait qu'Ichok et Louis se détestaient. Si le docteur Waynbaum-Bayer ne supportait ni l'un ni l'autre, Aymée Paymal, Germaine Milon[1], le docteur Caroline Riom[2] et tout le petit personnel étaient nettement dans le camp de

---

1. Assistante sociale. Devenue Mme Bleuze.
2. Devenue Mme Jullien. Elle succéda comme pédiatre à Mme Waynbaum-Bayer.

Louis. Les docteurs Ferdière et Schiff comptaient les coups [1]. Lucie Colliard était plutôt favorable à Ichok. Cette passionaria avait fait parler d'elle pendant la grande guerre en se couchant sur les rails devant un train en partance pour le Front. Elle avait ensuite rejoint Lénine en Russie avant de revenir en France où elle devint assistante sociale en chef du dispensaire municipal de Clichy.

Les fonctions de Louis et les exigences de sa clientèle ne lui avaient pas ôté le besoin de dépaysement qui l'avait déjà si souvent incité à changer de vie. Le 8 février 1929, il écrivait à Genève au docteur Boudreau, chef de la division des maladies infectieuses à la Section d'hygiène :

« Voici ma demande pour un petit voyage d'études à Londres, que je voudrais bien entreprendre au moment de Pâques.

» J'ai abandonné l'étude des grands problèmes d'organisation sociale, puisqu'ils n'intéressent personne.

» Je voudrais seulement avoir des lumières anglaises sur le fonctionnement d'un dispensaire comme le nôtre et la lutte contre la blennorrhagie - d'autre part aussi l'alimentation *rationnelle du pauvre-*

» Ceci doit avoir été très étudié en Angleterre- Je compte aller plus tard à cet égard en Autriche [2]. »

Dès le 25 février Rajchman lui avait fait savoir qu'il était d'accord et il lui fit envoyer un chèque de 500 francs. Louis exposa alors son programme :

« Voici mon but :

» Découvrir par expérimentation et tâtonnement *une médecine de dispensaire* pratique et efficace - adaptée aux nécessités d'une population, *ouvrière, pauvre, mal logée,* sous un climat *pluvieux,* défavorable, et de plus, à proximité des usines, dont les fumées ont encore une action nocive supplémentaire.

» - Ce que je voudrais établir c'est une médecine efficace et stan-

1. Tous deux neuro-psychiatres. Le Dr Ferdière n'est arrivé au dispensaire qu'en 1935.
2. Archives de l'O.M.S. à Genève.

dardisée pour une population comme la nôtre *avec des preuves d'efficacité* - et sortir du bafouillage philanthropico clinique, vaniteux et dérisoire dont on se contente actuellement en médecine sociale et générale - *Nous avons fait 10.000 consultations par mois!* ne veut rien dire- Nous avons participé à 400 guérisons ou améliorations prouvées par mois CELA VEUT DIRE QUELQUE CHOSE-

» C'est la doctrine que nous essayons de créer à Clichy — une doctrine *d'efficacité médicale,* de médecine pratique — Comment nous y prendre-

» 1e Utilisation des tests sérologiques qui permettent de sérier et d'éliminer des malades (Verne, tuberculose et syphilis, bientôt cancer)

» 2e Idées nettes sur les régimes alimentaires en relation avec la pathologie gastrique Indication de ces régimes, étude des prix des denrées et de *leur valeur alimentaire* respective-

» 3e Recherche d'une gamme de médicaments réellement actifs pour traiter les affections les plus usuelles

» 4e Lutte contre les névrites névralgies par agents physiques et médicaux-

» 5e Création de services d'irradiations en masses par les Ultra-Violets

» 6e Étude de la création d'un restaurant corporatif-

» En somme sortir de la farce, des parodies et des grimaces administratives et médicales pour entrer dans *l'efficacité.*

» N'avoir recours aux spécialités et aux spécialistes que lorsque le malade a eu recours sans succès au " traitement standard " ce qui est assez rare

» Élimination par tests des malades inutiles-

» En somme de l'ordre

» Je voudrais donc aller d'abord en Angleterre pour voir ce qui s'y fait dans ce genre dans les cliniques comme les nôtres- Je compte partir le 26 mars et rester à Londres jusqu'au 8 avril. Bien entendu je vous enverrai un rapport détaillé à cet égard [1]. »

1. Lettre à Boudreau du 6 mars 1929. Archives de l'O.M.S. à Genève.

Aucun rapport n'est parvenu à Genève. Du reste il n'avait pu voir que peu de choses, « à cause des vacances de Pâques », seulement « des choses désastreuses dans le système anglais de médecine des assurances - et des gens très aimables [1] ». Mais il annonça à nouveau « un petit rapport » sur ses études « dans Stepney et au London Hospital [2] ». Il était en fait plus intéressé par un nouveau projet de voyage cette fois dans les pays du Nord :

« Je vous demanderais donc de m'allouer *pour trois semaines* du 1er octobre au 25 octobre l'indemnité quotidienne ordinaire des échangistes. Car il me faut quand je suis absent du dispensaire *payer un remplaçant moi-même* - ce que j'avais fait pendant mon dernier voyage à Londres.

» Je voudrais partir le 1er octobre - *Paris - Anvers - Oslo - Stockholm - Copenhague - Berlin - Paris,* retour le 25 octobre.

» Dans ces villes, je voudrais visiter avec un mot de recommandation de votre part, *les dispensaires municipaux de médecine générale et antivénérienne* - et ceci dans les quartiers pauvres dans le genre de celui où j'exerce ici.

» Nous avons constitué ici un centre important de médecine sociale à la fois clinique et sérologique qui existe peut-être dans ces villes et je serais fort intéressé à étudier sur place ce qui s'y fait. Si le docteur Rajchman le juge utile, je puis fort bien en revenant de Berlin à la fin de mon voyage passer par Genève et me tenir à votre disposition pour vous faire de vive voix le résumé de mes observations [3]. »

Fin août il demanda à reporter son voyage en novembre, « moment où les cliniques sont les plus actives ». Il profitait de cette occasion pour leur signaler sa nouvelle adresse, 98, rue Lepic. Jeanne Carayon, qui fut sa voisine de palier à Clichy, a expliqué

---

1. Il fut reçu notamment par le professeur Mac Cleary.
2. Lettre à Boudreau du 21 avril 1929. Archives de l'O.M.S. à Genève.
3. Lettre à Boudreau du 16 juillet 1929. Archives de l'O.M.S. à Genève.

qu'Elizabeth et Louis avaient été chassés de la rue d'Alsace par
les punaises qui avaient envahi tout l'immeuble. Ce déménage-
ment correspondit aussi à une période où la situation de Louis
s'était un peu améliorée. « Décor bourgeois », note Henri Mahé
dans la Brinquebale avec Céline [1], « style médecin de campagne,
curé peut-être? Table rustique, armoires bretonnes encaustiquées,
luisantes, fauteuils de style, large divan, haut paravent tapisserie,
des carpettes bien disposées au sol, au mur un petit pastel de danseuses signé Degas, deux ou trois bricoles décoratives et, à travers
la baie du studio, la vue sur Paris!... »

Tout en continuant à travailler rue Fanny, Louis entra dès la
fin de l'année 1928 au service de la « Biothérapie », laboratoire spécialisé dans les vaccins et la pâte dentifrice, situé rue Paul Barruel
à Paris. C'est un ancien ministre de Kérenski, le chimiste Titoff,
qui l'y introduisit sur la recommandation d'un ancien confrère de
la section d'hygiène. Il s'y retrouva sous la coupe de deux Israélites qui se succédèrent à la tête du conseil d'administration,
Charles Weisbrem, et Abraam Alpérine ami du docteur Ichok.

Nous devons au témoignage de Vladimir Abakoumoff, ancien
secrétaire général de la « Biothérapie », de savoir que Louis y a
conservé ses fonctions jusqu'à la publication de Bagatelles pour
un massacre en décembre 1937. M. Alpérine lui fit alors comprendre
qu'il ne pouvait rester plus longtemps dans cette maison. Pendant
tout le temps de sa collaboration à la « Biothérapie », Louis s'occupa pour 1 000 francs par mois de la correspondance avec le corps
médical et de la publicité. Entre avril et septembre 1929, il donna
une communication et plusieurs articles sur les méthodes vacci-
nales d'Alexandre Besredka [2] : « l'Infection puerpérale et les antivirus [3] », « l'Immunité dans les maladies infectieuses. A propos du
livre récent de A. Besredka [4] », « Note sur l'emploi des antivirus de

1. La Table Ronde, 1969, p. 24.
2. Professeur et chef de service à l'Institut Pasteur. La « Biothérapie » commerciali-
sait alors les antivirus qu'il préconisait.
3. La Médecine, avril 1929. Rééd. Cahiers Céline 3, p. 97.
4. Paris médical, 1er juin 1929. Rééd. Cahiers Céline 3, p. 101.

Besredka en pansements humides [1] » et « Deux expériences de vaccination en masse et " per os " contre la typhoïde [2]. »

En 1930, M. Gallier, administrateur de la « Biothérapie », lui demanda de l'aider dans sa propre affaire. Il exerçait alors en officine à la pharmacie Necker, à l'angle du boulevard du Montparnasse et de la rue de Vaugirard. Il avait aussi un petit laboratoire 22, avenue du Maine, où Louis élabora la « Basedowine », médicament sous forme de comprimés, contre la maladie de Basedow, les syndromes psycho-thyroïdo-ovariens, les règles douloureuses et les troubles de la ménopause [3].

En 1927, sur sa recommandation, Germaine Constans devint visiteuse médicale chez Gallier où elle resta jusqu'en 1970. Après la mort de Fernand Destouches, Louis y fit entrer sa mère qui y travailla jusqu'à sa mort en 1945. Marguerite Destouches, sans abandonner pour autant « la dentelle en appartement », entreprit donc à près de soixante-cinq ans une carrière de démarcheuse qu'elle exerça tous les matins dans les hôpitaux. Pour l'aider à vivre, son fils lui délégua aussi les redevances qui lui étaient dues comme inventeur de la « Basedowine ».

Louis n'en continua pas moins à travailler pour la « Biothérapie », maison pour laquelle il rédigea des textes publicitaires consacrés au dentifrice Sanogyl. A partir de 1931, Louis assura aussi des vacations pour le dispensaire Marthe Brandès, 35, avenue de Saint-Ouen, sous les hospices de la Fédération nationale des blessés du poumon et des chirurgicaux, où il soigna beaucoup d'anciens combattants.

Le voyage dans les pays du Nord avait été remis à plusieurs reprises, notamment au début du mois de décembre pour cause de maladie. Louis partit enfin le 22 décembre 1929 pour huit semaines pendant lesquelles il enquêta sur « la médecine dans les cliniques populaires ». A Genève, on ne reçut cependant aucun

1. *Journal de médecine de Paris*, septembre 1929. Rééd. *Cahiers Céline* 3, p. 98.
2. *La Presse médicale*, 11 septembre 1929. Rééd. *Cahiers Céline* 3, p. 167.
3. La « Basedowine » fut commercialisée à partir de 1933 et jusqu'en 1971. Voir *Cahiers Céline* 3, pp. 248-251.

compte rendu, hormis une carte postée de Stockholm au capitaine Johnston-Watson pour lui annoncer sa note de frais.

Le 2 juin 1930, il sollicita encore Rajchman pour lui suggérer
une nouvelle mission :

« 1e Visiter à Dresde l'exposition d'hygiène - recueillir certains
renseignements sur *la médecine des masses,* la prophylaxie antivénérienne et antituberculeuse.

» 2e Me rendre à *Prague* pour les mêmes buts et visiter aussi
l'installation du Dr *Philippe* et du Dr *Libensky* à l'établissement
thermal de Polybradi - où ces praticiens utilisent les méthodes
de Vernes.

» 3e *A Vienne,* je voudrais savoir ce qui a été fait en matière
de *maison ouvrière, médecine sociale,* prophylaxie antituberculeuse et vénérienne-

» Je poursuis à Clichy mes travaux sur la mise au point d'une
médecine standard et je compte dans quelques mois publier un livre
sur ce sujet Ce voyage me serait très utile non seulement en vue de
recueillir *à Dresden* et ailleurs divers documents mais aussi pour
pouvoir établir des comparaisons et me faire une idée d'ensemble
à certains égards qu'il m'est presque impossible d'obtenir quand
je reste continuellement à Clichy ou simplement en France [1]. »

Ludwig Rajchman lui obtint une subvention de 140 dollars et il
put ainsi mettre son projet à exécution du 28 juin au 17 juillet
1930. Puis, le 17 novembre de la même année, il demanda à
venir à Genève pour « consulter les documents de la section relatifs aux échanges et aux travaux des commissions pour [se] tenir
au courant et prêt à toutes éventualités ». Vœu qui fut exaucé
du 8 au 11 janvier 1931. Au printemps, toujours pour la S.D.N. [2],
il se chargea de piloter dans Paris plusieurs « échangistes », dont
un médecin du service quarantenaire chinois.

1. Archives de l'O.M.S. à Genève.
2. Il effectua sa dernière mission du 22 avril au 25 avril 1931 en qualité d'interprète
pour la section d'hygiène au « meeting of committee » qui se tint à Paris sur la fumigation des navires.

« *Mr. Wu* a visité à Paris les Institutions sanitaires qu'il désirait connaître : entre autres - le Pasteur Institute, L'école Vétérinaire de Maison-Alfort, les Folies Bergères, l'Institut Verne, le Dispensaire de Clichy, l'Opéra, un... Chinese Restaurant, etc. etc.

» M. Wu a été victime d'un accident sans gravité, une légère entorse en allant prendre le métro [1] - [...] »

Cette lettre dans laquelle il prit plaisir à singer l'honorable docteur Wu, tout en glissant les Folies Bergères parmi les institutions sanitaires de la capitale, est tout à fait à l'image de la vie qu'il menait à cette époque, partagé entre l'exercice de la médecine, une vie privée assez délirante et l'édification quotidienne d'un monument qui allait exploser comme un coup de tonnerre dans les lettres françaises.

Elizabeth Craig est inséparable de *Voyage au bout de la nuit* qu'elle a vu naître, qu'elle a pour partie inspiré et qui lui fut dédié.

Née à Los Angeles en 1902, Elizabeth appartenait à une famille protestante, typiquement américaine. Son père, John Craig [2], rouquin que l'on appelait docteur, sans savoir pourquoi, avait épousé Hattie Merril [3], jeune fille de bonne famille, qui sortait de Vassar, collège ultra-chic de l'état de New York. Mr et Mrs Craig étaient de situation assez modeste; leur seule fortune consistait en une propriété dont ils éprouvaient beaucoup de difficultés à se défaire et qu'ils ne parvinrent à vendre qu'en 1925 ou 1926.

Les Craig avaient eu trois enfants. L'aîné, Charlie, était mort dans un camp d'entraînement pendant la Grande Guerre; le second, Allan, était garagiste sur la côte ouest des États-Unis; la plus jeune, Elizabeth, vivait avec ses parents et suivait des cours de danse classique. C'est à Los Angeles, chez Théodore Kosloff, transfuge de l'Opéra Impérial de Russie, qu'elle fit la connaissance d'une autre danseuse, Estelle Reed, qui devint son amie.

1. Lettre à Boudreau du 1ᵉʳ mai 1931. Archives de l'O.M.S. à Genève.
2. Né le 4 septembre 1861.
3. Née en 1865.

Estelle Reed, aujourd'hui Mme Debrot, raconte [1] qu'après avoir cédé leur propriété, Mr et Mrs Craig entreprirent avec leur fille un grand voyage en Europe. Venant de France, ils séjournèrent à Genève, 3, rue du 31-Décembre, du 14 septembre 1926 au mois de mai 1927. C'est au cours de ce séjour qu'Elizabeth rencontra Louis Destouches.

Elizabeth travailla à Genève chez Dalcroze, qui dirigeait une école de danse de grande renommée, puis elle suivit ses parents à Paris où ils s'installèrent pour plusieurs mois dans un petit appartement boulevard Raspail.

Elizabeth Craig fut fascinée par l'Europe, elle eut l'impression d'y vivre sa vie, loin de la puritaine Amérique. Elle y fut grandement aidée par le docteur Destouches, « a very unusual man », chez lequel elle s'installa à Clichy, contre l'avis de son père, qui voyait cette aventure d'un très mauvais œil.

Estelle Reed se souvient de Louis chez les Craig, boulevard Raspail. Il était venu les voir avec sa fille Colette, qu'il traitait avec beaucoup d'attention et de tendresse. Elle se souvient aussi que Louis les emmenait le soir dans Paris pour dîner, souvent à Montparnasse dans les cafés et les restaurants où il aimait traîner. A la Rotonde, au Dôme ou au Select, et aussi au Café de la Paix et chez Wepler, place Clichy, brasserie qui apparaît à la première page de *Voyage au bout de la nuit*. Estelle Reed revoit encore leurs visites dans Paris, et Louis qui ne cachait pas son irritation chaque fois que la mère d'Elizabeth s'extasiait. Au Louvre, il l'avait invitée à se taire sous prétexte que la beauté ne supportait pas de commentaire.

Les parents d'Elizabeth retournèrent ensuite en Amérique, où elle leur rendit plusieurs fois visite et d'où ils lui faisaient parvenir régulièrement une petite rente. Il ne semble pas en effet qu'Elizabeth ait travaillé à Paris, hormis pour une attraction au Paramount-Opéra, et peut-être aussi dans une revue aux Ambassadeurs.

1. Estelle Reed-Debrot, « Who was Céline's Elisabeth Craig? », *Maatstaf*, january 1977, pp. 34-44.

Elizabeth était naturellement très gracieuse, mais de constitution trop faible pour suivre un entraînement régulier. Elle travailla à Paris chez Mme Egorova dans le studio de la rue Rochechouart sur lequel régnait cette ancienne étoile de l'Opéra de Moscou. Chez elle ont défilé tous les plus grands danseurs et danseuses de cette époque; on les retrouvait aussi chez Blanche d'Alessandri, chez la princesse Kchessinskaïa et chez la Préobrajenska où Elizabeth travailla également. C'est rue Rochechouart, où s'entraîna plus tard Lucette Almanzor, qu'Elizabeth Craig rencontra Karen Marie Jensen, grande Danoise brune aux yeux bleus qui appartenait aux Ballets Forkira. C'est elle qui la présenta à Louis, dans la vie duquel elle tint ensuite une certaine place.

S'il n'est pas discutable que Louis Destouches ait été fortement influencé par Elizabeth Craig, il est également certain que leur vie à Clichy et à Montmartre fut très agitée, leurs relations décousues et leurs rapports souvent orageux. Jeanne Carayon, qui dit avoir entendu à travers les cloisons de la rue d'Alsace les échos de leurs discussions et de leurs scènes, rapporte que les éclats étaient fréquents. Elle perçut à de nombreuses reprises les voix de Louis et d'Elizabeth s'adressant en anglais des reproches et des insultes.

Si, plus tard, de retour en Amérique, Elizabeth Craig a opté pour une existence rangée, il semble qu'elle ait mené à Paris une assez joyeuse vie. Elle était jouisseuse, elle aimait la sexualité sous toutes ses formes, l'alcool à l'occasion. Elle fit peut-être aussi l'expérience de la drogue, ce que Louis ne jugeait pas en moraliste mais en médecin et en hygiéniste. S'il s'amusait de certains de ses vices, il ne supportait pas qu'elle compromette sa santé.

C'est surtout en spectateur que Céline aimait les femmes, et il favorisa certainement le grand appétit de liberté qu'éprouva Elizabeth Craig pendant son séjour en Europe. Dans une lettre à Milton Hindus, il s'est ouvert très franchement de la façon un peu particulière dont il aimait les femmes : « J'ai toujours aimé que les femmes soient belles et lesbiennes- Bien appréciables à regarder et ne me fatiguant point de leurs appels sexuels! Qu'elles se régalent, se branlent, se dévorent — moi voyeur — cela me chaut! et parfaitement! et depuis toujours! Voyeur certes et enthousiaste consommateur un petit peu mais bien discret [1]!... »

C'est avec Elizabeth et Germaine Constans, vers 1929 ou 1930, que Louis est allé pour la première fois sur la *Malmoa*, entraîné par une journaliste de *l'Intransigeant,* Aimée Barancy. D'abord amarrée à Croissy-sur-Seine, près de Bougival, puis à Paris quai de Bourbon et enfin quai des Tuileries, la *Malmoa* était une péniche sur laquelle vivaient le peintre Henri Mahé et sa femme, Marguerite Malosse, dite Maggy. Mahé était un personnage haut en couleur. Alcoolique truculent, ce Breton ne pouvait vivre qu'au bord de l'eau et, comme Louis Destouches, il était fasciné par les bateaux.

Peintre de la vie parisienne sous son aspect le plus canaille, auteur des fresques qui ornaient « Le Balajo » et décorateur de bordels, Henri Mahé ne parlait qu'argot. La petite cour qui gravitait autour de lui était composée de représentants de la pègre, de demi-mondaines et de ratés de toutes provenances qui venaient se griser dans son indescriptible bohème, au son de l'accordéon, dont Maggy jouait à merveille. La *Malmoa*, qui eut l'honneur d'être évoquée dans *Voyage au bout de la nuit* [2], reçut, parmi bien d'autres : Robert de Cotton, rejeton de bonne famille, Jojo France, propriétaire du « Balajo », le poète-épicier Roger Lécuyer, les clowns Antonet et Beby, le maire de Bougival, Nane Germond, ingénue en panne de théâtre, Éliane Tayard, assistante de Carl Dreyer, et Abel Gance qui venait d'essuyer un four avec *la Fin du monde* et avait embauché Mahé comme décorateur pour un nouveau film.

Louis, en bon voyeur, écoutait, observait, enregistrait et emmagasinait les images, les couleurs et les sons. Il fit de même quelques années plus tard à Montmartre chez Gen Paul, dans l'atelier duquel se réunit aussi une véritable cour des miracles autour de quelques

1. Le 28. 2. (1948) Milton Hindus, *L.-F. Céline tel que je l'ai vu.* Éditions de l'Herne, 1969, p. 182.
2. *Voyage au bout de la nuit,* pp. 391-398.

célébrités : Arletty, Marie Bell, Robert Le Vigan, et toujours très furtivement Marcel Aymé [1].

Elizabeth et Louis allaient aussi au spectacle. Louis aimait le théâtre, l'opérette, le cinéma et les ballets. Pour le théâtre, il estimait qu'il n'avait aucun don, mais il y allait régulièrement, assistant entre autres aux spectacles de Charles Dullin avec lequel il a correspondu [2]. Il n'est du reste pas impossible que Dullin et Jouvet aient envisagé de monter *l'Église*. Louis avait aussi un penchant pour l'opérette, qui remontait peut-être au temps du passage de Choiseul, et au voisinage du théâtre des Bouffes-Parisiens. Quant au cinéma, il était en admiration devant les possibilités infinies du 7e arrondissement. Enfin, il aimait les ballets pour les danseuses, pour leurs jambes et pour leurs muscles. Mais d'une façon générale il assistait rarement à un spectacle complet, car au bout d'un moment il s'ennuyait, et partait avant la fin.

Il emmenait parfois Elizabeth avec lui pour de petits séjours en Bretagne, en Normandie, dans les Pyrénées. Mais, petit à petit, elle se lassait de l'existence qu'elle menait avec lui. Chaque année, à l'occasion des voyages qu'elle faisait en Amérique pour rendre visite à ses parents, elle mesurait combien la vie avec Louis était singulière et difficile. Au retour, elle le retrouvait plus préoccupé, plus pessimiste et, les dernières années, plus absorbé par le livre qu'il écrivait. Elle s'en ouvrit à Estelle Reed, à laquelle elle confia à Los Angeles en 1932, qu'il était devenu insupportable depuis qu'il écrivait, et qu'elle hésitait à retourner à Paris. Elle y revint tout de même à la fin de l'année 1932, puis elle retourna en Amérique, définitivement, en 1933.

Que devint ensuite Elizabeth Craig? Céline a toujours dit qu'elle était retournée en Amérique à la suite de difficultés que son père aurait rencontrées dans ses affaires. Elle aurait alors été aidée par un juge qu'elle aurait épousé... c'est du moins la version que Céline

1. Il faut y ajouter le graveur Daragnès, Antonio Zuloaga, attaché à l'ambassade d'Espagne, et Florence Gould, qui vint à Montmartre pendant la guerre avec Marie Bell et Jean Chevrier.

2. *Correspondance*, décembre 1929, pp. 58-60.

a souvent donnée, affirmant à d'autres que rongée par la maladie et en pleine débauche, elle aurait été victime du « milieu » de Los Angeles. Lucette Almanzor et le docteur André Willemin connaissent une version plus romanesque encore, selon laquelle il aurait pu la rencontrer une nuit dans un terrain vague, dans un état effroyable. Il l'aurait suppliée de le suivre, mais elle aurait été reprise sous ses yeux par des voyous sortis de l'ombre. Il écrivit à cette époque, c'est-à-dire en 1934, à Erika Irrgang : « Mon voyage aux États-Unis a été détestable non pour des raisons commerciales mais à cause d'affaires personnelles très tragiques [...] » et à Henri Mahé : « Je suis tombé ici sur ce que je prévoyais. Un drame atroce, si bas, si infect, si dégradant que moi-même, et pourtant... [...] Je rentrerai au Havre vers le 15 août. J'ai tout vu[1]. » Au cours du voyage de retour il avait retrouvé Karen Marie Jensen à Chicago. Il lui avoua que tout était fini avec Elizabeth, et lui proposa de l'épouser.

Vingt ans plus tard, le 10 septembre 1947, il pensait encore à Elizabeth Craig, écrivant à Milton Hindus : « A tout hasard, (mais les U.S.A. c'est la mer) peut-être vous arrivera-t-il de toucher quelqu'un qui pourrait savoir ce qu'est devenue Elizabeth CRAIG - sa dernière adresse - connue de moi - 1935 - (2325 Southligland Avenue, Los Angeles) - Elle doit avoir maintenant 44 ans environ, si elle vit encore! Elle vivait dans un nuage d'alcool, de tabac, de police, et de bas gangstérisme avec un nommé Ben Tenkle - sans doute bien connu des services spéciaux - Carolina Island, etc... Enfin tout ceci à tout hasard - c'est un fantôme - mais un fantôme auquel je dois beaucoup - Quel génie dans cette femme! Je n'aurais jamais rien été sans elle - Quel esprit! quelle finesse... Quel panthéisme douloureux et espiègle à la fois. Quelle poésie... Quel mystère... Elle comprenait tout avant qu'on en ait dit un mot - Elles sont rares les femmes qui ne sont pas essentiellement vaches ou bonniches - alors elles sont sorcières et fées[2]. » Et dans une

1. La Brinquebale avec Céline, la Table ronde, pp. 101 et 102.
2. Milton Hindus, op. cit., p. 169.

autre lettre qu'il lui avait écrite le 13 avril 1947, il avait évoqué le génie d'Elizabeth : « ma femme[1] est très amusante et pleine de jolies qualités - C'est elle qui a le génie, pas moi - comme l'avait Elizabeth Craig[2]- »

Grâce au témoignage d'Estelle Reed, nous savons à peu près ce qu'est devenue Elizabeth Craig, car, si les deux femmes se sont rencontrées pour la dernière fois en 1934, sur un quai de gare, Elizabeth a continué à correspondre avec plusieurs amis qu'elles avaient en commun.

Après avoir quitté Céline, Elizabeth s'est effectivement mariée avec Benjamin Tankle, dit Ben Tankle[3] qui n'était pas juge, mais s'occupait d'affaires immobilières. Rien ne permet de penser qu'elle ait vécu au milieu de gangsters, il semble au contraire qu'elle ait tiré un trait sur son passé, pour vivre de façon très bourgeoise à San Fernando Valley, apparemment heureuse et dans l'aisance.

En 1934, à Los Angeles, elle a effectivement revu Louis, et au cours de leur entrevue, il lui demanda de revenir vivre avec lui à Paris, sans succès.

Elizabeth écrivait tous les ans à Mrs Helen Sheldon Berquam. Sa dernière lettre remonte au mois d'août 1973, elle annonçait alors à son amie que Ben Tankle était très malade. Depuis, aucune nouvelle d'elle n'est parvenue au petit groupe d'amis qui s'était formé chez Kosloff, à Los Angeles au début des années 20. Il n'est cependant pas impossible qu'Elizabeth Craig soit encore de ce monde.

En 1932, alors que les relations entre Elizabeth et Louis s'étaient beaucoup dégradées, il eut au moins deux aventures. Cillie P... était une Juive autrichienne, professeur de gymnastique à Vienne, qu'il rencontra à Paris, au début de l'été 1932. Voyant qu'elle avait des difficultés à se faire comprendre d'un garçon du café de la Paix,

---

1. Lucette Almanzor.
2. Milton Hindus, *op. cit.*, p. 223.
3. Son nom s'écrivait peut-être Tenkel.

il lui proposa son aide, puis l'installa tout naturellement pour une semaine dans la chambre d'Elizabeth. Quant à Erika Irrgang[1], c'était une Juive allemande qu'il avait vue tourner de l'œil à la terrasse d'un café place du Tertre en avril 1932. Quand elle reprit connaissance, elle était à côté de lui dans un taxi qui l'emmenait rue Lepic.

Venue à Paris pour tenter sa chance et vivre sa vie, Erika Irrgang avait fait des études de théologie à Breslau. Elle possédait une petite expérience de comédienne et vivait très misérablement dans une chambre de bonne rue du Chevalier-de-La Barre, après avoir fait des ménages chez un pasteur à Bourg-la-Reine. Malade, elle était anémiée au point de ne plus tenir sur ses jambes, ce qui lui valut de connaître Céline. Elle a décrit dans les Cahiers de l'Herne[2] la vie rue Lepic auprès de cet homme étrange, affectueux et paternel, qui travaillait la nuit. Quand il avait terminé ses consultations il la retrouvait le soir dans un bistrot, le Pigall's Tabac, 22, boulevard de Clichy. Il la faisait manger de force et l'emmenait ensuite au cinéma, ou dans d'interminables balades nocturnes, à la rencontre de clochards et de prostituées pour des conversations inénarrables et parfois jusqu'au lever du jour. Il correspondit avec elle de 1932 à 1937, la bombardant de bons conseils : « Pour les hommes vous faites bien - Mais exploitez-les c'est tout, sensuellement et pécunièrement [...] Cultivez vos connaissances - Faites du sport. Dans la vie future il faudra des idées et des cuisses et du vice aussi[3]. » Et dans cette autre lettre non datée : « Que faire? Toujours persévérer comme une juive par tous les moyens dans la direction de la sécurité et du confort - servez-vous du sexe et de votre imagination et de cette inquiétude aussi et même du malheur. Servez-vous de tout. »

Étrange message que cette invite à se servir du malheur dont

1. De son vrai nom Irène Irrgang, de son nom de femme Irène Erika Landry, en littérature Nataly Landor, auteur de Die Kaskaden von St. Cloud, Piper Verlag, 1963.
2. pp. 62-64.
3. Marseille, lettre du 10 [juillet 1932].

Céline, « chroniqueur des Grands Guignols [1] », a donné dans toute son œuvre une étonnante illustration.

Le 14 mars 1932, il fut brutalement frappé par un malheur inattendu : la mort de son père. Tout un pan de son existence s'écroula, et il mesura la place que tenait dans sa vie cet homme qu'il avait si souvent brocardé et dont il donna dans *Mort à crédit* une piètre image. Son chagrin fut immense. Il le fit enterrer simplement, sans prévenir qui que ce soit, pas même Henri Mahé, auquel il écrivit : « Mon père est mort. Je ne t'ai pas fait venir. J'aime à réduire le chagrin au minimum. Ce n'est pas facile. Je suis à un âge où plus rien ne s'oublie [2]. »

1. *Rigodon*, p. 732.
2. Henri Mahé, *op. cit.*, p. 47.

CHAPITRE XIX

Rue Amélie

« Les jouisseurs n'ont pas besoin d'écrire [...]
On écrit parce qu'on est malheureux. »

Tel Quel, printemps 1960. *Cahiers Céline* 2,
p. 168.

Nous sommes encore assez loin de la place Gaillon, mais nous voici maintenant tout proches de la rue Amélie.

Très jeune, Louis Destouches avait manifesté un penchant certain pour l'écriture; encore enfant, il écrivit facilement des lettres plaisantes dans lesquelles il commentait sa vie de tous les jours et portait des jugements incisifs sur les uns et les autres. Malgré son titre, le « Journal de Diepholz » n'était qu'une lettre comme les autres et il faut attendre le *Carnet du cuirassier Destouches*, écrit à Rambouillet avant la Grande Guerre, pour découvrir sa première tentative littéraire cohérente. Ensuite, en 1916, il écrivit deux poèmes qu'il envoya du Cameroun à ses parents et à Simone Saintu. De ce premier voyage en Afrique date aussi *Des vagues*, nouvelle écrite au cours de son voyage de retour (30 avril 1917), et peut-être une autre nouvelle qu'il aurait adressée peu avant à Henri de Régnier. Toujours en Afrique, il avait réalisé la traduction partielle, une trentaine de lignes en tout — d'une très courte nouvelle de Kipling, et nous savons qu'il publia en février 1918 dans la revue *Eurêka* la traduction d'un article scientifique du docteur Nutting : « De l'utilisation rationnelle du progrès. »

La Vie et l'œuvre de Philippe Ignace Semmelweis est la première œuvre importante de Louis Destouches. Écrite par obligation, cette thèse prit rapidement un tour littéraire, le médecin s'effaçant devant l'humaniste et devant l'homme de lettres.

Il publia ensuite une contraction de sa thèse qu'il intitula *les Derniers Jours de Semmelweis,* et quelques écrits de caractère purement scientifique; outre des *Observations physiologiques sur Convoluta Roscoffensis*[1], il écrivit en juin 1925 *la Quinine en thérapeutique*[2], ultérieurement traduit en espagnol, en italien et en portugais. Puis, en 1928, 1929 et 1930, Louis Destouches fit trois communications à la Société de médecine de Paris. La première était une refonte d'un rapport qu'il avait établi en 1925 pour la Société des Nations et qu'il publia sous le titre : *A propos du service sanitaire des usines Ford à Detroit.* En 1928, il était également intervenu au cours de la discussion qui suivit une communication de Matthieu Pierre Weil sur les « Bains de soleil par radiations sélectionnées[3] ». Sa seconde communication, qui date de 1929, était intitulée : « Note sur l'emploi des antivirus de Besredka en pansements humides[4] », et la dernière, en 1930 : « Essai de diagnostic et de thérapeutique méthodiques *en série* sur certains malades d'un dispensaire[5] ».

Il faut aussi mentionner trois articles : « L'infection puerpérale

1. Voir *Cahiers Céline* 3, respectivement, pp. 81 et 242.
2. *La Quinine en thérapeutique,* Paris, Doin, 1925. — *La Quinina en térapeutica,* Amsterdam Officina para el fomento del empléo de la quinina, 1929. — *La Chinina in térapeutica,* Amsterdam. Ufficia per la diffusione dell'impieza della chinina, 1930. — *A Quinina na térapeutica,* Amsterdam. Reparticio para o fomento do uso da quinina, 1931.
3. *Bulletins et mémoires de la Société de médecine de Paris,* 24 novembre 1928. Rééd. *Cahiers Céline* 3, p. 168.
4. Voir *supra,* p. 292, note 1.
5. *Bulletins et mémoires de la Société de médecine de Paris,* 22 mars 1930. Rééd. *Cahiers Céline* 3, p. 170.

et les antivirus », publié dans *la Médecine* en avril 1929 [1], « L'immunité dans les maladies infectieuses. A propos du livre récent de A. Besredka » paru dans *Paris médical* le 1er juin 1929 [2], et « Deux expériences de vaccination en masse et " per os " contre la typhoïde [3] », article relatif à un rapport du docteur E. Cluver, paru le 11 septembre 1929 dans *la Presse médicale*.

Louis Destouches écrivit encore en 1931 « Les hémorragies minimes des gencives en clientèle [4] », dont une partie fut reproduite dans un dépliant publicitaire qu'il avait lui-même rédigé pour le dentifrice Sanogyl. Mais il faut surtout signaler « Les Assurances sociales et une politique économique de la santé publique [5] » publié le 24 novembre 1928 alors que les Assurances sociales venaient d'être rendues obligatoires. Le ton de cet écrit annonce déjà les pamphlets, certains propos y sont vifs et acides; il y dénonçait le collectivisme qui « fait son œuvre, abat les résistances, et prend, bureau par bureau, usines après écoles, le commandement réel de la république ». Se souvenant de sa visite chez Ford et chez Westinghouse, il préconisait une véritable médecine du travail, au sein de l'entreprise, qui ne soit ni « la médecine standard » ni « la médecine d'hôpital » ni celle « de cabinet de consultation »; mais une médecine ambulante « d'expectative et de pratique spéciale adaptée à une population nombreuse et toujours au travail ».

Dans une longue note, écrite sans doute en 1932, intitulée « Mémoire pour le cours des hautes études », Louis Destouches s'attaquait violemment à la médecine traditionnelle et à la pharmacie : « [...] il y a beaucoup plus d'intérêt et de gens occupés à profiter de la maladie qu'à la vaincre ». On y trouvait quelques formules : « Tous les raseurs de ce monde fondent sur les grands problèmes comme les fourmis sur la langouste pourrie. [...] Nous

1. Voir *supra*, p. 291, note 3.
2. Voir *supra*, p. 291, note 4.
3. Voir *supra*, p. 292, note 2.
4. *Gazette médicale de France*, 1er novembre 1931. Rééd. *Cahiers Céline* 3, p. 246.
5. *La Presse médicale*, 24 novembre 1928. *Cahiers Céline* 3, pp. 154-167.

avons constaté que l'hygiène était actuellement le jardin préféré des débiles mentaux administratifs et scientifiques. » Il y déplorait aussi que l'on en soit resté à « l'optimisme pasteurien » et aux « procédures pasteuriennes [1] » et il affirmait : « S'occuper d'hygiène c'est après tout s'occuper des hommes, c'est une sorte de médecine plus générale plus prévoyante que l'autre. »

Dans ce rappel des écrits antérieurs à *Voyage au bout de la nuit*, il faut mentionner la farce en trois tableaux retrouvée par Jean-Pierre Dauphin, et vraisemblablement contemporaine de *l'Église*. Ainsi que trois chansons écrites à des dates indéterminées : la *Chanson des Gardes Suisses*, *Au Nœud coulant* ou *Katinka*, et *Règlement*.

En tête de *Voyage* figure un petit quatrain :

> *Notre vie est un voyage*
> *Dans l'hiver et dans la Nuit,*
> *Nous cherchons notre passage,*
> *Dans le Ciel où rien ne luit.*

Chanson des Gardes Suisses, 1793.

Henri Mahé affirme dans *la Brinquebale* que Céline en serait l'auteur [2], mais Philippe Alméras, au cours d'un colloque qui s'est tenu à Oxford en 1975, a fait remarquer que les trois premiers vers seraient la paraphrase d'une chanson suisse-allemande *Beresina Lied...!* Il faut se rappeler en tout cas qu'il n'y avait plus de gardes suisses en France depuis le 10 août 1792!...

Les deux autres chansons datent probablement de l'époque de *la Malmoa* et sont donc antérieures à *Voyage*. *Au Nœud coulant*, dont le texte a été publié dans *les Cahiers de l'Herne* [3], et reproduit par Mahé sous le titre *Katika* [4], fut enregistré, chanté par Céline lui-même [5] avec accompagnement d'accordéon. Céline avait écrit

---

1. Il avait d'abord écrit « singeries pasteuriennes ». *Cahiers Céline* 3, p. 210.
2. Henri Mahé, *la Brinquebale avec Céline*, la Table ronde, 1969, pp. 158-161.
3. N° 5, p. 25.
4. Henri Mahé, *op. cit.*, pp. 19 et 158.
5. Disque Urania n° URLP 0003 1956. Céline y chante aussi *Règlement*.

à Mahé qu'il s'agissait d'un chant finnois. Il est vrai que dans une autre lettre il reconnut l'avoir écrite lui-même, recommandant à Mahé de ne pas « bouffer la ficelle, pour le monde entier elle restera finnoise, musique finnoise... On va bien rigoler [1] ».

Dans une lettre à Milton Hindus [2] du 15 avril 1948, Céline, qui qualifiait ses chansons de « petites rigolades », affirma de nouveau être l'auteur de *Katinka* et de *Règlement*, ajoutant qu'il en avait aussi composé la musique mais s'était vu contraint de demander à Nocetti d'en accepter la paternité puisque, en vertu des lois françaises, il fallait être compositeur agréé pour signer une musique!

Il est difficile de préciser aujourd'hui l'époque à laquelle Céline entreprit *Voyage*. Il a sur ce point, comme sur bien d'autres, affirmé plusieurs « vérités ». Le 19 novembre 1932 il annonçait à Edmond Jaloux qu'il ne fallait voir dans son livre qu'un travail d'ouvrier dont le projet remontait à dix ans : « le boulot dura six ans... ». Il n'est pas impossible qu'il y ait songé pendant dix ans, mais il paraît improbable qu'il ait commencé son roman avant d'avoir écrit *l'Église*, c'est-à-dire avant le mois d'octobre 1927, époque de son installation à Clichy.

A tous ceux qui l'ont questionné sur les raisons pour lesquelles il s'était lancé dans la rédaction de *Voyage au bout de la nuit*, Céline a toujours dit que son but avait été purement alimentaire. L'idée lui en serait venue à la suite de la publication de *l'Hôtel du Nord* par Eugène Dabit, qui fut édité par Denoël à la fin du mois de novembre 1929 et reçut le premier Prix populiste en 1931. Il n'aurait donc pas écrit sous le coup de l'inspiration, mais poussé par le besoin, un peu comme un ouvrier s'attaque à un chantier. Si *Voyage* avait été commencé à la fin de l'année 1929, Céline aurait mis un peu plus de deux ans à l'écrire, puisque le manuscrit fut déposé chez Denoël et chez Gallimard fin mars ou début avril 1932. La fiche de lecture de Benjamin Crémieux [3] est vierge de toute appréciation, et porte en effet la date du 14 avril 1932.

1. Henri Mahé, *op. cit.*, p. 161.
2. Milton Hindus, *L.-F. Céline tel que je l'ai vu.* Éditions de l'Herne, 1969, p. 187.
3. Lecteur chez Gallimard.

Jeanne Carayon affirme que Céline travaillait déjà à *Voyage* lorsqu'il habitait Clichy [1]. Venu un jour chez elle pour vacciner son fils, il lui aurait dit : « J'écris un roman, j'y travaille depuis quatre ans, surtout la nuit ». Destouches forçait peut-être un peu en annonçant quatre années de travail dans lesquelles il comptait aussi certainement le temps passé à écrire *l'Église.* Si l'on retient ce témoignage, l'œuvre était donc commencée avant la sortie de *l'Hôtel du Nord.* Nous savons par ailleurs que Céline ne connaissait pas encore Dabit et qu'il ignorait que ce peintre s'adonnait, comme lui, à la littérature pendant ses moments perdus.

Il est assez raisonnable de penser que Céline avait commencé *Voyage* bien avant la publication de *l'Hôtel du Nord,* mais que sa détermination fut renforcée par le succès réservé à l'ouvrage de Dabit. Cela l'incita peut-être aussi à donner à son livre une coloration encore plus « populiste », conforme à une certaine mode de l'époque.

Voyage a tout de même été écrit assez vite, étant donné que, pratiquant la médecine le jour, Louis écrivait surtout le soir, le dimanche et la nuit : « [...] à la sauvette, comme j'ai toujours vécu... », déclara-t-il à Louis Gerin [2]. Il y travailla aussi au dispensaire, entre deux malades, ou quand il y avait peu de monde à sa consultation. Mme Bleuze et le docteur Riom-Jullien se souviennent que le personnel en était intrigué et que les femmes de ménage trouvaient souvent sa corbeille à papier pleine de feuilles manuscrites froissées.

Robert Poulet, qui a été le témoin de ses dernières années, est plusieurs fois resté sans dire un mot dans la pièce du rez-de-chaussée de la maison de Meudon où Céline écrivait *Rigodon.* Il raconte comment Céline luttait avec les mots, contre les mots, complètement absent, absorbé par sa tâche comme un travailleur de force, un bûcheron, un tailleur de pierre aux prises avec un bloc de marbre. Céline peinait visiblement et la sueur lui venait au front, attestant l'effort physique qu'il fournissait pour affiner sa phrase et trouver

1. Il a quitté Clichy pour la rue Lepic au cours de l'été 1929.
2. *Cahiers Céline* 1, p. 119.

toujours le mot juste. Quand il avait fini, il sortait de sa torpeur, soupirait comme un terrassier et lisait à Poulet ce qu'il venait d'écrire. C'est probablement comme cela qu'il écrivit *Voyage au bout de la nuit,* par grands coups de collier, chaque fois qu'il pouvait distraire un peu de son temps.

Rue Hamelin Proust avait passé ses nuits avec la duchesse de Guermantes, avec le baron de Charlus, avec Saint-Loup, Norpois, les Cambremer et quelques autres. Rue Lepic Louis Destouches passait les siennes avec Robinson, la mère Henrouille et le petit Bébert. Et si Marcel Proust avait raconté le faubourg Saint-Germain et les jardins des Champs-Élysées, Louis Destouches se faisait le chantre des banlieues, avec les mots qu'il y avait entendus, à la recherche du temps perdu.

Qu'il ait écrit son livre en deux, quatre ou six années, il ne fait pas de doute qu'il le portait en lui depuis longtemps, au point de lui avoir donné en 1927 une première forme destinée au théâtre. Il y ajouta la guerre qui avait été l'épisode le plus marquant de sa vie et supprima l'évocation de la Société des Nations qui avait été critiquée. Une fois qu'il eut mis *Voyage* en chantier, ses préoccupations matérielles ont été balayées par ce torrent qu'il avait contenu, auquel il donnait chaque soir libre cours, et qui emportait avec lui toutes ses rancœurs.

Lentement, tout son passé remontait en lui, la guerre, l'Afrique, la victoire, bientôt suivis d'horribles déceptions. Louis voyait bien que partout montait la haine, à Clichy, à Paris, à Munich, à Berlin, à Madrid, entre Français, entre Allemands, entre Espagnols, entre tous les peuples de l'Europe, qui s'organisaient pour la guerre. Louis sentait venir l'orage, il se souvenait de l'hécatombe absurde de la Grande Guerre et ne supportait pas l'idée qu'un tel bain de sang pourrait un jour se renouveler. Alors il écrivit, comme on se jette la tête contre un mur, hurlant, contre la haine, contre la guerre, contre la mort, contre toutes les misères du monde.

Le manuscrit de premier jet de *Voyage* a disparu. Seul subsiste le manuscrit dactylographié que Céline avait corrigé de sa main et qu'il a vendu pendant la guerre au bijoutier Bignou qui l'a lui-même cédé un peu plus tard à un collectionneur. Marie Bell raconte à ce sujet que, pour économiser le prix d'un vélo-taxi, Céline aurait porté le manuscrit chez Bignou dans une brouette. Jean-Pierre Dauphin, qui a pu étudier ce document, atteste l'importance des corrections et des surcharges manuscrites.

Quoi qu'il en soit, nous ne savons rien du manuscrit autographe de Céline, ou presque rien. Robert Denoël, qui ne l'avait sans doute pas vu, parlait de 20 000 pages : « [...] Il l'avait écrit une dizaine de fois, vingt mille pages de manuscrit, reprises, refondues, corrigées, sans répit, pendant cinq ans. Les premiers contacts avec les éditeurs avaient été décevants. Il ne doutait pas de lui-même, mais du public, de la critique [1]. »

Si l'on se réfère à la façon dont Céline écrivit ses livres ultérieurs, il est raisonnable de penser qu'il a effectivement rédigé plusieurs versions successives de *Voyage*. On a en effet compté jusqu'à sept versions des *Entretiens avec le Professeur Y,* et plusieurs versions de la plupart de ses autres livres. Toutes les pages manuscrites de Céline, dont beaucoup circulent chez les marchands d'autographes, témoignent de la difficulté qu'il éprouvait à mettre ses phrases en place. On y voit les mots circuler à la recherche de leur emplacement définitif. Ils sont fréquemment remplacés par d'autres expressions plus exactes, ou qui tombent mieux, elles-mêmes souvent balayées au profit de mots encore plus justes. Céline voulait écrire pour l'oreille, comme un compositeur de musique, aussi avait-il pour habitude de lire à haute voix ce qu'il venait d'écrire, pour entendre comment sonnait sa phrase. Il ne la laissait en repos qu'après s'être assuré qu'elle sonnait juste.

Il tenait aussi à faire disparaître les traces de son travail, ce qui a longtemps fait croire qu'il écrivait sans peine, comme on parle. Il gommait tous ses efforts, comme font les acrobates et les danseurs qu'il admirait tant. Comme eux, il n'était satisfait de ses voltiges que lorsqu'il avait atteint l'aisance de celui qui marche sur le boulevard.

---

1. Interview par André Roubaud dans *Marianne,* 10 mai 1939, p. 7.

Lorsque la rédaction de *Voyage* fut achevée, Louis fit discrètement dactylographier le manuscrit par Aymée Paymal, secrétaire au dispensaire de Clichy. Il ne voulait pas que le docteur Ichok en soit averti, et pour ceux qui n'étaient pas dans la confidence, il disait que son texte était tapé par « la Vitruve ».

Il porta d'abord son livre aux Éditions Bossard qui estimèrent que l'ouvrage n'entrait pas dans l'esprit de leurs publications[1], et chez Eugène Figuière qui lui proposa de le publier à compte d'auteur, moyennant 12 000 francs. Plus tard, en juin 1933, alors que *Voyage au bout de la nuit* avait obtenu le prix Théophraste Renaudot et s'était déjà vendu à plus de 50 000 exemplaires, Eugène Figuière, manifestement peu au fait de l'actualité littéraire, revint à la charge : « Je suis décidé moi-même à faire un effort tout spécial en votre faveur, à la condition que, de votre côté, vous acceptiez de ne toucher des droits d'auteur qu'à partir du 2 001e volume vendu. »

Céline déposa ensuite son manuscrit (probablement en même temps) chez Gallimard et chez Denoël, et il en remit un exemplaire à Jeanne Carayon en lui disant : « Voilà mon ours[2]. »

Chez Gallimard, au cours d'une réunion du comité de lecture qui se tint au printemps 1932, et à laquelle assistaient, entre autres : Paulhan, Gaston Gallimard, Fernandez, Malraux, Berl et Hirsch, Benjamin Crémieux fit un long rapport sur *Voyage*, qu'il qualifia de « roman picaresque », et dont il lut quelques extraits. Comme il n'avait pas eu le temps d'en achever la lecture et devait partir à Raguse pour un congrès, il fut décidé que Malraux prendrait sa suite. Après quelques semaines pendant lesquelles Emmanuel Berl eut aussi le manuscrit entre les mains[3], on écrivit à Céline pour lui dire que l'on prenait son livre, mais en préconisant des « allégements ».

1. « Des nouvelles de Céline », *Aux écoutes*, 1er avril 1933, p. 29.
2. Il aurait aussi porté antérieurement *Voyage* au bi-mensuel d'extrême-gauche *Monde*, dirigé par Barbusse. « Il y a 30 ans Céline faillit brûler le *Voyage au bout de la nuit* », *Écho-Soir* [Oran], 16 juillet 1961, p. 3.
3. Emmanuel Berl, *Interrogatoire* par Patrick Modiano. Gallimard, 1976, p. 127.

Tout ceci a été noté par Hirsch dans un compte rendu. C'est aussi ce que Gaston Gallimard a toujours dit à Antoine Gallimard et à Laurent Boyer et ce que Céline a lui-même raconté à Robert Poulet[1]. Milton Hindus avait recueilli de lui le même écho : « [...] le lecteur de la maison Gallimard, Benjamin Crémieux, un juif en l'occurrence, lui suggérait trop de remaniements pour qu'il les acceptât[2] ».

Lorsque *Voyage* fut ainsi accepté, sous réserve d'allégements, par Gallimard, il était trop tard, et malgré un déjeuner organisé par Gaston Gallimard, Céline resta chez Denoël avec lequel il s'était engagé. Chez Gallimard, on a donc manqué l'occasion d'éditer *Voyage au bout de la nuit* en 1932, comme on l'avait fait pour *l'Église* en octobre 1927 et pour *Semmelweis* en juillet 1929. Il faudra attendre novembre 1936 pour que les premières lignes de Céline soient publiées par Gallimard. Et encore ne s'agissait-il que d'un texte de neuf pages, *Secrets dans l'île*[3], dans un volume collectif intitulé *Neuf et une*[4].

Chez Denoël, l'accueil avait été enthousiaste. L'affaire est bien connue et Robert Denoël s'en est lui-même expliqué dans une interview qu'il a donnée à André Roubaud pour le journal *Marianne*[5]. Un soir, en rentrant du théâtre, il a trouvé sur sa table de travail un gros paquet contenant les neuf cents pages dactylographiées de *Voyage au bout de la nuit* et un petit roman. L'adresse d'une dame figurait sur le papier d'emballage. Malgré l'heure tardive, Robert Denoël se mit à lire : « Tout de suite ce fut le coup de foudre. J'étais suffoqué par cette liberté de ton, ce lyrisme si fort, si nouveau. » Le lendemain après-midi il convoqua la dame dont l'adresse figurait sur le paquet, il lui promit de s'in-

---

1. Robert Poulet, *Mon ami Bardamu*. Plon, 1971, pp. 50-51.
2. Milton Hindus, *op. cit.*, p. 77.
3. C'était en fait un scénario pour le cinéma que Céline a ensuite cherché à faire tourner par le cinéaste Pierre Billon, avec Marie Bell dans le rôle d'Erika.
4. Volume présenté par les dix membres du jury Renaudot avec des textes de dix autres lauréats de ce prix, parmi lesquels Marcel Aymé et Philippe Hériat.
5. *Marianne*, 10 mai 1939, p. 7.

téresser à son roman et lui arracha le nom et l'adresse de Louis auquel il écrivit aussitôt par pneumatique.

Louis Destouches se présenta alors 19, rue Amélie, dans le petit immeuble où Robert Denoël et Bernard Steele avaient installé le siège de leur jeune maison d'édition, à côté d'une minuscule chapelle désaffectée qu'ils utilisaient comme entrepôt. Denoël était belge, fils d'un professeur de sciences à l'université de Liège. Devenu vendeur de tableaux à la Galerie d'Irène Champigny, rue Sainte-Anne, Robert Denoël y avait fait la connaissance d'Eugène Dabit qui cherchait sa voie entre la peinture et la littérature et dont *l'Hôtel du Nord* venait d'être refusé par Balzagette. Avec l'appui financier des parents de son ami, le juif américain Bernard Steele, Denoël décida de se lancer dans l'édition, et avec *l'Hôtel du Nord*, son coup d'envoi fut un coup de maître, suivi de peu par *l'Innocent* de Philippe Hériat, prix Renaudot 1931.

Robert Denoël a décrit Louis Destouches tel qu'il le vit entrer dans son bureau de la rue Amélie : « Je me trouvais en face d'un homme aussi extraordinaire que son livre. Il me parla pendant près de deux heures en clinicien qui a fait le tour de la vie, en homme d'une lucidité extrême, désespéré à froid, et cependant passionné, cynique mais pitoyable. Je le revois encore nerveux, agité, l'œil bleu, un regard dur, pénétrant, la physionomie un peu hagarde. Il avait un geste surtout qui me frappait. Sa main droite allait et venait comme pour faire table nette et, à chaque instant, son index désignait des choses. Il me parla de la guerre, de la mort, de son livre; il parlait tantôt sur le ton de l'emportement, tantôt d'une manière blasée, comme quelqu'un qui est revenu de toutes les comédies, de toutes les illusions. Son expression était toujours forte, imagée, parfois hallucinante. L'idée de la mort, de la sienne et de celle du monde, revenait dans son discours comme un leitmotiv. Il me décrivait une humanité affamée de catastrophes, amoureuse du massacre. La sueur lui coulait sur le visage, son regard semblait brûler [1]. »

1. *Marianne*, 10 mai 1939, p. 7.

A l'issue de cet entretien, Denoël fit savoir à Louis Destouches qu'il acceptait son livre.

Plus tard, Denoël demanda lui aussi quelques aménagements, il aurait bien voulu, paraît-il, que soit supprimé l'épisode de l'arrivée à New York en galère qui lui paraissait farfelu. Céline défendit son texte avec énergie, bombardant son éditeur de lettres, souvent par pneumatique, le traitant déjà avec un certain mépris et lui demandant poliment de ne pas se mêler de ce qui ne le regardait pas :

« Mon vieux,
» De grâce surtout n'ajoutez pas une syllabe au texte sans me prévenir! Vous foutrez le rythme par terre comme rien.
» - Moi seul peut retrouver où il est. J'ai l'air baveux mais je sais à merveille ce que je veux- Pas une syllabe- Faites attention à la couverture aussi- [...]
» Considérez que vous en êtes vous autres à la période romantique de cet ours. Moi je l'ai digéré et je suis prêt à le vomir. Vous ne pouvez pas encore le voir vous sous l'angle du goût. Il faut en être bien rassasié pour cela. C'est mon cas [1]. [...] »

Jeanne Carayon, que Louis chargea de corriger les épreuves de *Voyage*, affirme qu'il ne voulut pas les revoir lui-même. Céline écrivit cependant : « Je saute à travers Paris à la chasse à mes corrections d'imprimerie!... J'espère que tu as bien préparé notre affaire Goncourt pour autant que ces choses soient influençables [2] [...] » La composition présenta quelques difficultés et il fallut la recommencer, car les typos avaient cru bien faire en rétablissant une ponctuation ordinaire, hachant le texte de virgules. « Ils veulent me faire écrire comme François Mauriac », s'exclamait-il devant Jeanne Carayon. « Ils vont me casser ma musique. »

Robert Poulet, lui aussi originaire de Liège, avait publié chez

1. *Magazine littéraire*, septembre 1976, p. 19.
2. Lettre à un correspondant non identifié, sans date. Catalogue de la librairie Morssen, Paris, printemps 1975.

Denoël *Handji* et *le Trottoir* et, au printemps de 1932, il vint à Paris, rue Amélie, signer le service de presse de son roman *le Meilleur et le Pire*. Il trouva la maison en ébullition et Robert Denoël, surexcité, lui remit le texte de *Voyage* en proclamant qu'il tenait l'événement littéraire du siècle. Quelques jours plus tard, au même endroit, Poulet, qui ne partageait qu'à moitié l'opinion de son éditeur, aperçut « un grand diable au visage fermé, à la lippe méprisante, accoutré comme un bistrot en vacances [1] ». Il fut surpris par sa carrure athlétique, la distinction de son langage et par son aspect convenable. Il se souvient aussi qu'il parlait à Robert Denoël avec une certaine distance et se souciait beaucoup de son anonymat. Sa véritable identité ne devait être révélée en aucun cas, pour que le livre n'entache pas sa réputation dans le monde médical à laquelle il paraissait attacher le plus grand prix. C'est pourquoi il choisit de s'appeler Céline, en mémoire de sa grand-mère, qu'il avait tant aimée et avec laquelle il avait certainement passé les heures les plus heureuses de son enfance [2].

C'était le seul mot qui manquait à son livre dont le titre avait été choisi par lui et figurait déjà en tête du manuscrit déposé rue Amélie. Il restait à régler quelques détails matériels sur lesquels il veilla personnellement : « Faites attention à la couverture aussi - pas de music-hallisme. Pas de sentimentalisme typographique. Du classique. [...] Une couverture assez lourde et discrète c'est mon avis. Bistre et noir. Ou gris et gris peut-être et les lettres égales UN PEU ÉPAISSES. C'est tout. C'est suffisant comme impressionnisme [3]. » En septembre 1932, la fabrication du livre était achevée [4]. Il fut mis en vente dans les premiers jours du mois d'octobre.

Louis Destouches avait donné le jour à Louis-Ferdinand Céline.

1. Robert Poulet, *op. cit.*, p. 61.
2. Céline Guillou. Voir *supra* pp. 50 à 52.
3. *Magazine littéraire*, septembre 1976, p. 19.
4. Louis avait passé une partie du mois d'août à Vannes. Il projetait un nouveau voyage financé par la S.D.N. à Nancy, Berlin et Breslau.

Pour lui le temps des grandes espérances était révolu, comme était révolu le cortège de désillusions qui l'avait accompagné. Il ignorait encore qu'avec *Voyage au bout de la nuit* il entrait, inexorablement, dans le temps des délires et des persécutions.

Paris, 13 octobre 1976.

ANNEXE I

Nous reproduisons ci-dessous la copie d'une lettre qui avait appartenu à la sœur du chevalier Des Touches, et qui fut découverte en 1870 à la mort de Théodore Destouches, professeur à l'École de médecine et de pharmacie de Rennes. Ce document, qui contient la généalogie de la famille, lui avait été adressé vers 1846 par son oncle, Auguste Destouches, qui entretenait des relations de cousinage avec les Maillard et les Théologue, neveux du chevalier.

A Lessay, le 27 mai 1742.

J'ai reçu, Monsieur et frère, la lettre que vous avez pris la peine de m'écrire le 22 courant, où vous me demandez un éclaircissement sur notre généalogie pour une prétendue succession qu'un gentilhomme de la paroisse de Hudimesnil a dû laisser en Bretagne; effectivement ce gentilhomme peut être un Destouches, n'ayant pas entendu parler d'autres nobles dans la paroisse de Hudimesnil que d'un écoutant; mais la chose se doit confirmer d'elle-même, en ce qu'une personne ne s'établit point dans un lieu étranger qu'elle ne dise au moins son nom, surtout un homme de condition, qui souvent n'a pour apanage que le titre, et que dans sa vie il n'ait contracté; voilà d'abord ce qu'il faut savoir, c'est son nom, qui ne me paraît pas difficile à savoir étant limitrophe de cette province, et quand même on ne le serait pas, la chose mérite d'elle-même une ample information, sans cependant y faire beaucoup de fond, parce que ces sortes d'affaires ne réussissent que rarement, et surtout que pour les heureux, pour satisfaire donc à votre demande vous verrez par cet abrégé de filiation que je ne commence que depuis l'an mil trois cent quarante-sept.

Que d'un Pierre Destouches, écuier en 1347 est sorti Pierrot Destouches, écuier.

Pierrot Destouches est père en 1386 d'Olivier Destouches, écuier.

Olivier Destouches, écuier en 1406 est père de Bertrand, Thomas, Jean et

Massé Destouches, écuiers, lesquels Thomas, Jean et Massé je ne scais ce qu'ils sont devenus.

De Bertrand frère aîné de ces derniers est sorti en 1445 Massé, Olivier, Guillaume [1] et Pierre Destouches, écuiers. Je ne puis vous dire positivement ce que sont devenus Massé fils aîné de Bertrand, Olivier, second et Pierre, quatrième, on pense que Monsieur de Marmoutier notre oncle rencontre juste et que ce peut être Massé ou Olivier frères aînés de Pierre puisné de Bertrand leur père, qui ont sorti l'un ou l'autre de la Normandie vers l'an 1460 parce qu'on trouve que de Guillaume Destouches écuier troisième fils de Bertrand, frère par conséquent des susdit Massé, Olivier et Pierre, qui ne paraît plus, est sorti en l'an 1482 Nicolas et Jean Destouches, écuiers, dont Jean ne paraît plus.

De Nicolas Destouches écuier et fils aîné du dit Guillaume est sorti en 1507 Georges Destouches, écuier.

De Georges Destouches écuier est sorti en 1537 Guillaume et Pierre Destouches écuiers, ce dernier s'est établi à ce que je crois dans la paroisse de Roncey, qui a produit plusieurs Destouches dont les uns se sont établis dans Roncey même, les autres dans St Aubin du Perron.

De Guillaume Destouches écuier, fils aîné de Georges est sorti en 1583 Gilles et Anthoine Destouches écuiers.

De Gilles Destouches écuier est sorti en 1613, Henri, Louis, Jean et Jacques.

De Henri est sorti en 1569 Jacques, Nicolas, Jean, Sébastien, Pierre et Claude Louis 2e fils de Gilles, curé de Bouvey.

De Jean 3e est sorti Jean François Louis et Jacques Destouches écuiers.

Jacques 4e et dernier fils de Gilles était curé de Longueville.

Nota. Je douterais qu'un François Destouches ne fut celui en question parce que en 1583 Guillaume Destouches avait deux fils, savoir Gilles et Anthoine; on sait que de Gilles est sorti nos grandpères; mais on ne sait ce qu'est devenu François fils d'Anthoine frère de Gilles...

---

1. C'est d'Olivier ou de Guillaume Destouches qu'est sortie la ligne à laquelle appartient Louis Destouches.

Généalogie
de Louis Destouches

Ascendance de Louis-Ferdinand Céline

BRANCHE MATERNELLE

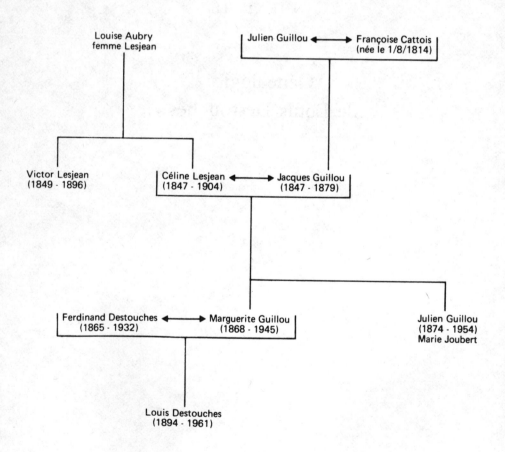

Louise Aubry
femme Lesjean

Julien Guillou ⟷ Françoise Cattois
(née le 1/8/1814)

Victor Lesjean
(1849 - 1896)

Céline Lesjean ⟷ Jacques Guillou
(1847 - 1904)   (1847 - 1879)

Ferdinand Destouches ⟷ Marguerite Guillou
(1865 - 1932)   (1868 - 1945)

Julien Guillou
(1874 - 1954)
Marie Joubert

Louis Destouches
(1894 - 1961)

Ascendance de Louis-Ferdinand Céline

BRANCHE PATERNELLE

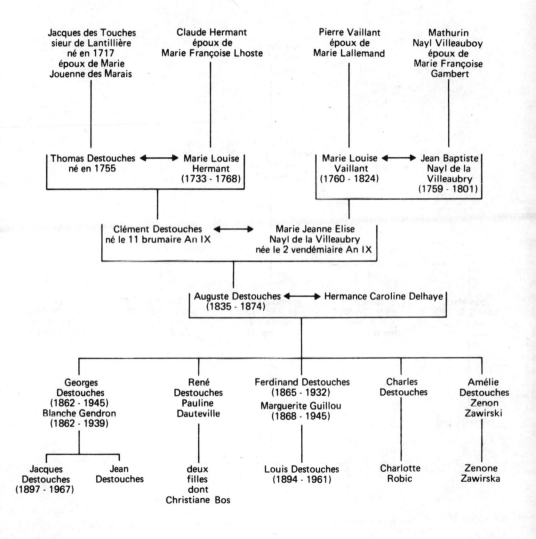

Jacques des Touches sieur de Lantillière né en 1717 époux de Marie Jouenne des Marais

Claude Hermant époux de Marie Françoise Lhoste

Pierre Vaillant époux de Marie Lallemand

Mathurin Nayl Villeauboy époux de Marie Françoise Gambert

Thomas Destouches né en 1755 ←→ Marie Louise Hermant (1733 - 1768)

Marie Louise Vaillant (1760 - 1824) ←→ Jean Baptiste Nayl de la Villeaubry (1759 - 1801)

Clément Destouches né le 11 brumaire An IX ←→ Marie Jeanne Elise Nayl de la Villeaubry née le 2 vendémiaire An IX

Auguste Destouches (1835 - 1874) ←→ Hermance Caroline Delhaye

Georges Destouches (1862 - 1945) Blanche Gendron (1862 - 1939)

René Destouches Pauline Dauteville

Ferdinand Destouches (1865 - 1932) Marguerite Guillou (1868 - 1945)

Charles Destouches

Amélie Destouches Zenon Zawirski

Jacques Destouches (1897 - 1967)

Jean Destouches

deux filles dont Christiane Bos

Louis Destouches (1894 - 1961)

Charlotte Robic

Zenone Zawirska

Descendance de Louis-Ferdinand Céline

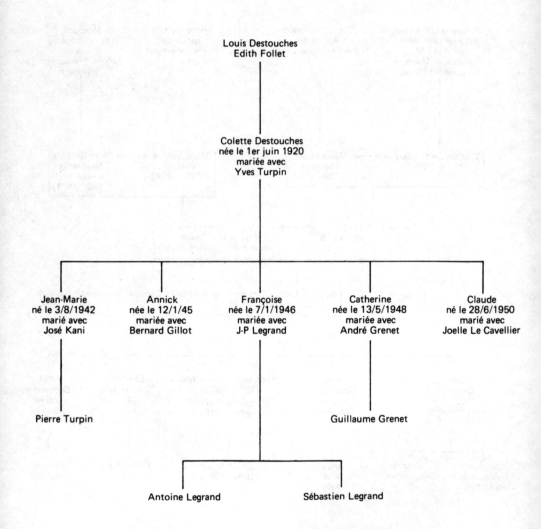

Louis Destouches
Edith Follet

Colette Destouches
née le 1er juin 1920
mariée avec
Yves Turpin

Jean-Marie	Annick	Françoise	Catherine	Claude
né le 3/8/1942	née le 12/1/45	née le 7/1/1946	née le 13/5/1948	né le 28/6/1950
marié avec	mariée avec	mariée avec	mariée avec	marié avec
José Kani	Bernard Gillot	J-P Legrand	André Grenet	Joelle Le Cavellier

Pierre Turpin

Guillaume Grenet

Antoine Legrand

Sébastien Legrand

ANNEXE III

PROGRAMME DÉTAILLÉ DU VOYAGE DE LOUIS DESTOUCHES
ET DES « ÉCHANGISTES » SUD-AMÉRICAINS

CUBA (2-9 mars 1925)

Lundi 2   *matin*

— Réception au secrétariat de la Santé publique par son directeur, le docteur Lopez del Valle.
— Visite des différents départements.

après-midi

— Conférence du docteur Le Roy y Cassa, chef de la Démographie sanitaire nationale, sur la statistique démographique.
— Visites d'un service d'hygiène infantile, d'un centre de dératisation, de désinfection urbaine et antimoustiques.

Mardi 3   *matin*

— Visite de l'hôpital Las Animas.
— Conférence sur l'épidémiologie.
— Visite du Laboratoire national des sérums et vaccins.
— Conférence sur la lutte antityphoïde.

après-midi

— Visites d'hôpitaux et du centre antituberculeux.

Mercredi 4   *matin*
   — Visite de l'aqueduc Albear et du réservoir du Palatine.
   — Conférence sur le Service des Eaux.

                                        après-midi
   — Visites de maisons de santé.

Jeudi 5
   — Visite aux environs de La Havane d'un service de santé communal et de
      logements ruraux.

Vendredi 6   *matin*
   — Visite du centre d'immigration.

                                        après-midi
   — Visite du centre de prophylaxie antivénérienne et conférence.

Samedi 7
   — Visite du lazaret de Mariel.

Dimanche 8   *matin*
   — Visites de la sucrerie centrale Hershey et de logements ruraux hygié-
      niques.

                                        après-midi
   — Réception au Cercle médical cubain.

ÉTATS-UNIS et CANADA (12 mars-22 mai 1925)

Vendredi 13
   — Départ de LA NOUVELLE-ORLÉANS.
   — MOUMA : visites du complexe ostréicole (parcs et conserverie) et de la
      Southern Dairy (laiterie).
   — MORGAN CITY : déjeuner offert par la Chambre de Commerce.

Samedi 14
   — NEW IBERIA : visites des mines de sel et de la papeterie, suivies d'un déjeu-
      ner offert par la Chambre de Commerce.
   — LAKE CHARLES : dîner offert par la Chambre de Commerce.

Dimanche 15

 — ALEXANDRIA : invitation à déjeuner de la Chambre de Commerce et dîner
offert par le docteur Dowling, président du Service de Santé de Louisiane
qui accompagne le groupe.

Lundi 16

 — SCHREVEPORT : visites de la Primary Creswell School, de l'hôpital des
enfants handicapés et du Service des Eaux, suivies d'un déjeuner offert
par la Chambre de Commerce.
 — MONROE : invitation à dîner de la Chambre de Commerce.

Mardi 17

 — Visites du Service des Eaux et de la Public School.

Mercredi 18, jeudi 19, vendredi 20

 — LA NOUVELLE-ORLÉANS : visites des différents départements du Service
de Santé de Louisiane, du centre antituberculeux, de la station de dératisation et du Service des Eaux.

Samedi 21

 — JACKSON.

Dimanche 22

 — Visite de l'école des sourds-muets.

Lundi 23, mardi 24

 — Série de conférences (organisation du Service de Santé du Mississippi,
prophylaxie antivénérienne et paludisme).
 — Visite du sanatorium du Mississippi à 12 miles de la ville.

Mercredi 25

 — GULFPORT : invitation à déjeuner du Rotary Club.
 — Conférences sur le paludisme du docteur Williams, chef du Service de
Santé du comté d'Harrisson, et de l'ingénieur Leprince sur les travaux
d'assainissement.

Jeudi 26

 — Promenade jusqu'à SAINT-LOUIS BAY.
 — GULFPORT : visites du Collège et de l'hôpital militaire, suivies d'un dîner
offert par la Chambre de Commerce.

Vendredi 27, samedi 28, dimanche 29, lundi 30
- MONTGOMERY : visite des différents départements du Service de Santé d'Alabama.
- Conférences sur le paludisme et la typhoïde.

Mardi 31, mercredi 1ᵉʳ avril
- Visite de la subdivision sanitaire du comté de Covington.
- ANDALUSIA : visite de la High School.

Jeudi 2, vendredi 3
- BIRMINGHAM : visites de la Tennessee Coal and Iron and Railroad Company et des houillères d'Edywater.

Dimanche 5
- NEW YORK.

Lundi 6
- WASHINGTON : réception au Département fédéral de Santé (message de bienvenue du surgeon general Cumming suivi d'une conférence de l'assistant surgeon general Long sur les pouvoirs et les devoirs de ce Département).

Mardi 7
- Conférence sur l'organisation et l'administration quarantenaire.
- Visite du Service des Eaux.

Mercredi 8
- Série de conférences (quarantaine, santé rurale, Service des Eaux) et déjeuner offert par le surgeon general Cumming.

Jeudi 9
- Conférence sur la recherche scientifique et visite du Laboratoire d'hygiène.

Vendredi 10
- Conférence sur le contrôle des maladies vénériennes aux États-Unis.
- Visite du building de la Panamerican Union.
- Réception à la Maison-Blanche.
- Déjeuner offert par le directeur de la Panamerican Union, L.S. Rowe.
- Visite du Service d'Inspection sanitaire des viandes.

Samedi 11
- Conférence sur la thérapeutique antilépreuse aux États-Unis.
- Visite du Bureau des enfants au Département du Travail.

Lundi 13
— BALTIMORE : visite du Service de Santé urbaine.

Mardi 14
— Visites des différents départements du Service de Santé du Maryland, du centre antituberculeux et de l'école d'hygiène et de santé publique de l'université John Hopkins.

Lundi 20
— NEW YORK : visites du Service de Documentation sanitaire, du Bureau d'hygiène infantile et de la Public School n° 21.

Mardi 21
— Visite du Service de Santé urbaine.

Mercredi 22
— Visite du Willard Parker Hospital.

Jeudi 23
— Visite d'un égout collecteur.

Vendredi 24
— Visite de trois abattoirs et de différents marchés en compagnie d'un inspecteur des denrées alimentaires.

Samedi 25
— Visite de l'Inspection vétérinaire.

Dimanche 26
— Visite du poste de quarantaine de Staten Island.

Lundi 27
— Visite du poste de contrôle de l'immigration d'Ellis Island.

Mardi 28
— Démonstration au pier n° 8 de Brooklyn des méthodes de fumigation employées pour la dératisation des navires.

Mercredi 29
— BRIDGEPORT : conférence sur l'organisation du Service de Santé urbaine et visite des différents départements.

Jeudi 30

> — NEW HAVEN : visites d'un foyer d'infirmières et de la chaire de Santé publique de l'université Yale.

Vendredi 1er mai

> — WATERBURY.

Samedi 2

> — HARTFORD.

Dimanche 3

> — Visite du sanatorium pour enfants d'UNDERCLIFF.

Lundi 4

> — HARTFORD : visite du Service des Eaux.

Mercredi 6

> — DETROIT : visite du service sanitaire des usines Ford.

Vendredi 8

> — PITTSBURGH : visite du service sanitaire de la Westinghouse.

Samedi 9

> — TORONTO.

Dimanche 10, lundi 11, mardi 12

> — Visites de différents organismes sanitaires, des laboratoires Connaught et de l'université.

Mercredi 13, jeudi 14, vendredi 15

> — OTTAWA : visites des services gouvernementaux, de réalisations sanitaires, du Service des Eaux et de la Faculté de médecine.

Du Samedi 16 au jeudi 21

> — MONTRÉAL : visite de la prison.
> — TROIS RIVIÈRES.
> — GRAND'MÈRE.
> — QUÉBEC.

Vendredi 22

> — Embarquement pour l'Angleterre.

ITALIE (18 juillet-8 août 1925)

Mardi 28, mercredi 29

— TURIN : réception à la Préfecture et visite de la fabrique de quinine d'État.

Jeudi 30, vendredi 31

— FERRARE : visite aux travaux des grandes bonifications hydrauliques.

Samedi 1er août, dimanche 2

— RAVENNE : visite des bonifications.
— FERRARE : conférence du professeur Ottolenghi de l'université de Bologne.

Lundi 3

— ROME : réception du directeur général de la Santé publique au ministère de l'Intérieur. Audiences accordées par Mussolini et par le président du Conseil.

Mardi 4

— NETTUNO : visite de l'école de malarialogie.
— ACCIARELLA : visite de la station sanitaire antimalarique.
— FERRIERE : visite du centre diagnostique de la Croix-Rouge.

Mercredi 5

— MARAIS PONTINS : visites des stations sanitaires et des services antimalariques de médecine scolaire.
— TERRACINA : visite de la tour destinée à l'élevage des moineaux.

Jeudi 6

— OSTIE : visites de la station sanitaire, de l'hôpital de la marine et des travaux de bonification.

Vendredi 7

— FIUMICINO : visites du service antimalarique des chemins de fer et de la station sanitaire.
— LAC TRAJAN : visite des travaux d'assainissement.
— BOCCA DI LEONE : visite des travaux de bonification par drainage profond.

Samedi 8

— GROTTAFERRATA : visite de la colonie agricole antimalarique.

TABLE DES ILLUSTRATIONS

Sauf mention particulière, les documents reproduits proviennent de la collection de l'auteur.

La pagination en chiffres romains renvoie au cahier de hors-texte placé entre les pages 16 et 17 du texte.

TABLE

De cet ouvrage,
achevé d'imprimer sur les presses
de l'Imprimerie Floch
à Mayenne,
le 22 avril 1977,
il a été tiré
trente exemplaires hors commerce,
numérotés de HC 1 à HC 30,
réservés à l'auteur.

N° d'éd. : 5659. — N° d'impr. : 14987.
D. L. : 2e trimestre 1977.